Сергей
Лукьяненко

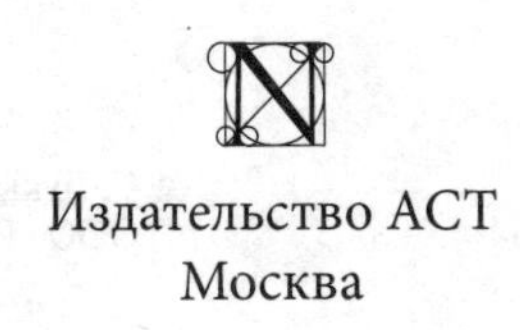

Издательство АСТ
Москва

УДК 821.161.1-312.9
ББК 84(2Рос=Рус)6-44
Л84

Серия «Книги Сергея Лукьяненко»

Оформление обложки *Е. Ферез*

Лукьяненко, Сергей Васильевич.
Л84 Кайноzой : [фантастический роман] / Сергей Васильевич Лукьяненко. — Москва : Издательство АСТ, 2018. — 320 с. — (Книги Сергея Лукьяненко).

ISBN 978-5-17-112584-4

Один мёртвый поезд.
Один мёртвый город.
Одна неделя, чтобы спасти мёртвый мир.

УДК 821.161.1-312.9
ББК 84 (2Рос=Рус)6-44

ISBN 978-5-17-112584-4

Глава первая

ПУТЕШЕСТВИЕ ИЗ МОСКВЫ В ПЕТЕРБУРГ

Вагон-ресторан был древний. Сделанный ещё в конце двадцатого века — я увидел на стенке вагона потускневшую дюралевую табличку: «Тверской вагоностроительный завод, сентябрь 1999 г.».

Я даже расчувствовался.

Когда этот вагон выпустили, я пошёл в детский сад. Люди готовились праздновать миллениум, не подозревая, что тысячелетие кончится только в 2001 году. Путин ещё не был ни президентом, ни премьером, ни председателем контрольного государственного совета. Восставшие существовали только в Голливуде, ну а про кваzи и речи не шло.

Близившийся к тридцати годам возраст вагон перенёс достойно, хоть в нём всё и было старомодно: маленькие столики с застиранными серовато-белыми скатертями, вместо стульев — жёсткие диванчики на двоих, на столиках — стаканы в мельхиоровых подстаканниках, искусственные цветы в пластиковых вазочках, минералка в стеклянных бутылках. Над окнами висели маленькие телевизоры, где под тихую мелодию крутились рекламные ролики РЖД с ее неполиткорректным слоганом: «Соединяя живых». РЖД никогда не отличалась политкорректностью.

Несмотря на поздний час и убогий интерьер, вагон-ресторан был полон. Существует такая традиция в России — сев в поезд, немедленно начать есть.

Ну ладно, не обязательно есть. Можно закусывать.

Я подошёл к барной стойке, за которой стоял молодой, лет двадцати с небольшим, парень. Взгляд у бармена был таким гордым, будто он не пиво разливал в вагоне-ресторане между Москвой и Санкт-Петербургом, а работал как минимум в «Восточном Экспрессе».

— Будете ужинать? — спросил бармен. Бейджик на форме гласил, что зовут его Володей.

Я скосил глаза на меню. Солянка вегетарианская сборная питерская, котелок сборный томлёный донецкий, кролик тушёный с рисом, рагу из свинины по-лугански, картошка жареная на сковородке с грибами, салат «Московский» из азербайджанских помидоров и узбекского лука...

— Пожалуй, нет, Володя. Два бутерброда с колбасой и бокал «Балтики», — сказал я.

Бармен погрустнел, но налил мне пива и выдал бутерброды. С добычей в руках я прошёл по вагону и остановился у столика, где сидел в одиночестве крупный мужчина с грубым угловатым лицом. Перед мужчиной стоял пустой котелок и почти допитый графинчик водки.

— Свободно? — спросил я.

Мужчина медленно поднял на меня взгляд. Черты его лица были столь рублены, грубы и асимметричны, что мне немедленно вспомнилось несчастное творение доктора Виктора Франкенштейна в исполнении Бориса Карлоффа.

— Вполне, — сообщил мужчина и зачем-то сдвинулся по диванчику к окну, будто решив, что я хочу присесть рядом с ним.

Может, у него уже не первый графинчик?

Я сел напротив. Поставил на стол тарелочку с бутербродами, отхлебнул пива.

— Вы, вероятно, москвич, — предположил мой сотрапезник.

— Угу, — вгрызаясь в бутерброд, буркнул я.

Мужчина понимающе кивнул. Посмотрел в окно, за которым безраздельно царила тьма Замкадья. Сказал:

— Два мира — две судьбы.

— Что? — не понял я.

— Ну... — мужчина развёл руками и словно бы пригорюнился от моей недогадливости. — В Москве — свет на улицах, машины гудят, магазины работают... А повсюду тьма, ужас и опустошение.

— Мёртвые с косами стоят, — поддакнул я.

Мужчина подозрительно посмотрел на меня. Спросил:

— Довольны?

— Чем?

— Всем этим.

— Разве можно быть этим довольным? — удивился я.

Мужчина хмыкнул. Пояснил:

— Вы, москвичи, всю жизнь себя от России-матушки отделяли. Насмехались. Мол, только у вас хорошо. А за Мкадом жизни нет. Ну вот, дождались. Довольны?

— Почему насмехались? — поразился я.

Мужчина скептически улыбнулся.

— А то нет? Тамбовчане — волки тамбовские. Пермяки — солёные уши. Рязанцы — косопузые. Ростовцы — вислоухие.

— Ну так и москвичей по-всякому обзывают, — сказал я. — И вообще, во всем мире у всех прозвища есть.

Это ж обычное дело. И внутри страны, и между странами. Да и всё это дело давнее, мало кто сейчас и вспомнит эти прозвища. И не всегда они обидные.

Мой собеседник прищурился:

— Косопузые — не обидно?

— Нет, — сказал я. — Потому что прозвище это, как нетрудно догадаться, пошло от топора, заткнутого за пояс. Дикая Степь рядом была, без топора в путь не отправлялись. Героическое прозвище. Гордиться можно.

Налив себе рюмку, мужчина буркнул:

— Дело давнее... Вот на вас тоже пиджачок косо висит, топорщится!

— Есть такое, — вздохнул я. — Кстати, и слово «топорщится» тоже от топора под одеждой произошло.

— В Питер-то по делам? — спросил он, меняя тему разговора. — Или турист?

— По делам, — признался я.

— Люблю я Питер, — с вызовом сказал мужчина. — Люди там лучше.

— Жалко, что мало их там.

— А кваzи вам не люди?

— Кваzи — они кваzи. — Я допил пиво.

— Вы человеческий шовинист.

— Вы так говорите, будто в этом есть что-то плохое, — ответил я.

Мужчина фыркнул. Спросил:

— А вам не интересно, откуда я?

— Если честно, то нет. — Я посмотрел на часы. — Спасибо за компанию, но мне пора. Приятного аппетита.

Я встал и поправил пиджак. Он действительно сидел на мне очень косо. Пошёл к тамбуру мимо ужинающих людей.

В вагонную дверь глухо стукнули. В перестуке колёс я скорее почувствовал, чем услышал толчок. Потом ещё один.

Будто кто-то тупо бился в дверь, вместо того чтобы повернуть ручку...

На миг я остановился, глядя на дверь.

Ручка задёргалась — вниз-вверх, вверх-вниз. Снова толчок. Теперь такой сильный, что его услышали все, — люди стали поворачивать головы.

Я побежал к двери, откинув на ходу полу пиджака.

Ручка снова дёрнулась и пошла вниз — на этот раз увереннее. Дверь начала открываться.

— Не двигаться! — крикнул я, толкнул обратно на диванчик привставшего и загородившего дорогу пассажира, устремился к двери.

Ручка дошла до низа — и дверь распахнулась от очередного удара.

В проёме дверей стоял восставший.

Свеженький. Молодой парень лет двадцати. Наверное, совсем недавно я бы про него сказал «кровь с молоком» — был он крепким, с пухлыми, не знающими толком бритвы щеками, робкими усиками над губой. Они ехали по соседству с рестораном, в восьмом вагоне, пару часов назад я видел, как они садились — десятка три молодых парней в курсантской форме, будущие военные моряки, шумные и весёлые, в сопровождении двух офицеров постарше. Они несли маленькие чемоданчики с вещами, почти все бодро, с аппетитом жевали шаурму, купленную тут же, у вокзала.

А вот когда я проходил через их вагон — там было удивительно тихо. Я даже отметил мысленно, что дисциплина у курсантов на высоте, сели в поезд — и спать.

Да что же с ним случилось?

Никаких ран на парне не было. Просто умер и восстал? И никто из друзей-приятелей не заметил?

— У-у-у-эээ... — тяжело выдохнул курсант. Форма до сих пор сидела на нём ладно, будто на живом. Значит — даже не успел раздеться и лечь спать.

На какой-то краткий миг я вдруг предположил и тут же уверился, убедил сам себя, что это дурацкий, гадкий, омерзительный розыгрыш. Совсем молодёжь с ума посходила, восставшим притворился! Может, на спор, на слабо, «на американку»; может, от той удали, что кипит в двадцатилетних и во все времена толкает их на глупости.

И эта синюшность ещё недавно розового лица — всего лишь краска из детского набора, эти пустые мёртвые глаза с безжизненно-большими зрачками — глазные капли и немножко лицедейства. Сейчас я схвачу парня за плечо, встряхну, а когда он разразится хохотом — отвешу ему такую плюху, что он её и на пенсии вспоминать будет...

Я даже протянул к курсанту руку — как раз в тот миг, когда его мёртвые глаза неуверенно уставились на сидящую за столом женщину. Красивую, яркую женщину: длинные рыжие волосы, холеное лицо, глаза большие, выразительные, фигура, что называется, роскошная. Одета в чёрное вечернее платье «в пол», скрывающее только то, что надо скрыть, и туфли на каблуках. И это в вагоне-ресторане старого поезда!

Даже то, что сейчас женщина застыла, держа у открытого рта вилку с кусочком жареной свинины из котелка, её не портило.

— Уэээ! — протянул курсант уже бодрее, с воодушевлением. Лицо его мелко задёргалось, руки затряслись. У свежих восставших очень плохо с моторикой.

Нет, это не было глупой шуткой.

Это был восставший.

Пару часов назад, на перроне, он смотрел бы на эту женщину с совсем другим вожделением.

А теперь она для него была всего лишь живой пищей, к которой его неудержимо тянуло. С секунды на секунду восставший ускорится и метнётся к жертве...

Я выдернул из скрытых под пиджаком ножен короткое мачете «Голок» — и рубанул бывшего курсанта по плечу.

— Ээээ! — заворчал восставший, поворачиваясь ко мне. Из глубокого разреза медленно сочилась, пропитывая темно-синюю форму, густая кровь. Движения курсанта убыстрились, заметно лишь для тренированного взгляда — но у меня он очень тренированный. Через мгновение восставший перейдёт в стадию охоты. Как-то удивительно быстро!

Вот тогда я и ударил второй раз, снося ему голову.

Рыжая женщина вскрикнула, когда тело тяжело упало к её ногам. Я заглянул в тамбур — там никого не было, захлопнул дверь, обернулся.

Все посетители вагона-ресторана смотрели на меня. Колёса стучали, женщина кричала, а так — было тихо.

— Кваzи! — крикнул я. — Есть кваzи на территории?

Молчание.

Рыжеволосая перестала кричать. Быстро собралась, молодец.

— Кваzи! — ещё раз позвал я.

Тишина.

Да я и сам прекрасно помнил, что ни одного кваzи в вагоне-ресторане не встретил. Ну что за незадача — поезд идёт в Питер, в их столицу, и никого из разумных мертвяков рядом нет!

Мой недавний собеседник внезапно поднялся и с возмущением выкрикнул:

— Вы убийца! Вы убийца и садист!

— Почему? — удивился я, косясь через мутное дверное стекло в тамбур.

— Восставших надо арестовывать! Их нельзя мучать! Вы специально вначале порезали парня, я видел!

— Да, — признал я. — Специально. В надежде, что это всё-таки глупая шутка и передо мной человек... Эй, Володя, оружие есть?

Бармен полез рукой под стойку и вытащил здоровенный нож. Дверь, ведущая на кухню, приоткрылась, высунулся повар — дядька постарше и покрепче. У него в руках был внушительный тесак. Ну, хоть что-то.

— Я иду в шестой вагон, — сказал я. — Кому по пути — можем прогуляться.

— В случае появления восставших положено изолировать вагоны друг от друга путём закрытия межвагонных переходов, сообщить о происшествии машинисту и начальнику поезда, после чего ждать помощи! — отчеканил бармен.

— Молодец! — сказал я одобрительно. — Вот так и действуй! А я пойду. Желающие присоединиться есть? Желающих присоединиться...

— Пожалуй, воспользуюсь вашим предложением, — сказала рыжеволосая женщина и встала из-за стола. Платье заструилось вдоль её тела.

Я с сомнением окинул её взглядом — с головы до ног. К голове у меня претензий не было. К ногам тоже, но вот туфли...

Женщина сбросила туфли, оставшись в коротких белых носках, потом приподняла платье и кивнула мне:

— Режьте. По колено. Можно чуть выше.

— Да ничего себе! — воскликнул я с восхищением. Оттянул подол — блин, настоящий шёлк, небось платье стоит, как крыло от самолёта. И аккуратно начал вспарывать платье лезвием мачете, предварительно вытерев его о брючину несчастного курсанта.

— Он сумасшедший! — воскликнул мой недолгий сосед по столу. — Нет, ну вы посмотрите, посмотрите, он сумасшедший, он опасен! Где он взял мачете? Ты где взял мачете, признавайся!

— На «скорой помощи» работал, украл у умирающего пациента, — ответил я. Кивнул женщине: — Пошли?

— Сейчас. — Она стоптала отрезанную половину платья, перешагнула, подошла к бармену Володе. Взяла из его рук рюмку — когда налить-то успел и кому? Себе, наверное... Выпила залпом. Потом взяла из его рук нож — бармен не пытался спорить, и, покачивая бёдрами, пошла ко мне между столиками.

Мысленно я ей поаплодировал.

А потом открыл дверь и вышел в тамбур.

Вагон выглядел мирно, как и положено честному купейному вагону на маршруте Москва—Санкт-Петербург. Традиционная ковровая дорожка на полу, приглушённый свет плафонов.

Людей не было видно. Ни живых, ни мёртвых. Вагон слегка потряхивало на стыках рельс, но шёл поезд очень мягко.

— Вам в какой вагон? — спросил я свою спутницу. — Кстати, я Денис. Денис Симонов.

— В пятый, — ответила она. — Меня зовут... зовут Александра. Александра Фадеева.

— Да ну, правда что ли... — пробормотал я, глядя вдоль коридора. — Как вы полагаете, товарищ Саша, он был один?

— Я полагаю, что мне надо в пятый вагон, — ответила она. — И быстро.

— Сын, дочь? — спросил я.

— Дочь и муж. Он собирался её уложить и подойти.

— Понятненько, — сказал я. — Держитесь за мной.

И аккуратно подёргал дверь последнего купе. Та приоткрылась — совсем на чуть-чуть, видимо пассажиры уже закрылись на ночь. Я заглянул в щель.

— Ну? — спросила Александра нервно.

Вначале мне показалось, что лежащие на полках курсанты спят. Торчали из-под простыней руки-ноги, позвякивала на столе ложечка в стакане — привычный, умиротворяющий звук поездов.

Потом я увидел, что высовывающаяся к самой двери голая стопа подёргивается. Равномерно, будто настраиваясь на какой-то беззвучный ритм. Сжались-разжались пальцы. Напряглись крепкие молодые мускулы.

— Плохо всё, — сказал я, прикрывая дверь. — Очень плохо. Идёмте.

— Мертвы? — спросила Александра, быстро идя за мной.

— Восстают.

Я заглянул в ещё одну неплотно закрытую дверь. Один курсант лежал на полу — видимо, упал с верхней полки. Голова у него была вывернута, шея сломана — но тело подёргивалось, потихоньку выправляя повреждения.

— Как? — спросила Александра. — Почему?

— Не знаю, — ответил я. — Видел их на вокзале, бодрые были ребята. Боюсь, моряки чем-то траванулись. Знаете, Саша, я всегда опасался есть шаурму на вокзалах...

— Красивые были ребята, — тихо ответила Александра.

Мы тихо шли по вагону — пока не обнаружили открытое купе. Отсюда, похоже, и вышел незадачливый посетитель ресторана.

Трое его товарищей были внутри.

Один восставал — по телу волнами пробегала дрожь, он уже пробовал поднять голову. Второй стоял на четвереньках. Третий пытался выйти в коридор, но с координацией пока было плохо, его заносило вправо, и он бился головой о косяк. При нашем появлении несчастный издал мычащий звук и в очередной раз приложился лицом.

— Этого не может быть, — сказал я. С силой толкнул восставшего в грудь — тот, взмахивая руками, попятился, наткнулся на стоящего на четвереньках товарища, упал, присев на столик. Полупустая банка консервированных грибов со стуком упала со столика на пол.

— Чего не может? — спросила Александра.

— Все разом восстают! Период поднятия у каждого индивидуальный, кто-то быстро, а кто-то и денёк должен полежать...

Я захлопнул дверь купе. Решил:

— Значит, так. Сейчас мы идём в свои вагоны. Предупреждаем проводников. Катастрофы не случилось, все восставшие, кроме одного, пока здесь. Вагон изолируем, в Питере кваzи возьмут кадавров под контроль. Правильно? Головы пока постараемся не рубить.

Рыжая женщина кивнула, зачарованно глядя на меня. Спросила:

— Так вы когда-то работали на «скорой помощи»?

— Разве я похож на врача?

Женщина нервно засмеялась, пробормотала едва слышно какую-то ерунду:

— Ну, может, мальчик, или в ... улке...

— В переулке? Я на доктора не похож и в подворотне, и посреди проспекта, — ответил я.

От нервов многие начинают заговариваться. Я легонько подтолкнул женщину, и мы вышли из вагона мертвецов. По пути я подёргал дверь, за которой было купе проводника, но того, похоже, на месте не было.

Почему-то я и мысли не допускал, что в следующем вагоне мы увидим такую же картину. Если бы смерть была способна выплеснуться за пределы одного вагона — что-то случилось бы и в ресторане, а ведь там никто не умер.

И в седьмом вагоне, действительно, всё было в порядке. Из одного купе доносился смех — живой, радостный. Там сидела компания, человек восемь — сошлись из нескольких купе. На столе, конечно же, был не только лимонад, но вели себя пассажиры тихо.

Как-никак в культурную столицу едут.

— Мужики, кваzи в вагоне есть? — спросил я, заглядывая в купе.

— А ты через полчаса зайди, мы тут все накваzюкаемся... — отозвался один, с хитроватым лицом балагура.

Повернулся.

Увидел мачете в моей руке.

Женщину с обрезанным платьем и кухонным ножом за моей спиной.

Замолчал.

Покачал головой.

Хмель и с него, и с его товарищей слетел мгновенно. Раздалось несколько крепких словечек.

— В соседнем вагоне беда, — сказал я. — Там морячки ехали, курсанты. Полный вагон. Ну и... похоже, траванулись чем-то.

— Совсем траванулись? — спросил кто-то.

Я кивнул. Пояснил:

— Одного пришлось уложить. В ресторане. Он первый восстал. Остальные, пожалуй, до Питера доедут. Но вы будите проводника, запирайте двери в тамбуре. На всякий случай проверьте всё купе... Вдруг ещё кто-то... поел несвежего...

— Не бойся, проверим, — сказал кто-то из мужиков. — Всё будет как надо.

Ребята и впрямь были серьёзные, я сразу почувствовал себя спокойнее. Такие и забаррикадируются, и вагон проверят, и голову, если надо, отрубят.

Мы с Александрой уже выходили из вагона, когда кто-то из компании меня окликнул:

— Много там восстало-то?

— Да уже почти все! — ответил я.

— Так не бывает!

— Знаю, — согласился я.

Мы прошли тамбур и оказались в моём шестом вагоне.

И здесь всё было тихо. Нормальной живой тишиной, а не той, что царила в восьмом вагоне.

Хотя, конечно, это я уже придумываю.

— Всё в порядке, — сказал я. — Идите к семье, товарищ Александра. Вы молодец, восхищён вашей выдержкой.

Она едва заметно улыбнулась.

— А вы здесь едете?

— Да. Второе купе. Извините, внутрь не приглашаю, — я поднял руку и постучал по двери.

— Ничего, — сказала Александра, пристально глядя мне в глаза. Казалось, что она хочет что-то сказать.

Ну, или страстно поцеловать меня — несмотря на мужа и дочь в соседнем вагоне.

Я был бы совсем не против — Александра была очень красивая женщина. Поцелуй за спасение — это ведь романтика, а не измена. Даже её муж должен был бы согласиться, если уж по-честному!

— Граждане, немедленно вернитесь в свои купе, закройте двери, открывайте только официальным представителям РЖД! — гаркнул вдруг под ухом проводник, вышедший из своего купе. Одной рукой проводник заправлял в штаны мятую рубашку, в другой крепко сжимал дешёвое табельное мачете. — У нас... э... технические проблемы... Откуда у вас мачете, гражданин?

— Он его украл, — усмехнулась Александра. Протянула проводнику нож. — Отдайте потом бармену Володе, ладно?

И она пошла по коридору — плавной, манящей походкой. В коротком платье она выглядела ещё лучше.

— Не мог на минуту позже выйти, а? — спросил я проводника, глядя вслед Александре.

— Откуда у вас мачете? — всё настаивал тот на своём.

Я достал и предъявил ему удостоверение:

— Мачете служебное. Идите, обеспечьте изоляцию восьмого вагона с нашей стороны.

— Там всё плохо? — спросил проводник *с пониманием*.

— Там ещё хуже, — ответил я. Снова постучал в дверь.

Замок щёлкнул, и Найд открыл дверь. Был он в одних трусах, сонный и недовольный.

— Ну па... — начал он. Потом удивлённо посмотрел на оружие в моих руках и в руках проводника. Сон с него тут же слетел. — Что случилось?

— Да обычное взрослое занятие, ножичками меряемся, — сказал я. — Спорим о лучших сортах стали и методах заточки лезвия.

— Папа!

Я кивнул проводнику, вошёл в купе, закрыл дверь. Сел на койку. Спрятал мачете в ножны.

— Что случилось? — спросил Найд, переминаясь с ноги на ногу.

— Ну, — я откашлялся. — Во-первых — я навсегда запрещаю тебе есть шаурму на вокзалах. Поверь, сын, оно того не стоит.

Найд сел напротив, потёр кулаками глаза. Сказал:

— Хорошо. Понял. А шаверму — можно?

— Питерскую, вегетарианскую? Из тушёной капусты с морковкой? Можно.

— Что случилось, пап? — Найд посмотрел мне в глаза.

Я вздохнул.

— Сашка, через вагон от нас ехали морячки, курсанты. Питерские. Может, с экскурсии какой-то возвращались, не знаю... В общем — они потравились всем вагоном. Понемногу восстают.

— Весь вагон? — тихо спросил Найд.

Я кивнул.

— Ты всех убил? — уточнил Найд.

Я вздрогнул.

— С ума сошёл? Нет, конечно. Одного, увы, пришлось. Вагон изолировали. Надо бы кваzи подтянуть, но в принципе опасности нет. Вагонные двери им не выбить.

— Кваzи не любят ездить ночными поездами, — сказал Найд. — Считают это пустой тратой времени. Я... мы... ехали утренним экспрессом.

— Ну, кто-то найдётся, — сказал я. — В общем, ты не волнуйся. Ложись спать.

— Ты же спать не будешь?

Я покачал головой.

— Тогда я тоже, — решил Найд.

— Как хочешь. Но не спать будешь лёжа и под одеялом.

Найд хмуро посмотрел на меня, но всё-таки забрался под одеяло, лёг, глядя на меня. Я пригасил свет, облокотился на столик, глядя в окно.

И впрямь — тьма, пустота, холод. Весна выдалась ранняя, но холодная. И где-то там бродят, добывая себе пропитание, восставшие...

— Я не знаю, хочу ли в Питер, — тихо сказал Найд.

— Сам напросился, Саша. А мог остаться с Настей...

— Нет.

— Или с Маркиным. У него сын — твой ровесник...

— Можно я подумаю? — сонно спросил Найд. — Остаться у чужих людей в Москве и целый месяц ходить в чужую школу. Или поехать в Питер и целый месяц не ходить в школу... Я подумал! Всё-таки лучше в Питер.

Найд уснул через пару минут.

Ещё через четверть часа я тихонько вышел из купе. Зашёл в туалет и вымыл мачете. Потом прогулялся в сторону мёртвого вагона, убедился, что двери туда перекрыты, в тамбуре дежурят проводник, пара крепких мужиков и женщина-кваzи — нашли всё-таки одну. Со стороны вагона-ресторана, как отчитался проводник, тоже всё было надёжно перекрыто и охрана выставлена.

И, как ни странно, меня это успокоило. Настолько хорошо, что, вернувшись в купе, я запер дверь, разделся, лёг и мгновенно уснул.

Я позвонил в дверь ещё раз. Как будто наклеенной на дверь пластиковой ленты с надписью «опечатано» мне было мало. Постоял, глядя на номер квартиры, — винти-

ки, которыми были прикручены латунные цифры, ослабли. Захотелось достать отвёртку и подкрутить. Только зачем?

Тихонько приоткрылась соседняя дверь. Выглянула соседка, я её немного знал. Однажды она застала нас с Олей целующимися в подъезде — и посмотрела столь сурово, с таким неодобрением, будто Ольге было не двадцать лет без малого. Мы тогда не выдержали, захохотали, а Ольга сквозь смех сказала: «Добрый вечер, Марья Захаровна!»

— Добрый вечер, Марья Захаровна, — сказал я.

В глазах тётки мелькнуло узнавание.

— Денис! Ох, Денис, горе-то какое!

Голос у неё сразу изменился. Есть такие женщины в годах, которым доставляет удовольствие сообщать о неприятностях. Кто-то заболел, умер, собака убежала, канализационную трубу прорвало, горячей воды две недели не будет, гречка подорожала — что угодно годится. Причём сочувствие из них прямо-таки сочится, но вперемешку со смакованием, с радостным возбуждением. Наверное, для таких самое большое горе, что они сами по себе попричитать на похоронах не смогут.

Хотя, пожалуй, теперь у них шанс будет. «Ой, горе-то какое, умерла я на той неделе!»

— Знаю, Марья Захаровна, — сказал я. — У всей страны горе. У всего мира. Что случилось-то с Олиными родителями?

— В метро они погибли! — с жадным восторгом воскликнула соседка. — Говорят, то ли мертвяк в вагоне поднялся, то ли показалось, — давка началась, паника, поезд остановился, люди по путям кинулись, топтали друг друга, на кусочки рвали со страху... Там и сгинули. И тёща твоя и тесть. Они на рынок ездили, на Рижский, хотели курочку купить фермерскую, пока продают, побаловать себя напоследок. Так и сказали, уходя...

Соседка осеклась и с жадным любопытством посмотрела на меня:

— А где же Олечка? Где малышка ваш?

Я молчал, глядя на неё.

— Ох, горе-то! — радостно запричитала соседка.

— Марья Захаровна, вы не знаете, может подруги у Оли тут жили какие рядом? — спросил я.

— Нет, она девочка скромная была, тихая, переехали сюда, когда большая уже была, школу заканчивала, — протараторила соседка. — Ни подружек, ни друзей — всё с родителями, всё с книжками, солнышко наше...

Я кивнул и пошёл вниз по лестнице. Мне даже не с кем было разделить своё горе.

Под утро, когда на границе питерской кольцевой поезд незапланированно остановился на разъезде, я проснулся. Снова вышел в коридор, не утруждая себя излишними вещами, — в трусах, с мачете и мобильником. Усталый проводник курил в тамбуре, нарушая все предписания. Поезд расцепляли, извлекая из его середины несчастный восьмой вагон.

Как на мой взгляд — так проще было всем доехать до Московского вокзала, а там бы опытные кваzи спокойно вывели восставших и отправили в резервацию. Но тут уже играли роль соображения совсем другого порядка. Три десятка молодых моряков внезапно умерли и обратились в восставших. Один был ликвидирован безвозвратно. Что ни говори, а ЧП государственного масштаба, власти явно решили подготовить общественное мнение.

— Бедные ребята, — пробормотал проводник, глянув на меня. — Что ж случилось-то?

Я пожал плечами. Версия с несвежей шаурмой, конечно, убедительной не выглядела.

— Вам, кстати, велено из купе не выходить, — добавил проводник. — Начальник поезда сообщил. Просил даже вас запереть.

— Знаю, знаю, хотят наградить, — сказал я. — Прямо на перроне, боятся, что убегу от награды. Хотят вручить именные настольные часы от Министерства путей сообщения в виде маленького чугунного паровоза. В двенадцать часов дают гудок. Шикарная вещь, такую только для особо отличившихся выпускают!

Проводник нахмурился. Недосып явно сказался на скорости его мышления.

— Какой чугунный паровоз?

— Маленький, — я показал руками. — Или вы про модель? «ФД». «Феликс Дзержинский». Впереди на котле вместо красной звезды — циферблат. Но я не хочу брать.

— Здорово, — задумчиво сказал проводник. — А почему не хотите брать?

— Гудят громко, — объяснил я. — Днём ещё ничего, а ночью? И уголь в Москве сложно достать, а паровой котёл, знаете, какой прожорливый?

— Да ну вас, — сказал проводник. — Как вы можете в такой ситуации шутить?

Я посмотрел на вагон, который оттаскивали по путям. Сказал:

— Всё лучше, чем плакать.

— Вы учтите, вас не награждать собрались, — предупредил проводник. — Посетители ресторана написали петицию о том, что вы сознательно убили восставшего. вместо того чтобы принять меры к задержанию. В Питере очень строго к этому относятся, знаете ли.

— Да, в Питере с восставшими всегда обращались хорошо, — согласился я. — Уже два века как. Спасибо. Я, в общем-то, догадывался. Даже знаю этого посетителя.

Дожидаться, пока наш поезд снова сцепят, удалив из него мёртвый вагон, будто ампутировав погибший орган, я не стал. Прошёл в другой тамбур, там никого не было. Подумал секунду.

И позвонил по телефону.

— Проснулся? — спросил Маркин. Голос у него был традиционно бодрый. — Что-то рановато доехал до культурной столицы.

— Восьмой вагон отцепляют.

— Ясно. Почему сразу не сообщил?

— Не хотел будить.

— Спасибо, в итоге меня разбудили, как только я заснул. Ты что творишь, Денис?

— Защищаю невинных.

— Ты ещё добавь: «соблюдаю закон». Почему ты убил восставшего?

— Он собирался кинуться на женщину. Разодрал бы ей горло вмиг.

— Женщина-то хоть красивая? — спросил Маркин.

— А то!

Мой начальник хмыкнул. Спросил:

— Задержать не пробовал? Учитывая твой игривый настрой, уточняю — восставшего задержать не пробовал?

— Маркин, ты же меня знаешь, — сказал я. — Он ускоряться начал. Охотиться. Секунды оставались.

— Едва восстав — ускорился? — с сомнением спросил Маркин.

— Бывает, сам знаешь.

Маркин неохотно сказал:

— Всё бывает... От меня требуют санкцию на твоё задержание. Я, конечно, их послал. Пообещал сам разобраться и наказать.

— Кто требует?

— Квазi, кто ж ещё... Парень был питерским, в его завещании указано согласие на восстание... Советую позвонить Бедренцу.

Я выразительно помолчал.

— Ты же всё равно едешь в их ведомство, — сказал Маркин. — И всё равно бы с ним встретился.

— Не хочу встречаться в роли просителя.

— Понимаю, — одобрил Маркин. — Но если тебя посадят до выяснения, мне будет очень трудно тебя выковыривать из питерских застенков.

Какой слог! Питерские застенки! Видать, достали Маркина безопасники квазi...

— Не посадят. Я с Сашкой, что они, мальчишку в застенки бросят?

Маркин на некоторое время замолчал. Потом спросил:

— Ты что, с сыном в Питер поехал?

— Откуда мне было знать, что такое случится? А он очень просился. Скучает он по Питеру, понимаешь?

Маркин вздохнул и повторил:

— Позвони Михаилу. Тем более, раз у тебя сын на руках. А мне пару часов не звони, я отключу телефон и лягу поспать.

Поезд вздрогнул — вагоны снова сцепили. Мне дальше спать не суждено, через полчаса приедем на вокзал.

Я стоял и глядел на экран телефона.

Позвонить или попробовать обойтись без этого?

Формально у квазi не существовало чиновников, полиции и аварийных служб. В общем — никаких государственных структур, один лишь Представитель — президент, царь, диктатор, считайте его кем угодно.

Такая ситуация, насколько я знал, была в большинстве общин кваzи, лишь в США они упрямо скопировали человеческую государственную структуру, образовав параллельное правительство и даже две партии — некро-демократическую и морто-республиканскую. Одну возглавлял женщино-американец, другую — чернокожий трансгендерный американец — в общем, всё как у людей.

Но в России, как и в большинстве стран мира, кваzи декларировали анархическую форму государственного устройства. Они занимались различными делами, но официально их должности никак не были закреплены — «инспектор» или «посланник» Представителя были той максимальной уступкой, на которую они шли.

Так что формально четыре кваzи, собравшиеся вокруг меня с Найдом, должностными лицами не являлись. Несмотря на одинаковую одежду — небесно-голубые кители, оранжевые брюки и пронзительно-жёлтые береты, несмотря на увесистые резиновые дубинки на поясах и ту характерную «полицейскую» манеру общаться, которая остаётся у нашего брата даже после смерти.

— А я ещё раз повторяю, — сказал я. — На основании чего вы меня задерживаете? Если вы сотрудники органов охраны порядка — предъявите ваши документы.

— Ещё раз объясняю, гражданин, — сказал старший из кваzи (погон у них не было, но все они почему-то носили на груди значки в виде маленьких красных звёздочек; так вот: у троих было по одной звёздочке, а у старшего — три). — На территории кваzи нет органов охраны порядка, поскольку нет и нарушения. Мы обычные жители Санкт-Петербурга, любящие порядок.

И мы вас не задерживаем. Мы просим добровольно пройти с нами, чтобы в неформальной обстановке в районном отделении клуба любителей порядка побеседовать на разные темы.

Я вздохнул. Нелепая раскраска формы (которой, конечно же, тоже не было — ну просто случайно оделись «обычные жители» одинаково) вызывала ощущение, что я попал в старую детскую книжку — и спорю сейчас с её вежливыми персонажами.

— Извините, — спросил я. — Ваша фамилия не Свистулькин?

Кваzи выглядел молодо и, возможно, книжку про Незнайку в Солнечном городе не читал.

— Нет, — сказал он. — Фамилия моя Пеночкин, Пётр Пеночкин. А какое это имеет значение?

Я вздохнул. Над вокзалом, как и положено во время прибытия поезда, звучал гимн Санкт-Петербурга:

Несокрушим — ты смог в года лихие
Преодолеть все бури и ветра!
С морской душой,
Бессмертен, как Россия,
Плыви, фрегат, под парусом Петра!*

Найд подёргал меня за рукав. Я положил руку ему на плечо, бросил:

— Подожди, сейчас... Обычный житель Санкт-Петербурга Пётр Пеночкин, скажите, а если я откажусь пройти с вами?

— Полагаю, нам придётся быть очень убедительными, — сказал Пеночкин. С некоторым даже воодушевлением сказал, *с обещанием*.

* *Чупров О.* «Державный град, Возвышайся над Невою...» — гимн Санкт-Петербурга.

— Со мной ребёнок, — сказал я.

— Ребёнка мы доставим в детский клуб временного содержания, — сообщил Пеночкин. — Не беспокойтесь.

— Папа! — требовательно сказал Найд.

Я достал из внутреннего кармана куртки удостоверение, протянул его Пеночкину. Тот даже смотреть не стал.

— Мы знаем, кто вы, капитан Денис Симонов.

— И это ничего не меняет? — спросил я.

— Усугубляет, — спокойно ответил Пеночкин.

— Отец! — совсем уж резко произнёс Найд.

Я посмотрел на него. Найд мотнул головой, взглядом указывая в сторону.

Повернувшись, я увидел Михаила Бедренца.

Старый квазі, похоже, стоял рядом уже некоторое время.

Был он, как всегда, в старомодном мятом костюме, в шляпе, при галстуке. Поверх пиджака Бедренец набросил чёрный шерстяной плащ строгого, напоминающего военный, кроя. А может быть, военный, точнее, военно-морской вид плащу придавала бескозырная ленточка, чёрная с золотым якорьком, которую Бедренец скрутил восьмёркой и приколол к лацкану?

— С морской душой, бессмертен... — негромко сказал я.

Бедренец покосился на ленточку. Потом уставился на гражданина Пеночкина. Тот некоторое время стоял спокойно, глядя на Бедренца, потом заёрзал, затоптался, будто ему резко захотелось в туалет.

Бедренец продолжал смотреть на него.

— Я это считаю неправильным, — сказал Пеночкин, опуская глаза.

— Идите, Петя, — мягко сказал Михаил.

Пеночкин и его товарищи молча отошли в сторону.

— Что я пропустил? — спросил я. — Вы теперь телепаты?

— Телепатия антинаучна, — сказал Бедренец строго.

— А живые покойники — очень даже научны, — кивнул я.

Михаил помедлил и протянул мне руку.

Я глубоко вздохнул.

Полгода назад при последней встрече мы стояли с ним у Мкада, у наглухо закрытых ворот на Рублёвку, и собирались друг друга убивать. Ну, точнее он собирался меня убить, а я его — упокоить. Если бы не прибежал Найд...

Я протянул руку и пожал горячую ладонь мёртвого полицейского.

— Не держи зла, — сказал Михаил. Опустил руку в карман, достал и протянул мне свёрнутую восьмёркой чёрную ленту. — Приколи, сегодня весь город их наденет. В память о погибших курсантах.

Я кивнул, понимая наконец-то происхождение ленты на его пиджаке.

— Здравствуй, Саша, — тем временем сказал Михаил, повернувшись к Найду. — Рад тебя видеть. Ты подрос.

— Серьёзно? — удивился я.

— Примерно на полтора сантиметра, — сказал Михаил. Протянул Найду руку, как взрослому.

Тот заложил руки за спину, молча глядя на старика.

— Ты зря на меня сердишься, — сказал Бедренец. — Я всё сделал для твоего же блага.

Найд молчал.

— Нам придётся некоторое время работать вместе с твоим отцом, — рассудительно сказал Михаил. — Мы будем постоянно встречаться. В такой ситуации бойкот малопродуктивен и крайне неудобен для обеих сторон.

Я видел, что сын размышляет.

— Здравствуйте, Михаил, — очень вежливо ответил Найд, пожимая ему руку. — Как существуете?

— Без изменений, — кивнул Бедренец. — Пойдёмте.

И мы двинулись с перрона, сквозь толчею людей и кваzи. В воздухе витал неистребимый вокзальный запах — множества человеческих тел, угля и солярки, самой разнообразной еды. Откуда он берётся, если кваzи не пахнут, на угле и солярке поезда давным-давно не ездят, пищу привозят готовую и запаянную в пластик? Не знаю. Наверное, с девятнадцатого века законсервировался, въелся в вокзальные камни.

— Моё нынешнее положение в правительстве неустойчиво, — тем временем произнёс Бедренец. Он шёл впереди, явно уверенный, что мы не отстанем. — Но я хорошо известен правоохранителям и всё ещё имею достаточно полномочий. А телепатии у нас нет. К сожалению.

— А что случилось с твоим положением? — поинтересовался я. — Ты выполнил миссию в Москве. Тебя на руках должны носить, Михаил.

— Разве ты не в курсе? — удивился Бедренец. — Ты же приехал.

— Меня отправил Маркин. Сказал, что кваzи настаивают на моей командировке в Питер, что есть проблема, по которой мне придётся работать с... с тобой.

— И никаких деталей? — удивился Бедренец. — Я же ему всё подробно написал.

— Он считает, что если я ознакомлюсь с ситуацией на месте, постепенно, то лучше войду в положение дел и добьюсь больших успехов, — неосторожно пояснил я.

— Вот как... — задумчиво сказал Михаил. — Интересная точка зрения...

Мы прошли мимо бюстов Петру I и Ленину, с недавних пор установленных в здании вокзала рядом. Великий русский император и великий русский революционер неприязненно смотрели друг на друга. Ну а что поделать, поставили — терпи.

— Так что случилось? — спросил я.

— Пожалуй, я приму точку зрения твоего начальства и буду вводить тебя в ход дела постепенно, — сказал Михаил. — Сейчас поселитесь, сходим пообедать, потом отведём Александра гулять в парк и поговорим.

— Какой парк? — возмутился Найд. — Я не маленький, меня не надо никуда отводить!

— Но мы же не можем таскать тебя с собой.

— Я к друзьям пойду, — заявил Найд. — Я могу сам о себе позаботиться.

— Это верно, — согласился Михаил. — Друзей у тебя в Питере много, найдёшь, чем заняться... Вот мы и пришли.

Я остановился, глядя на огромную велосипедную стоянку перед вокзалом, на площади Восстания. Сказал:

— Да ладно. Ты, конечно, шутишь.

— У нас не очень принято передвигаться на автомобильном транспорте, — сказал Михаил строго. — Особенно на близкие расстояния. Не стоит выделяться. Я заказал велосипед для тебя, а Найду привёз его собственный.

— Ну нафиг... — простонал я, глядя, как Михаил отстёгивает от креплений замок велосипеда. Правонарушений у них нет, видите ли... но велосипеды всё-таки воруют. — А чемодан?

— Я увезу, — уверенно сказал Бедренец, похлопав по багажнику над задним колесом. — Тут стояло креслице Саши, я его три года возил, ни разу не уронил.

Найд, к моему удивлению, засмеялся и даже погладил свой велосипед по рулю. Потом посерьёзнел:

— Надо седло поднять... и шины ты опять перекачал...

— Я десять лет на велосипеде не ездил, — в панике сказал я. — Михаил, ты серьёзно? Скажи мне, что это шутка? Она удалась! Михаил, ты ведь шутишь, да?

Хорошо, что не было снега.

Я почему-то думал, что нас поселят на Марата, в прошлом несколько раз доводилось там останавливаться. Но мы проехали по Невскому, свернули на набережную Фонтанки. Бедренец, что неудивительно, оказался прекрасным велосипедистом, ноги у него работали быстро и чётко, будто рычаги у паровозных колёс. Незастёгнутый плащ развевался за плечами, кваzи не слишком-то боятся холода.

Найд вообще слился со своим велосипедом воедино. То уезжал вперёд, то отпускал руки и с явным наслаждением ехал без руля, форсил, как это принято у мальчишек. Я вдруг виновато подумал, что ни разу не задался этим вопросом, не предложил ему купить велосипед в Москве, а ведь он в Питере привык к двум колёсам. Впрочем, зимой у нас не особо-то и поездишь.

Ну а я — я тоже ехал. Вцепившись в прорезиненные ручки руля, мгновенно ставшие мокрыми от пота. Изо всех сил крутя педали. Куртка сбилась на поясе вверх, пиджак под ней явно смялся и топорщился, рубашка вылезла из штанов, и поясницу холодил весенний воздух. Нет ничего нелепее, чем ехать на велосипеде в костюме.

Но ведь у Бедренца получалось!

И у всех этих кваzи и людей, что катили по питерским улицам и проспектам на велосипедах — тоже. Некоторые везли детей, многие — вещи. Некоторые были одеты для велопрогулок, но большинство — в самой обычной одежде, и никаких трудностей или смущений это у них не вызывало. Помимо обычных велосипедов я заметил и электровелосипеды, и сегвеи, и моноколёса, и электроскейты, и электросамокаты. В общем — весь набор экологически чистых городских транспортных средств. Для машин даже на Невском осталось только по одной полосе в каждую сторону.

— Ты мог мне хотя бы электрический велосипед подогнать? — спросил я, с натугой успевая за Михаилом.

— Боялся тебя обидеть, — не оборачиваясь ответил кваzи.

— Чем?

— Ты мог решить, что я принижаю твои физические способности.

Наверное, он всё-таки издевался? Или говорил всерьёз?

С набережной мы свернули в переулок имени казахского поэта Джамбула. Здесь, у старого четырёхэтажного дома (впрочем, в центре Питера мало не старых домов) с магазином «Тульские самовары» на первом этаже, Михаил остановился.

— Я буду долго гнать велосипед, — пробормотал я, останавливая своего железного коня. В ногах начали болеть какие-то мышцы, о которых я давно забыл. Хотелось походить нараскоряку. Ощущения в седалище заставляли вспомнить о казни путём посажения на кол. — Нет! Не смогу я целый день на велосипедах ездить, Михаил. Даже на электрических.

Бедренец посмотрел на меня с сочувствием.

— Хорошо, Денис. Я подумаю, что можно сделать. Велосипеды пока оставим в парадном.

Парадное было обычным подъездом, даже не слишком просторным. Квартира оказалась на четвёртом этаже. Лифта, конечно, в этом здании не было. Но я уже не роптал.

Через час мы сидели в кафешке поблизости и завтракали. К счастью, хотя бы в этом вопросе Михаил не стал погружать меня в питерскую атмосферу целиком — кафе не было вегетарианским, мне приготовили яичницу. Найд, заказавший вначале хлопья с апельсиновым соком, тоже попросил омлет — видимо, чтобы дистанцироваться от Бедренца. Но Михаила, конечно, такими глупостями было не пронять.

— Очень рад, что ты стал есть больше белковой пищи, — мимоходом заметил он, чем явно испортил Найду аппетит. — Вам удалось выспаться?

Я кивнул, подцепляя с тарелки желток.

— По телевиденью только и говорят о случившемся, — сказал Бедренец. — Тридцать погибших моряков. Массовое отравление.

— Уже понятно, чем они отравились?

— Да. «Си-Пей». Синтетическое боевое отравляющее вещество, блокирует прохождение нервных импульсов. Убивает мгновенно, через несколько минут начисто разлагается на безвредные составляющие. Официально нигде не производится, неофициально — есть на вооружении спецподразделений всего мира.

Я опустил вилку и уставился на Бедренца. Осторожно спросил:

— Ты хочешь сказать...

— Да, их убили. Отравили весь вагон. Остатки ампулы нашли почти сразу — её забросили в систему кондиционирования вагона. А ты что думал? Мне передали, что ты всем твердил про несвежую шаверму. Из-за этого к тебе и привязались — нельзя же всерьёз нести такой бред.

— Нет, ну про шаурму я шутил... — Я глянул на Найда, тот укоризненно смотрел на меня. — От нервов. Нет, конечно. Я в одном купе банку грибов видел открытую. Решил, что ботулизм.

— Ты подумал, что все они сразу, одновременно наелись испорченных грибов? — скептически спросил Михаил.

— Ну... да. — Я почувствовал себя идиотом.

— Инкубационный период при ботулизме — несколько часов.

— Я не специалист, — огрызнулся я. — Что я мог ещё подумать? Целый вагон военных моряков отравлен боевым ядом? Это шпионский фильм какой-то. Эпохи первой или второй холодной войны. Я, знаешь ли, привык иметь дело с бытовыми смертями. Жена обиделась на мнение мужа о её стряпне и ударила его паштетом, проломив череп. Или двое мужчин выпили, поспорили о влиянии Ницше на развязывание Второй мировой войны и принялись колотить друг друга «Заратустрой» и «Падением кумиров». Или...

— Денис.

Я замолчал.

— Я полагал, что ты едешь в восьмом вагоне.

— Почему?

— В телеграмме из Москвы было так написано. Может, спутали, может, не на ту цифру нажали. «Капитан Денис Симонов прибудет в Санкт-Петербург поездом 054, вагон 8», мне передали из администрации вчера вечером.

Найд быстро поднял голову, посмотрел на меня, но ничего не сказал. Продолжил ковырять омлет.

— Нас хотели убить, — сказал я.

— Полагаю, что убить хотели только тебя, — поправил Михаил. — Вряд ли Александр представляет для них интерес. Но тебя убить хотели очень сильно. Настолько, что не мелочились, решили уничтожить весь вагон.

— Хорошо, что не весь поезд, — машинально сказал я.

— Хорошо, — кивнул Михаил.

Я вспомнил весёлую толпу молодых моряков, толпящуюся у входа в вагон. И как мы с Найдом некоторое время шли рядом с ними, а потом в сутолоке у вагона ещё и остановились — я полез за старомодными бумажными билетами, которые всегда по привычке распечатываю, а Найд ныл, что вагон у нас шестой, он точно помнит, у него на смартфоне билеты есть, только смартфон разрядился...

Со стороны, наверное, выглядело так, будто мы собираемся сесть именно в восьмой вагон.

Бедные курсанты.

— Но это, полагаю, снимает с меня все подозрения? — спросил я. — Можешь передать вашим питерским дружинникам, что я — как цесарка.

— Что? — Бедренец не понял.

— Как жена Цезаря. Вне подозрений.

— Обычно, когда тебе тоскливо, ты довольно удачно остришь, — сказал Михаил. — Но сейчас не получилось.

Я кивнул.

— Понимаю. Можете ещё Сашу допросить.

— Ты про Александру Фадееву, которую упомянул в рапорте товарищ Симонов, папа Александра? — спросил Михаил небрежно.

Пару секунд я обдумывал его слова.

Потом беззвучно выматерился.

— Полагаю, она импровизировала на ходу, — продолжал Бедренец. — Имя взяла твоего сына, потому что это подсознательно вызывало у тебя доверие. Фамилию — другого писателя тех лет. Нагло, но сработало.

— То есть её не было в поезде? — уточнил я.

— Женщина была, её видели. Скорее всего, билет она покупала под именем Ольга Чехова. Скорее всего, тайно вышла из поезда на границе Питера, когда отцепляли восьмой вагон. Ехала она одна, никакого мужа и дочери с ней не было.

— Я ведь даже проснулся, — заметил я. — Вышел в тамбур... с проводником пообщался.

— Не было похоже на то, что в купе кто-то заглядывал в твоё отсутствие? — спросил Михаил.

Я вздрогнул, глядя на Найда. Тот пожал плечами.

— Не знаю, — сказал я. — Как-то и в голову не пришло... Ольга Чехова... Чем-то знакомое имя.

— Старая русско-немецкая актриса первой половины двадцатого века. Гитлер её очень любил, несмотря на русское происхождение. Ещё, говорят, была агентом НКВД. Спроси Маркина, он точно скажет.

— Ну, ты же не хочешь сказать...

Бедренец вздохнул.

— Нет, конечно. Та Чехова давным-давно умерла, шансов восстать у неё не больше, чем у Наполеона. Но если фальшивое имя выбрано не случайно, то это интересный штрих. Любит литературу, однако.

Я подумал немного и кивнул. Перед глазами стояла Ольга Чехова, она же Александра Фадеева. Блин, красивая женщина. Такие не должны быть убийцами. Ладно, такие имеют право из ревности застрелить соперницу или мужа-обманщика! Но уж никак не отравить вагон мальчишек-курсантов!

— Как у тебя-то? — спросил Бедренец мягче.

— Всё нормально, — ответил я.

— Как Настя?

— А что Настя? Тоже нормально. Днюет и ночует на работе. Ты же понимаешь.

— Она хороший, увлечённый сотрудник, но мне казалось, что любовь к тебе для неё важнее, — осторожно сказал Бедренец. — Может быть, это для неё единственная возможность быть рядом с тобой?

Я улыбнулся.

— Если бы даже и так? Неужели ты думаешь, Михаил, что я стал бы жить с мёртвой женщиной, которую когда-то любил?

Старый кваzи посмотрел мне в глаза. Потом покачал головой.

— Нет, Денис. Ты бы не стал.

Глава вторая

МЁРТВЫЕ И ЖИВЫЕ

Санкт-Петербург — город с тяжёлой судьбой. Сколько людей положил в сырую невскую землю Пётр I, одержимый идеей построить в России европейский город, — никто не знает, но считается, что не меньше ста тысяч. Для тех времён цифра чудовищная.

Потом был 1905 год и Кровавое воскресенье.

После была революция и десятки тысяч погибших.

Затем — фашистская блокада и полтора миллиона умерших от голода и холода.

Так что столицей кваzи Санкт-Петербург стал удивительно естественно. Нельзя сказать, что во время катастрофы он особенно сильно пострадал. Не Киев, в конце концов, где людей осталось процентов двадцать от населения. Но кваzи стали стекаться в него со всей страны, а живые — уезжать. Без конфликтов, без ссор. Как-то очень спокойно и буднично, будто город ждал этого момента.

— Ну, так зачем ты меня вызвал? — спросил я.

Мы с Михаилом стояли на Банковском мосту, как на мой взгляд — самом красивом в Питере. Мимо шли люди и кваzи, редкие туристы фотографировались у крылатых львов, традиционно обзывая их грифонами. Львы не обижались, они привыкли.

Мы были одни. Найд ушёл. Убежал к своим знакомым-приятелям, унёсся как ветер, едва ли не вприпрыжку. Его ждали друзья живые и мёртвые, а меня — один лишь только Драный Лис.

— У меня большие проблемы, — сказал Михаил. — Да, в общем-то, у всех нас... — Он замолчал на миг. — Полгода назад мы предотвратили войну между живыми и кваzи. Спасибо тебе. Ты наш друг.

Я вздохнул. Полгода назад я позволил Михаилу забрать смертоносный вирусный штамм, способный выборочно уничтожить всё взрослое население мира. Нет, вру. Не позволил забрать. *Сам отдал* оружие, созданное сумасшедшим гением, профессором Виктором Томилиным. Сохранил, так сказать, баланс между живыми и мёртвыми.

— Когда ты умираешь, — сказал я, — то ты этого не чувствуешь, плохо всем вокруг. Примерно то же самое, когда ты тупой.

Михаил несколько мгновений помолчал, глядя на холодную воду канала. Когда кваzи напряжённо размышляют, то даже самые способные перестают выглядеть живыми. Михаил хотя бы дышал, а некоторые забывают — им не надо делать это так часто, как людям.

— Это смешно, — решил он наконец-то. — Ты хочешь сказать, что, называя тебя другом, я повёл себя как идиот.

— Да.

— Но мы работали вместе. И ты отдал мне вирус, хотя я не стал драться за него.

— Да, — сказал я, глядя в мутноватую от стужи воду.

— Ты вёл себя как друг.

— Я вёл себя как разумный человек. Я вообще чемпион мира по разумным поступкам. Мне не нравится то, каким стал мир. Но и люди, и кваzи нужны друг другу. Если бы вы все вымерли — мы остались бы наедине с восставшими. На них «чёрная плесень» действует?

Вообще-то я знал ответ. Михаил, полагаю, тоже, но ответил он уклончиво:

— Биологически кваzи и восставшие почти идентичны.

— Хорошо, остались бы только люди. Но в разрушенном мире, где всё равно постоянно восставали бы покойники. А к тому, что сейчас происходит, мы приспособились.

— Работает — не трогай, — кивнул Михаил. — Разумный вывод. Но ты всё равно наш друг. Мой друг!

Я вздохнул. Если кваzи что-то себе вбил в голову — то лишить его этого убеждения можно только вместе с головой.

— Так что случилось? — спросил я. — Ты принёс Представителю вирус. Ты должен быть на коне. А у меня сложилось ощущение, что ты... не в фаворе.

— Этот вопрос я проясню позже, — ответил Михаил. — Основная проблема в другом.

Ну вот. Никуда не денешься, я согласился приехать, я встретился с Михаилом, я позволил ему втянуть себя в разговор.

Глупо теперь затыкать уши и напевать «ла-ла-ла».

— И в чём же? — покорно спросил я.

— Появились атипичные восставшие и атипичные кваzи, — сказал Михаил. — С первыми ты уже знаком.

— Встали слишком быстро, сразу рванулись на охоту, — кивнул я. — А кваzи?

— За последние две недели зафиксировано четыре случая нападения кваzи на людей, — сказал Бедренец.

— Удивил, — фыркнул я. — Вот только не надо делать вид, что среди кваzи не встречаются убийцы.

— Да, — согласился Михаил. — Бывают. Но, видишь ли, раньше не встречалось кваzи, которые были бы способны... терзать жертву.

Я посмотрел на него. Вопросительно поднял бровь.

Михаил откровенно мялся. Он вдруг даже снял шляпу и пригладил волосы ладонью. И отводил глаза.

— Терзать можно по-разному, — сказал я. — Вот ты сейчас меня терзаешь своими экивоками. Но мне кажется, что ты имел в виду...

— Да, — сказал Михаил.

— Зубы? — безжалостно уточнил я.

Михаил кивнул.

— Ты хочешь сказать, что какие-то кваzи нападали на людей и... рвали их зубами... — сказал я. — Верно?

Бедренец опять кивнул.

— И?

— Они... ели, — тихо сказал Михаил.

— Как восставшие? Пожирали людей?

— Не совсем, — пробормотал Михаил. — Они даже не ставили своей целью убить. Две жертвы из трёх выжили... их просто искусали... частично погрызли... шрамы останутся.

— Но каждый раз ваши замечательные вегетарианцы не упускали случая проглотить кусок человеческой плоти.

Михаил кивнул.

В голове у меня мешались отвращение, злость и любопытство. Наверное, мой моральный облик достоин сожаления — любопытства было больше.

Все кваzи были когда-то кровожадными тупыми восставшими. Все кваzи возвысились, обрели разум, убив человека и сожрав хотя бы часть его мозга. Это жуткая правда, которую знают немногие.

Но есть вещь, которую знают все, — кваzи вегетарианцы. Очень строгие, они даже молоко пить не могут. Это действительно правда.

И это то, что позволяет нам сосуществовать с живыми покойниками.

Если выяснится, что кваzи способны пожирать людей, подобно своим неразумным предшественникам, то начнётся война.

— Рассказывай, — сказал я. — Только давай уйдём куда-нибудь в тепло. Я живой, я озяб.

У кваzи температура тела выше человеческой. Но холода они не чувствуют. Как сказал однажды Михаил: «Своё отмёрзли».

— Пошли, — кивнул Михаил.

Идти пришлось недалеко. Мы прошли по набережной вдоль канала и на углу с Москательным переулком вошли в дверь старого четырёхэтажного здания. Вроде как в здании располагались университетские корпуса, но за дверью была совершенно не учебная атмосфера — подтянутый вооружённый вахтёр (человек, не кваzи) за столом, казённая, лишённая уюта атмосфера, белый свет ламп (я уже замечал, что кваzи больше любят холодный спектр освещения). Здесь Михаила знали, здесь Михаила уважали. Даже вахтёр, при взгляде на которого хотелось остановиться и отдать честь, не стал меня останавливать — протянул было руку за документами, но Бедренец покачал головой и вахтёр не стал спорить.

— Научный центр, — сказал Бедренец. — Небольшой.

— Твой персональный, — добавил я, озираясь, пока мы шли узкими высокими коридорами. Штукатурка потемнела и кое-где отставала, сказывалась близость воды, вечная питерская сырость. Под вытертым линолеумом поскрипывал старый деревянный пол.

— Практически, — не стал спорить Михаил.

Мы зашли в дверь, за которой оказался кабинет — чуть более обжитой, чем остальное помещение. Тут хотя бы нашлось место для двух орхидей на подоконнике, усыпанных такими яркими цветами, что они казались пластиковыми. Рядом с окном стоял молодой мужчина-кваzи, даже не повернувшийся в нашу сторону. Сотрудник, наверное.

— Настоящие, — сказал Михаил, заметив мой взгляд. — Я всем кваzи советую держать дома орхидеи.

— Потому что они паразиты? — ляпнул я.

— Заблуждение, — ответил Михаил. — Орхидеи — эпифиты. Они используют дерево как опору, а не паразитируют на нём.

Он грузно уселся в кресло, кивнул мне на диванчик, стоящий сбоку от стола, рядом с кулером для воды. Вздохнул:

— Но ход мысли у тебя правильный. Именно поэтому. Я пытаюсь донести до всех кваzи простую мысль — без живых людей мы вымрем... Аркадий!

Мужчина неторопливо повернулся. При жизни он был молод, не старше двадцати с небольшим. Лицо костлявое, лоб низко скошен, глаза чуть асимметричные, курносый, при этом ухи какие-то не по размеру мелкие и оттопыренные. В общем — после смерти он стал выглядеть лучше.

— Аркадий работает аналитиком, — сказал Михаил, не поясняя, аналитиком чего. — Поговорите с ним.

— Рассказывайте, Аркадий, — сказал я, устраиваясь на диванчике поудобнее. Аркадий садиться не стал, просто сделал несколько шагов, вышел на середину комнаты, как ребёнок, готовящийся читать стишок Деду Морозу.

— Пострадавшая — Нелли Селиванова, шестнадцать с половиной лет, — сказал он. — Инцидент произошёл четыре дня назад. Мы не были знакомы. Девушка после школы подрабатывала курьером, она доставила нам почту. Я вышел на вахту, подошёл к ней, забрал конверты, стал расписываться в квитанции. И тут меня... — он запнулся. — Тут со мной что-то произошло. Я наклонился, вероятно, она решила, что я хочу поцеловать руку, но я укусил её в район запястья...

— Стоп! — заорал я. Аркадий послушно замолчал. — Михаил, что за... Что он говорит? Он твой аналитик?

— И по совместительству — одна из жертв, — сказал Михаил.

— Жертва, которая напала на девочку?

Михаил отвёл взгляд. Но ответил твёрдо:

— Он жертва непонятного заболевания. Аркадий, продолжай.

— Я вырвал зубами фрагмент кожи и мышечной ткани, — продолжал Аркадий. — И начал жевать. Мне... мне было вкусно. Я совершенно ни о чём не думал, просто жевал. Девушка стала кричать, бросилась к двери, я её не удерживал. Она выскочила на улицу и упала. Не потеряла сознание, просто растерялась, была в шоке. Я смотрел на неё и жевал, она смотрела на меня и молчала. Прошло две-три секунды, не больше. Потом меня стошнило. Я стал говорить, успокаивать её, извиняться. Побежал за аптечкой. Девочке стал помогать вахтер, Александр, человек. И Зинаида, сотрудница, кваzи. Вместе мы перевязали рану. Я проверил оторванный фрагмент мышцы, надеялся, что в больнице смогут пришить, но там всё было разорвано и раздавлено. Мы вызвали скорую помощь. И полицию. Девушку госпитализировали. С меня после допроса взяли подписку о невыезде. Жизнь девушки вне опасности, врачи обещают полное сохранение функциональности конечности. Но останется некрасивый шрам. Я пытался навестить её в больнице, она отказывается от встречи. Это все имеющиеся факты.

Я перевёл взгляд на Михаила. Потом снова посмотрел на Аркадия. Оба квази молчали.

— Зачем ты это сделал? — спросил я.

— Не знаю. В тот момент это показалось мне правильным и естественным. Это походило на кошмарный сон. Или на кратковременное помутнение сознания. Я многократно обдумывал произошедшее, у меня нет никакой рабочей версии.

— Прямо-таки совсем никакой? — уточнил я.

— Признаков отравления или болезни у меня нет, — сказал Аркадий. — Я не находился под чьим-то влиянием, к тому же нет достоверных сведений о гипнабельности квази или возможности психопрограммирования. Никаких разумных, логических доводов к нападению у меня не было. Я не испытывал голода. Тем более что в дальнейшем у меня не возникло стремления есть продукты животного происхождения и, судя по реакции организма, — они по-прежнему являются для меня вредными. Единственное, что я могу предположить... — он заколебался, но всё же продолжил. — Я один из первых квази. Возможно, с течением времени в наших организмах происходит какой-то сбой, который приводит к немотивированной агрессии. В таком случае я лишь первая ласточка.

— Скажи-ка, ласточка, сексуального подтекста в твоём нападении не было? — спросил я. — Молоденькая девушка, расцветающий... э... цветок... агрессия и секс часто связаны.

— Невозможно, — ответил Аркадий. — Я обдумывал этот вариант, но проблема в том, что мне не нравятся женщины. Я гей. Вот вы мне кажетесь очень привлекательным мужчиной.

Я поперхнулся и закашлялся.

Я, кажется, даже покраснел.

Вот уж чего не доводилось слышать!

— Но у меня уже есть постоянный партнёр, кваzи, — огорчил меня Аркадий. — И сексуальное влечение у нас проявляется куда слабее, чем у людей, — он покачал головой. — Нет, у нас с вами ничего бы не вышло.

— Да твою ж... — простонал я. — Ты ещё что-то можешь сказать?

Аркадий подумал немного.

— Да. Я очень сожалею. Я больше не буду. Если, конечно, это не болезнь.

— А если болезнь?

— Тогда меня необходимо изолировать или уничтожить.

Я снова глянул на Михаила. Тот кивнул Аркадию.

— Спасибо. Ты можешь вернуться к работе. Спасибо за откровенный рассказ.

— Спасибо за доверие, Михаил Иванович, — ответил Аркадий. — До свидания. Я буду у себя в кабинете. До свидания, господин Симонов.

— До свидания... — выдавил я.

А когда дверь за парнем закрылась, уставился на Михаила.

— Что? — спросил тот.

— С ума сошёл? У тебя в помещении разгуливает кровожадный кваzи!

— Атипичный. Он в норме.

— Сейчас в норме! А когда его снова... накроет?

— Если накроет.

— Исходить надо из «если»!

— Так мне и сказали, когда я не дал его арестовать, — кивнул Михаил. — Но я в ответе за своих сотрудников.

— Поэтому ты и в опале, — сообразил я.

— Да, — признался Михаил. — Мы изучаем проблему, и вдруг мой сотрудник набрасывается на человека. А я же его защищаю. Это не добавило мне популярности.

— Кто ещё нападал на людей? — спросил я.

— Пенсионер, бывший скрипач в оркестре. Там всё печальнее, он напал на собственного правнука, ребёнок скончался. Нападавшего попытался убить его внук, но кваzи его опередил.

— В каком смысле?

— Взял нож и отрезал себе голову. Мы крепче людей. Мы на такое способны.

Я отметил этот удивительный факт — у людей, если я не ошибаюсь, подобный фокус лишь однажды проделал пьяный поляк. Но он воспользовался бензопилой.

Однако больше меня насторожило другое.

— Что дед самовыпилился — это молодец. Но... снова ребёнок! Третья жертва?

— Взрослый. Там был небольшой конфликт между человеком, туристом с Дальнего Востока, и кваzи, работавшей в Эрмитаже. Совершенно рядовой конфликт. Турист сфоткал картину со вспышкой. Кваzи сделала замечание, турист начал оправдываться, что забыл отключить вспышку, инцидент был практически исчерпан... и тут кваzи на туриста напала. Три укуса в мягкие части ноги.

— В задницу, короче.

— В задницу, — признал Михаил. — Порвала брюки, вырвала клок мышцы... Кваzи под домашним арестом, турист в больнице, опасности для жизни нет. Видимо помутнение сознания длится недолго.

— Четвёртый случай?

— Шедший мимо кафе кваzи остановился и укусил за руку девушку, пьющую кофе на открытой террасе.

— Миша, вы все в... мягких частях, — сказал я. — Да и мы тоже. Есть какая-то связь между всеми агрессивными кваzи?

— Никакой, — твёрдо сказал Михаил. — Живут в разных местах, не знакомы, никак не связаны. Молодой мужчина-гей, старик, женщина нормальной ориентации, мужчина средних лет нормальной ориентации. Возраст, национальность, профессия, место рождения, время восстания и возвышения — всё разное.

— Признаки воздействия? В первую очередь химия?

— Аркадий же сказал — нет. Покончивший с собой кваzи был подвергнут всем возможным анализам. Никаких следов.

— Где-то в мире ещё происходило подобное?

Я очень надеялся услышать твёрдое «нет». Это позволило бы свести ситуацию к локальной аномалии. Ну мало ли, Питер... место такое.

— Подтверждённой информации нет, — ответил Михаил. — Европейские и американские коллеги неофициальными путями интересовались примерно тем же самым, что и мы: не было ли последнее время зафиксировано необычных конфликтов между кваzи и людьми. Либо у них происходит то же самое, либо они получили информацию и пытаются понять, что у нас происходит.

— Лучше уж второе, — резюмировал я. — Если по всему миру кваzи принялись нападать на людей, то это конец. Но даже если проблема локальна, долго вы информацию в тайне не удержите.

Михаил обречённо кивнул.

— А что про атипичных восставших? — спросил я.

— Отмечаются случаи ускоренного перехода умерших людей в состояние восставших. В одной из больниц восставший поднялся через три минуты после смерти. Во всех случаях восставшие очень быстро переходят в стадию охоты. Ну и... ещё ряд странностей.

— У тебя есть что выпить? — только и сказал я.

К моему удивлению, Михаил открыл ящик стола, достал початую бутылку какого-то незнакомого виски, два стакана. В один плеснул виски, двинулся ко мне.

Я поймал себя на том, что чуть подтянул ноги, готовясь вскочить.

— Я не кусаюсь, — сказал Бедренец.

— Это пока, — едко ответил я, принимая стакан.

Себе Михаил налил воды из кулера. Мы молча чокнулись. Я сделал глоток. Виски был шикарный.

— Да ты разбираешься в напитках, — сказал я, косясь на бутылку. — Зачем он тебе?

— Таких как ты угощать, — Михаил грузно сел рядом. — Денис, я боюсь. Происходит что-то чудовищное.

— То, что ты давно мёртв, но ходишь и разговариваешь — не чудовищно?

— Я не мёртв, — терпеливо произнёс Бедренец. — Я перешёл в иную форму человеческого существования. Мёртв — тот дедушка, что отрезал себе голову, когда понял, что натворил. Мёртв его годовалый правнук. А мы пока живы.

Говорить «надолго ли» я не стал. Меня пронзила другая мысль.

— Найд! Михаил, он же один в городе!

— У нас не расхаживают толпы атипичных кваzи, — сказал Михаил. — Найд прекрасно знает, что среди нас тоже могут быть убийцы, маньяки, сексуальные насильники, он не испытывает к каждому встречному кваzи безоговорочного доверия.

— А он знает, что его давнишний приятель-кваzи может вцепиться в него?

Михаил не ответил.

— Я должен буду предупредить Найда, — сказал я. — Уж извини, но плевать на секретность, ему я это скажу... Михаил, зачем ты меня вызвал? Чем я могу тут помочь?

— Почему ты зовёшь сына Найдом? — внезапно спросил Михаил.

— Я зову его Сашей.

— При нём. А без него называешь Найдом.

— Потому что я не знаю, действительно ли он мой сын, — сказал я. — Ты мог меня обмануть.

— Хорошо, ты мне не веришь, — кивнул Михаил без всякого раздражения или смущения. — Это разумно. Но ты ведь можешь проверить сам...

— Нет.

— Почему?

Вот как объяснить? Тем более что вначале пришлось бы объяснять самому себе. Но я честно подумал и сказал:

— Если я стану выяснять, это будет предательство.

— А может быть, ты боишься узнать, что я действительно тебя обманул, — предположил Михаил.

— Может быть. — Я не стал спорить.

— Поэтому я тебя и вызвал, — сказал кваzи. — Ты не предатель. Даже если подозреваешь предательство, сам в ответ не предаёшь. И ты хороший полицейский. Ты чуешь. Когда не хватает информации — доверяешься интуиции и не ошибаешься.

Я вздохнул, провёл ладонью по лицу. Надо бы побриться.

— Хорошо, Михаил. Я постараюсь помочь. Я на девяносто девять процентов уверен, что мы не удержим ситуацию. Дрожжи уже попали в сортир, скоро оттуда повалят дурнопахнущие субстанции... Но я буду стараться. С одним условием.

Михаил серьёзно кивнул.

— Ты расскажешь мне всё. Действительно всё, что вы знаете о себе, о восставших, о катастрофе. Во-первых, это надо для дела.

— Бесспорно. Договорились.

— А во-вторых, я хочу понять, кто же вы такие.

Михаил сочувственно поглядел мне в глаза.

— Люди, Денис. Мы обычные люди, только мёртвые. В этом и вся беда.

— Хорошие слова, чтобы закончить разговор, — кивнул я. — Давай, всё-таки, я позвоню Найду и попрошу его быть аккуратнее. А потом займёмся вагоном с курсантами.

— Считаешь, это как-то связано?

— Враги у меня есть, — я пожал плечами. — Но такие, чтобы ради меня убить толпу молодых ребят? Это либо ради того, чтобы не пустить меня в Питер...

— Либо в отместку за то, что ты отпустил в Питер меня, — уточнил Михаил.

— В любом случае я хочу найти этих подонков, — сказал я. — И надо же с чего-то начать.

Честно говоря, я не отказался бы от ещё одной порции виски. Но Михаил не предлагал, а спрашивать было неудобно. Так что я встал, всем видом изображая бодрость и готовность работать.

— Михаил, есть смысл говорить с четвёртым кусающимся квазi? — спросил я.

— Он в коме и не факт, что восстановится, — ответил Михаил. — Рядом оказался добровольный любитель порядка, он применил оружие. Четыре выстрела в голову, даже мы такое не выдерживаем. К тому моменту квазi, очевидно, пришёл в себя — он пытался оказать раненой женщине помощь, увидев добровольца, поднял руки и не сопротивлялся, но... Ситуация очень похожая на ту, что стряслась с Аркадием, только рядом оказался полицейский. То есть любитель порядка.

— Тут занервничаешь, — согласился я. Наверное, будь я в Москве, я бы поехал общаться с полицейским. Не потому, что надеялся услышать что-то новое, а просто для порядка. По инструкции. Но ничего бы это не дало. — Михаил, а что с восставшими? Ты сказал про «ещё ряд странностей»?

— Идём, — кивнул Михаил. — Хотя нет... подожди.

Он снова полез в стол, но на этот раз достал не виски, а пистолет. Старенький «ПМ», запасную обойму к нему и листок бумаги. Протянул мне. Я молча взял оружие, посмотрел на бумагу — да, как я и ожидал, это было разрешение на ношение и применение в ходе моей командировки.

Михаил ничего не сказал, я тоже ничего не стал спрашивать, просто спрятал оружие в карман куртки.

Мы вышли из кабинета, прошли по коридору, в конце него Михаил отпёр металлическую решетчатую дверь, мы завернули — планировка тут была запутанная, как в любом старом и многократно перестраиваемом здании. Ещё одна металлическая дверь... Я занервничал.

— Не хочешь ли ты сказать...

— Да, нескольких мы держим здесь, — кивнул Бедренец.

Даже для Питера это было чересчур. Но я не стал ничего говорить. Мы вошли в просторную комнату без окон, перегороженную пополам решёткой. С нашей стороны решётку закрывала ещё и мелкая сетка рабица.

За решёткой топтались двое восставших, при жизни — мужчины средних лет. Один выглядел обычным — серовато-зеленоватая кожа, пустой расфокусированный взгляд, бессмысленно-расслабленное лицо. Он был переодет в просторные шорты и футболку, уже изрядно замусоленные и надорванные. А вот второй был странным. Его восставший из мёртвых организм восстановил ткани, но как-то частично. Он был очень худой, кожа казалась дряблой, при движениях кости едва не прорывали её. Вообще кости были самой заметной частью его тела, всё остальное толком не заслуживало внимания. Этого даже не сочли нужным одеть.

— Странный какой, — сказал я. — Останови их, Михаил, хочу разглядеть получше.

Восставшие при моём появлении возбудились, двинулись к решётке. Первый сразу сообразил, что она не поддастся и принялся водить по сетке руками. Глаза его дёргались, неуверенно отслеживая мои движения.

А вот второй был совсем туп. Он шёл вперёд, натыкался на решётку, отшатывался, сдвигался чуть в сторону и снова повторял попытку пройти сквозь преграду.

— Этот вообще кретин, — заметил я. — Михаил, да прикажи им стоять на месте!

— Не могу, — ответил Бедренец.

— Почему? — удивился я. — Надо их разглядеть получше.

— Ты не понял. Не «не хочу». Не могу.

Я глянул на Михаила. Тот кивнул.

— Да-да. Ты не ослышался. Я их не чувствую. И они меня. Не повинуются, не реагируют. Более того, пытаются нападать, как на любой движущийся объект.

— Много таких? — шёпотом спросил я.

— На данный момент таким восстаёт каждый стотысячный. Примерно.

— Процент растёт?

— Да, — признался Бедренец.

— Плохо-плохо-плохо, — пробормотал я. Господи, да что же творится такое! Мало с нас кваzи, которые принялись грызть людей. Ещё и восставшие, не слушающиеся квазi, появились!

— Это не просто плохо, это катастрофа, — согласился Михаил. — И это ещё не всё. Ты не зря обратил внимание на дистрофичного восставшего. Он не свежий.

— То есть?

— Он выбрался из старой могилы. Периода до Катастрофы.

Вначале я подумал, что он шутит.

Михаил ведь почти умеет это делать. Может у него и нет чувства юмора (известен лишь один эстрадный артист-квазi, но он и при жизни был профессиональным юмористом, и после смерти продолжал шутить — так же плохо, впрочем), но Михаил старается.

Я представил, как на Земле воплощается старый клип Майкла Джексона «Триллер» — и по всем кладбищам начинают подниматься мертвецы...

— Случай на самом деле уникальный, — сказал Михаил, видимо сообразив, о чём я думаю. — Нам его доставили с Таймыра. Имя установить не удалось, документов не было, но человек, очевидно, замёрз в конце девяностых — начале двухтысячных.

— Как выяснили? — спросил я, глядя на неутомимо шагающего «в решётку» восставшего.

— У него с собой был пейджер.

— Ах ты ж бедняга, — посочувствовал я. — Но четверть века...

— Он вмёрз в глыбу льда.

— Ну прямо капитан Америка, — сказал я. — Понятно. Замёрз, потом растаял и вирус подействовал на мёртвые клетки, будто на только что умершие.

— Нет. Он находился внутри ледяной глыбы, когда его нашли. Парня прямо во льду и привезли в Питер. Честно говоря, у нас был план его аккуратно разморозить — вдруг оживёт? Но он вдруг открыл глаза и начал подёргиваться прямо внутри ледяной глыбы.

— Значит, вирус существовал и раньше?

Михаил вздохнул.

— Никто и никогда не находил никакого вируса, поднимающего мертвецов. Мы не знаем, почему покойники восстают. И уж тем более непонятно, какой вирус мог подействовать на замороженное тело в толще льда. Вирусу тоже надо размножаться, распространяться по организму, он использует живые клетки. Мёртвые, в том числе и замороженные, с разорванными органеллами, для вируса бесполезны.

— Что возвращает нас к тому, почему мёртвые восстают, — кивнул я.

— А также почему восставшие обретают разум, почему время поднятия мёртвых ускорилось, почему некоторые кваzи становятся агрессивными, почему некоторые восставшие не подчиняются кваzи.

— Я не знаю, за что зацепиться, — признался я. — Я в чужом городе. Ты, как я понимаю, изрядно урезан в правах. Если учёные не смогли понять механизмы восстания мёртвых — я-то что могу поделать?

— Кто-то настолько хотел тебя убить, что отравил целый вагон, — напомнил Михаил. — У нас есть ниточка.

— Фадеева-Чехова, — вздохнул я. — Будем проверять всех женщин, любящих великую русскую литературу? Или всех актрис? О, понял! Всех с писательскими фамилиями. Жалко, что в русской литературе было так много Ивановых...

Мы вышли из комнаты, оставив восставших пускать слюни у решётки. Ну, в фигуральном смысле, конечно. Слюнные железы у восставших практически не функционируют.

— Придумай что-нибудь, — попросил Михаил. — Напрягись. Ты же можешь. Ты живой.

Что-то было в его голосе необычное. Мы шли по коридору, возвращаясь к унылому кабинету с кулером и двумя орхидеями, которые не паразиты, а эпифиты... Я искоса всматривался в Михаила, в его сероватое старое лицо, погружённый в себя взгляд...

Да он же в панике! Он хватается за соломинку, и эта соломинка — майор Симонов.

— Внешность я описал, всё рассказал. Ваши её и так ищут, — я пожал плечами.

— Внешность, тем более у женщины, — вещь переменчивая, — вздохнул Михаил. — Надо найти раньше, чем наши. Напрягись.

— Красивая, держалась хорошо. Если честно, то всё-таки не думаю, что она причастна к убийству — у неё была возможность пырнуть меня ножом или толкнуть в руки восставших.

— Значит, точно красивая, раз защищаешь, — решил Михаил. — И не боялась восставших?

— Ну, вскрикнула разок. А так очень собранная была, говорила разумно. Один раз что-то заговариваться стала.

— Ну-ка? — заинтересовался Михаил.

Мы вошли в кабинет, я сел на прежнее место. Поморщился, вспоминая.

— Я пошутил, что на «скорой» работал и там мачете спёр. А потом, когда предложил вагон изолировать, чтобы в Питере кваzи взяли кадавров под контроль, она спросила — правда ли на «скорой помощи» работал? Я отвечаю, что вроде как на врача не похож. А она какую-то ерунду сказала. Мальчиком меня назвала. И про переулки что-то. Мол, может, мальчик, может, в переулке...

— В улке, — сказал Михаил.

Я повспоминал немного.

— Ну да. Но такого слова нет.

— Есть, Денис. «Кадаврами» врачи «скорой» всегда называли мёртвых. «Мальчиком» звали водителя «скорой помощи». «Улка» — бригада «скорой», работающая на улицах, там обычно нет врача, только опытный подготовленный фельдшер. На врача ты и впрямь не похож, а вот фельдшер из тебя бы вышел. Или водитель.

Можно было сказать, что Михаил оживает прямо на глазах, вот только каламбур выходил уж больно дурацкий.

— Молодец, Денис. Услышав от тебя слово «кадавр», твоя спутница не удержалась от реплики. Судя по знанию сленга, она имеет отношение к «скорой помощи».

— Ты-то откуда знаешь? — поразился я.

— У меня жена была врачом «скорой помощи», — пояснил Михаил. — Пошли! У нас есть ниточка!

— Так может у неё муж — врач «скорой помощи»? — пробормотал я, вставая. — А зачем идти? Интернет отменили?

— За это помещение я спокоен, — ответил Михаил. — А вот за интернет — ни в малейшей мере.

Скорее по инерции я всё же продолжил спорить, идя за старым квазi.

— Ну и смысл? Если следят, то стоит нам куда-то зайти — поймут, чего искали.

— Поймут, — согласился Михаил. — Но мы к тому моменту будем впереди. На полшага. Но иногда полшага — это очень много.

Первый квазi, которого я увидел в своей жизни, сидел на броне танка и ел перловую кашу из железной миски.

Меня подобрали в пяти километрах от Мкада. Тогда аббревиатура «Московская Кольцевая Автодорога» ещё не превратилась в короткое ёмкое слово, обозначающее и защитный рубеж, и границу, и транспортную магистраль. Сейчас дети, играя, могут начертить перед собой линию на земле и закричать: «У меня Мкад, ты в меня не попал!» Тогда же защитные сооружения только строились, а охраняла мегаполис армия, полиция и добровольцы.

В те дни поток беженцев, стекающихся к городам (вперемешку с восставшими, которые на них охотились и рефлекторно шли к скоплениям людей), был так велик, что никто со спасёнными не сюсюкал. Никаких психологов, никаких центров реабилитации. Несколько замученных, спящих на ходу врачей, которые в основном проверяли, нет ли на теле спасённых укусов — тогда ещё счита-

ли, что укушенный может умереть и превратиться в восставшего.

Меня осмотрели и покормили — сунули в руки пакет чипсов и банку рыбных консервов. Спросили, служил ли в армии, умею ли стрелять, доводилось ли уже убивать восставших. И отправили к временному штабу: большой военной палатке на парковке у строительного гипермаркета. Почему военные не использовали здания и склады вокруг — не знаю. Наверное, какие-то правила.

Возле палатки стояли два танка. У одного люки были задраены. У второго открыты. На башне, возле открытого люка, сидел молодой мужчина в военной форме с серовато-синим лицом и ел из миски кашу.

Я оторопел. Я остановился, глядя на восставшего. Нет, он был какой-то не такой, как остальные. И взгляд был разумный, и вёл он себя как человек. Но цвет кожи... и какой-то общий странный вид... от него будто веяло чем-то нездешним, неправильным.

— Трупак! — сказал я пробегавшему мимо сержанту. — Трупак же!

Тогда это слово было в ходу. Сейчас за него банят в социальных сетях, и вообще лучше выматериться, чем такое сказать.

— Это не трупак, — укоризненно сказал мне сержант. Остановился, утёр пот со лба, достал сигареты. Видимо, рад был возможности поговорить и передохнуть. — Это лейтёха наш, Серёга Ларичев. Ходил с группой на рекогносцировку. Напали трупаки, ребят порвали... Лейтенант как-то отбился, сам в беспамятстве был. Заразился этой дрянью. Но видишь — переболел, пришёл в себя, вышел к нам. Когда организм могучий и воля к жизни велика — никакая зараза тебя не возьмёт.

— Он трупак, — упрямо сказал я. — Вы не понимаете. Я их видел. От смерти не выздоравливают.

Сержант вздохнул. Повернулся к сидящему на танке серокожему человеку. Крикнул:

— Товарищ лейтенант! Что ж вы кашу пустую едите? Может вам тушёнки притащить?

Лейтенант резко покачал головой. Сказал суховатым безэмоциональным голосом:

— Спасибо, боец. После того, что видел, меня на тушёнку не тянет.

И продолжил есть кашу.

Сержант подмигнул мне. Видимо, отвращение спасшегося лейтенанта к мясу было уже известным фактом.

— Может он и говорит, — сказал я, глядя на лейтенанта. — И мясо не ест. Только это трупак.

Я пошёл к штабу, стараясь держать лейтенанта на танке в поле зрения. Не было у меня доверия к этому «переболевшему». Трупак он и есть трупак, я их нутром чую.

Кваzи-людьми их начали называть только через пару недель. А потом — просто кваzи.

Я был уверен, что Михаил поведёт меня в какой-то центр кваzи по учёту населения. Или в управление здравоохранения — есть же здесь живые люди, значит, есть и больницы, и «скорая помощь». А как ещё искать «красивую женщину, предположительно работавшую на “скорой”»?

Но мы, неспешно прогулявшись по центру — мне показалось, что Михаил пытался отследить шпиков и вёл меня не самым прямым маршрутом, прошли по набережной Фонтанки, перешли через мост Белинского и через полчаса оказались в Басковом переулке, возле жилого дома номер 12.

Обычный старый питерский дом, которому лет полтораста. Ну то есть в Москве он стал бы украшением улицы и все восхищались бы тем, какой он дряхлый и облезший, какие у него разные по форме окна, какой красивый подъезд, простите — парадное, жаль, что решёткой перекрыто и надо входить через дверь для прислуги, радовались бы, что ни коммунисты, ни капиталисты по какой-то удивительной причине дом не снесли.

А в Питере таких домов в три этажа — хоть на завтрак ешь.

— Басков — в честь певца? — блеснул я эрудицией.

— Нет, в честь народа в Испании, — ответил Михаил. — В царское время тут находилось их консульство, пока большевики в угоду дружественному испанскому правительству не разорвали с басками отношения.

Всё-таки у кваzи очень плохо с чувством юмора. Я-то пошутил про Баскова, а он мне в ответ начал историческую лекцию читать.

Мы вошли в подъезд — тут был домофон, но, видимо, в городе кваzи отпала нужда держать подъезды запертыми. Да и впрямь, зачем? Алкоголь они не пьют, сексом практически не занимаются, писают очень редко. Вот и отпали три основные причины, по которым живые люди заходят в чужие подъезды.

Поднявшись на второй этаж (подъезд был на удивление светлый, чистенький, подремонтированный), мы остановились перед одной из квартир. Михаил почему-то проигнорировал кнопку звонка и негромко постучал.

Секунд через десять дверь открылась, и мы увидели хозяина — высокого седовласого старика в безукоризненно выглаженных чёрных брюках и белой рубашке. Я даже скользнул взглядом по ногам, но напрашивающихся лакированных туфель не обнаружил, вместо них были старые шлёпанцы. При виде Михаила старик доброжелательно улыбнулся, но на меня посмотрел строго, изучающе.

Я обратил внимание, что звука отпираемого замка не было. Михаил, как выяснилось, тоже.

— Аристарх Ипатьевич, — с укоризной сказал Бедренец. — Вы опять не закрываете дверь!

— Михаил Иванович! — с достоинством ответил старик. — Не приучен я двери закрывать. Не стоит обо мне беспокоиться.

— Отнюдь не о вас я беспокоюсь, но о ваших соседях, — твёрдо сказал Бедренец. — Здоровье ваше хорошее, однако внезапный сердечный приступ никого не щадит. А что как восстанете и пойдёте по соседям пировать?

— Вы зря подозреваете меня в безрассудстве, — старик поднял тощую руку и продемонстрировал выглядывающий из-под манжеты рубашки (безукоризненно чистой, но уже застиранной, лохматящейся нитками) браслет «мёртвой руки». — Умру — сразу же пойдёт сигнал в органы... — Аристарх Ипатьевич посмотрел на меня и уточнил: — К его коллегам!

— Откуда такой вывод? — восхитился я.

— Я старый диссидент, — с гордостью сообщил старик. — Мне ли не знать вашего брата?

— Стрижка, выправка и характерный взгляд... — пояснил Бедренец. — Мы так и будем стоять на пороге?

— Входите, прошу, — старик сделал шаг в сторону. — Вы сами, Михаил Иванович, набросились на меня с претензиями! Поэтому обвинения в негостеприимстве я отвергаю!

Квартира Аристарха Ипатьевича совершеннейшим образом отвечала моим представлениям о жилище старого питерского интеллигента и диссидента. Была она слегка запущена, перегружена старыми книжными шкафами и поставленными одна на другую книжными полками. Узкий коридор (разумеется, тоже уставленный полками) вёл в единственную комнату, где стояли книжные шкафы, узкая кровать (так и подмывало её назвать койкой) и половинка письменного стола. Да-да, именно половинка — стол был древним и изначально столь огромным, что для этой комнаты оказался велик. Так что стол распилили пополам, доведя до нормального офисного размера и с той стороны, где не было ножек, прикрутили металлическими скобами к книжному шкафу. На столе стоял какой-то древний компьютер со здоровенным системным блоком, я даже затруднился опознать его возраст. Умели же раньше делать технику, не то что сейчас.

При нехватке метража квартира имела великолепную кубатуру, поскольку потолки были высотой метров в пять, как и положено в старом питерском доме. На месте Аристарха Ипатьевича я бы как минимум мезонин тут организовал. Правда пришлось бы куда-то девать огромную хрустальную люстру, свисающую с потолка на цепи.

Люстре было лет полтораста как минимум. Наверное, изначально в ней горели свечи.

— Присаживайтесь! — Старик гостеприимно указал на свою кровать.

Мы с Михаилом чинно сели рядом. Я решил называть ночное пристанище Аристарха Ипатьевича всё-таки койкой, а не кроватью — уж больно твёрдая, будто не матрас, а голые доски.

Сам хозяин сел на единственный стул в комнате, прочный, с высокой прямой спинкой. Вопросительно посмотрел на нас.

— Даже чайку не предложите? — спросил Михаил.

— Вам-то уже поздно чаи гонять, — ворчливо ответил старик. — Воды могу налить. Из-под крана, не обессудьте.

Да, что-то это не походило на дружеский приём.

— Аристарх Ипатьевич, я был не прав, — неожиданно сказал Бедренец.

Старик удивлённо приподнял одну бровь. Поглядел на кваzи, будто ожидал, что тот сейчас демонически рассмеётся.

— Драный Лис признал ошибку?

— Иногда я умею это делать, — уклончиво сказал Бедренец.

— И? — уточнил старик.

— Ваша идея о реорганизации системы «скорой помощи» была совершенно справедлива. Кваzи включены в состав каждой бригады в обязательном порядке. Это позволило сократить число безвозвратно погибших до одного-двух случаев в год.

— И стоило ли спорить? — спросил старик, картинно разведя руками. Вздохнул. — Что ж мы тут сидим? Идёмте пить чай. У меня есть замечательный владивостокский мармелад. Даже вам его можно, Михаил Иванович! Он без желатина, на агар-агаре, совершенно, знаете ли, веганский, как молодёжь говорит. И чай у меня особый, с травами, сам собирал прошлым летом.

Вскоре мы уже сидели на кухне, которая была едва ли не просторнее комнаты и пили «особый» чай с «веганским» мармеладом. Мармелад мне действительно понравился, особенно ананасовый с кунжутом (откуда же они на Дальнем Востоке ананасы берут? Из Китая, вероятно). А вот чай был слишком странный. Не люблю, если честно, все эти удивительные домашние сборы, которые у нас так любят. «Ах, чай с чабрецом! Чай с мятой! Со смородиновым листом! С берёзовыми почками! С апельсиновыми корочками, чистый бергамот!»

Чай — он сам по себе хорош. Он должен быть чистый. Хоть чёрный, хоть зелёный.

Но я пил и нахваливал, как из желания порадовать пожилого хозяина, так и из более низменных соображений — получить от него помощь.

Чай, кстати, был в гранёных стаканах, «одетых» в почерневшие серебряные подстаканники. Это вполне подходило и хозяину, и квартире. Как и сливочное масло, которое плавало в банке, наполненной водой — холодильника в квартире вообще не было.

Интересный человек, что говорить. Практически ушедшая натура.

— Маловероятно, Михаил Иванович, что вы с приятелем зашли ко мне выпить чая и признать давнишнюю ошибку, — разлив чай по второму кругу, произнёс старик. — Что вас интересует?

— Мы ищем женщину, которая, предположительно, работала на «скорой».

Я с удивлением посмотрел на Бедренца. Он что, всерьёз? Аристарх Ипатьевич, похоже, к скорой медицинской помощи имел самое непосредственное отношение. Но даже если наша догадка верна, и женщина имела отношение именно к питерской «скорой» — как дедушка её опознает?

— Память у меня уже не та, — сказал старик.

Бедренец хмыкнул.

— Давайте фото, — продолжил Аристарх Ипатьевич.

— Фото нет, есть фоторобот. — Бедренец достал из пиджака и протянул старику распечатку. Я и сам ещё не видел окончательного результата своей получасовой работы со специалистом по созданию фотороботов. Нет, то, что получилось на экране ноутбука, и впрямь очень на неё походило, но любой подобный портрет теперь обрабатывается специальными программами, которые устраняют слишком маловероятные сочетания губ—глаз—ушей, подгоняют первоначальный вариант к типовой человеческой внешности.

Я привстал и посмотрел на распечатку. Фоторобот и впрямь впечатлял. Моя случайная знакомая и, как ни жалко это понимать, безжалостная убийца выглядела как живая. Программа превратила её портрет в реалистичное фото, хоть в паспорт вклеивай...

Стоп, а зачем же тогда мы пришли? В базах данных есть фотографии всех живых граждан... да и неживых тоже. Запусти сравнение — и тебе выбросит сотню наиболее подходящих кандидатов с процентным указанием вероятности совпадения.

— А как же ваши компьютеры? — насмешливо спросил Аристарх Ипатьевич, беря фотографию.

— Пока совпадений нет. Возможно, старые базы, сейчас первую выборку проверяют вручную.

— Живая хоть? — спросил старик.

— Без сомнения, — ответил я, вспомнив её прохладную руку.

Старик отставил плотный листок бумаги на расстояние вытянутой руки и некоторое время всматривался в него. Очки, надо полагать, он считал такой же новомодной забавой, как и холодильник. Удивительно, что компьютер у него стоит на столе, арифмометр или абак были бы уместнее.

— Ну как? — спросил Бедренец.

— Любуюсь, — сказал Аристарх Ипатьевич. — Красивая, зараза. И раньше-то была хороша, а как в зрелость вошла — совсем похорошела. Только рыжие волосы ей не идут. И скулы не её, татарча-татарчой выглядит. Маскировалась, может быть? Что она...

Тут он замолчал и впервые посмотрел на Бедренца с удивлением и даже испугом.

— Да, курсанты, — сказал Бедренец. — Нет, точно мы не знаем, но имеем серьёзные основания подозревать.

— Маша Белинская, — продолжая смотреть на фотку, сказал Аристарх Ипатьевич. — Родилась в одна тысяча девятьсот девяносто втором году. Мать врач-гинеколог, отец — капитан... вначале ВМФ, потом круизный теплоход по Неве водил. Маша совместила родительские мечты. В две тысячи восемнадцатом закончила военно-медицинскую академию имени Кирова. Красный диплом, самые лучшие отзывы. Два года отработала на «скорой», объясняла это желанием лучше научиться неотложной помощи. Потом ушла в клинику, но через год вернулась. После Катастрофы исчезла. Я полагал, что она мертва.

— Вы уверены? — спросил я.

Ответил мне Бедренец.

— Ты не представляешь, какая у Аристарха Ипатьевича память. И какие способности к анализу. И разум в целом.

— Да что разум... — Аристарх Ипатьевич махнул рукой. — Пытаюсь просчитать, по какому принципу закрепляются доминирующие черты личности у квазi... И ничего не выходит. Принцип-то понятен, но всё равно детали ускользают. Так и не пойму, кем возвышусь после смерти.

— А вы намерены? — спросил я. — Ой, простите, некорректный вопрос.

— Намерен, — просто ответил старик.

Бедренец кашлянул, привлекая внимание.

— Что вы можете сказать о Марии Белинской? Разумеется, сейчас мы поднимем все имеющиеся документы, но вы же знали её лично.

— Поверхностно. Как и несколько тысяч других молодых врачей. — Аристарх Ипатьевич помедлил. — Умная, красивая. Целеустремлённая. Любила классическую музыку и русскую литературу. При этом не домашняя девочка, характер имелся.

— Да уж, — не удержался я.

— Очень доброжелательная, всегда готовая помочь, — продолжал старик. — Не допускаю даже мысли, что она могла бы хладнокровно убить несколько ни в чём не повинных людей. Даже понимая, что те восстанут.

— Люди меняются, — заметил Бедренец. — Это только мы, кваzи, закостенелые и неизменные.

— Нет, нет и нет, — твёрдо сказал Аристарх Ипатьевич. — Я не сомневаюсь, что на фотографии именно она. Но я не допускаю и мысли, что она пошла бы на массовое убийство. Она стала врачом исключительно из желания помогать людям. Понимаете? Для неё клятва Гиппократа не была смешным набором слов из древности. Наверное, она смогла бы убить преступника, чтобы спасти жизнь других людей. Но только преступника и только защищая других. Если вы считаете, что она причастна к убийству — вы ошибаетесь.

— Спасибо. — Бедренец встал. — Тогда мы пойдём, с вашего позволения.

— Позвольте проводить вас до двери. — Аристарх Ипатьевич не стал нас задерживать.

Мы вышли, церемонно попрощались — при этом никаких ритуальных предложений «заходить» не последовало, Аристарх Ипатьевич явно понимал, что наш визит был деловым, а не вызван интересом к его персоне.

Уже внизу в парадном я сказал:

— Интересный дядька. Врач?

— Бюрократ. Чиновник от медицины. Но весьма правильный.

— Такие тоже нужны, — я пожал плечами. — Жаль, редко встречаются. Так что теперь? Будем искать Машу Белинскую, пока у нас есть фора по времени?

— Форы, можно сказать, нет. — Бедренец достал телефон. — Я должен сообщить, что мы выяснили имя подозреваемой.

— И потеряем преимущество, которое получили, — вздохнул я.

— С какой стати? Если Аристарх Ипатьевич сказал, что Мария Белинская не способна на массовое убийство — значит, она неспособна. Либо она никак не причастна к происходящему, либо причастна, но не убивала. В любом случае я выполню свой долг — сообщу её имя. А уж если кто-то зря потратит время на её поиски, моей вины в том нет.

— Ты так доверяешь мнению этого управленца? — поразился я. — Но тогда что нам искать, концов больше никаких нет.

— Ошибаешься, — сказал Бедренец. — Утром будут нам концы.

Но прояснять свою мысль не стал.

Глава третья

ДУМЫ О БЫЛОМ

Вечерний Питер стал ещё наряднее и одновременно неуютнее. Виной тому, конечно, была погода — угораздило же Петра I выбрать под столицу империи место с самым гнилым климатом. Но местные, конечно, этого не замечали. Не только кваzи, с них-то какой спрос, они к погоде неприхотливы. Но и живые жители города на Неве на сырость, ветер и низкие тучи не реагировали. Многие шли в рубашках с короткими рукавами, некоторые в бриджах. Повсюду раскрыли зонтики уличные кафе, где, правда, всё-таки светились инфракрасные грелки, играла живая музыка, звучал смех. На Невском, где мы с Найдом договорились встретиться, вообще было не протолкнуться. На каждом углу выступали какие-то самодеятельные актёры, фокусники, прочие массовики-затейники. У отеля «Рэдиссон» двое молодых кваzи виртуозно играли на баяне и балалайке старые хиты Queen и Beatles — никогда бы не подумал, что классическая музыка так хорошо звучит в русской аранжировке. Живой парень подыгрывал им на деревянной дудочке, а старенький лупоглазый кваzи играл на гитаре и пел. Не сразу, но я заметил, что ни у одного из выступающих не стояло рядом шляпы или коробки для денег. Прям коммунизм какой-то. Солнечный город, блин, уже второй раз с утра вспомнился! Но кваzи ведь тоже надо питаться, одеваться, жильё оплачивать, у них есть свои увлечения, которые стоят денег...

Потом я увидел, что временами то один, то другой зритель поднимал мобильник, на миг направлял на музыкантов, нажимал на экран, — и успокоился. Нет, питерские кваzи не освоили искусство жить без денег. Они просто принимали в оплату электронные деньги.

Найд провёл весь день с друзьями-кваzи, и волноваться о нём в нормальной ситуации не стоило бы. Но этой ночью мы едва не стали жертвой террористов, я узнал про «атипичных» кваzи, которые не прочь вновь полакомиться человеческой плотью, а ещё выяснил, что иногда восстают совсем уж древние покойники. А Питер — он же весь на костях! Это огромное кладбище, гекатомба. Если начнут вылезать...

Да нет, не начнут. Все эти жертвы великих строек, революций, войны — они уже давно стали землёй и травой, вернулись в круговорот веществ в природе, как пишут в учебниках. Если что и есть — голые кости в земле. Ведь кости же не могут вылезти? Они рассыплются. Мёртвые восстают, а скелеты не могут, у них нет никаких мышц, даже мёртвых, они только в мультиках весело пляшут и клацают зубами.

Несмотря на холод, меня пробил пот. Кто знает, на самом-то деле, что возможно в нашем безумном мире? Когда-то мы решили, что дело в вирусе. Нас приучило к этому кино, которое так любили снимать про оживших мертвецов в конце двадцатого и начале двадцать первого века. Может мы, люди, потому и выжили, что смотрели эти дурацкие фильмы и знали, как вести себя с восставшими.

Но потом выяснилось, что вируса никакого нет. И почему наши мёртвые стали подниматься и почему к ним вновь возвращается разум — никто не знает до сих пор.

Может быть, тут объяснение не научное? А мистическое, даже религиозное? И тогда не надо ждать никакой логики в происходящем — завтра из земли полезут кости, соберутся в потрёпанные скелеты, немножко поспорив, где чей позвонок, и пойдут гулять по питерским улицам.

Я покачал головой.

Бред и суеверия!

Даже если законы биологии полетели под откос, законы физики никто не отменял. Хэллоуин отменяется, скелетов не завезли.

Кстати, Хэллоуин, наверное, тут отмечают весело, с размахом...

Я тоже поднял мобильник, навёл на баяниста — на экране отобразилась четвёрка мультяшных скелетов, карикатурно напоминающая великую ливерпульскую четвёрку. Скелеты, совсем как в моих мрачных фантазиях, наигрывали на гитарах и колотили по барабанам. Ниже были стандартные кнопки «доната». Я скинул на счёт музыкантов минимальную сумму — не так уж и на много я их наслушал. Музыканты тем временем отошли в сторону, баянист и балалаечник закурили, лупоглазый музыкант стал им за это выговаривать, те отшучивались.

Я вдруг вспомнил, как Настя позвала меня на концерт знаменитого питерского рок-музыканта. Уже после того, как восстала и возвысилась. Музыкант тоже был квазi, что, по слухам, резко повысило качество его новых альбомов. Я отказался, конечно. Объяснил, что видеть мертвецов мне приходится по службе, а вот слушать их или нет — это уже мой личный выбор.

Грубо, конечно. Но зато честно.

Квартет уличных музыкантов сменил одинокий пожилой мужчина с гитарой. С улыбкой посмотрел на публику, коснулся струн, запел:

— Каменных рек Пангеи не взять рукой,
Выбор простой: или пан, или мёртвый груз,
Рви свою шкуру, но вспомни, кто ты такой —
Забывай её, забывай её.
Все твои сны — лишь пыль в её кулачке,
Верность своим игрушкам — черта людей,
Здесь же особый случай — жизнь налегке,
Забывай её, забывай её...

Вот уж проблема — забывать. Поэты тем и отличаются от нормальных людей, что выдумывают себе страдания на ровном месте. В жизни и реальных страданий хватает, чтобы их лелеять и пестовать...

— Сам себе загадай, сам себе ответь,
Нужен ли опыт смерти твоей душе.
Даже такая жизнь веселей, чем смерть —
Забывай её, забывай её.
Ты заслужил сполна все сто лет без бед,
А песни бывают с кровью, как и бифштекс —
Вспомни, что небо держится на тебе,
Забывай её, забывай её...*

Я развернулся и, мстительно не заплатив музыканту, двинулся к театру Ленсовета, где Найд предложил встретиться.

* *Медведев О.,* Кайнозой.

Честно говоря, я не воспринял всерьёз его слова о том, что он пойдёт в театр. Но, к моему удивлению, Найд действительно вышел из театра с толпой зрителей.

Он был не один. А с девочкой, выглядящей чуть младше него.

С белокурой мёртвой девочкой.

Ой, как плохо-то...

— Здравствуйте, — сказала девочка, глядя на меня.

— Привет! — ответил я, проглотив чуть не выскочившие слова «подрастающее поколение». Это поколение никогда не подрастёт. Девочка стала кваzи лет в двенадцать и столько же лет пребывает в этом состоянии.

— Я Вероника. Мы с Сашкой дружим.

Я кивнул. Найд тоже внимательно смотрел на меня, изучал реакцию.

— Давайте уйдём с дороги? — предложил я. — А то как три тополя... Что смотрели?

— Мы ходили на «Макбет», — ответила Вероника.

— О! — поразился я. — Классика. Серьёзная вещь. Неужели понравилось?

Найд насупился, а девочка-квази улыбнулась:

— Ну, вы же знаете, мне двадцать четыре года.

— Знаю, — сказал я, помедлив. Мы медленно шли в сторону Владимирского собора.

— Вы, наверное, хотите спросить, понимаю ли я серьёзные, недетские вещи, — беспощадно сказала Вероника. — Понимаю. У меня всё довольно сложно, я с одной стороны девочка и всегда ею останусь, а с другой — взрослая женщина. Кваzи-женщина. Я очень любила театр, когда была живой, — это осталось.

Я глянул на Найда. Тот шёл молча, глядя перед собой.

— Мы с Сашей хорошие друзья, — продолжала Вероника. — Но он должен был понять. Он меня звал в кино на «Звёздные войны». А я настояла, что пойдём на «Макбета».

— Дура, — сказал Найд резко. — Я расту. И скоро сам захочу на «Макбета», и на «Отелло», и на всё остальное. Мне и сейчас понравилось, если хочешь знать. А через год... ну или через пять...

— Ты будешь взрослый парень и будешь дружить со своей ровесницей, — сказала Вероника. — Вы станете расти вместе. Ну, или она будет кваzи, но всё равно она будет взрослая, с вот такими вот сиськами и попой!

Вероника показала на себе и рассмеялась.

— Не нужно мне, чтобы с такими сиськами, — твёрдо сказал Найд, но чуть покраснел.

— А это уже будет болезнь, если не нужно, — строго сказала Вероника. — Сашка. Ты чудесный, мы с тобой были друзьями, ими и останемся. Ладно?

Найд молчал. Тогда Вероника добавила:

— Парень у меня есть.

— Кто? — воскликнул Найд, остановившись как вкопанный.

— Мишка.

— Который кваzи? — Найд показал рукой что-то на уровне своего носа.

— Ну да, — ответила Вероника. — Мы с ним взрослые кваzи. В детских телах.

— Это неправильно, — сказал Найд, глядя себе под ноги.

Нас уже обходили со всех сторон, мы стояли прямо посреди тротуара. Но обходили очень вежливо, интеллигентно, даже матерились шёпотом, себе под нос. Питер всё-таки, культура!

— Только это и правильно, Саша, — сказала Вероника, положила руку ему на плечо и чмокнула в лоб. И это было движение взрослой женщины, а не девочки-подростка. — Я пойду сейчас. Но мы обязательно сходим на «Звёздные войны», я их обожаю!

Мы некоторое время постояли, глядя ей вслед. Найд держался, только губы у него чуть дрожали.

— Так оно и бывает, сын, — сказал я.

— Мы так хорошо провели день! — резко сказал Найд.

— Потому что вы друзья. Идём. Нам ещё надо перекусить где-нибудь.

— Я не хочу есть! — воскликнул Найд с прорывающимся в голосе трагизмом. — Я вообще не буду есть!

— Тогда посидишь рядом, пока я поем, — сказал я. — Меня столько раз девушки бросали, что если бы я каждый раз переставал есть — уже весил бы отрицательную массу. Минус пятнадцать–двадцать килограммов.

— Она вовсе мне не девушка, мы друзья, — убеждённо сказал Найд. — Она глупости говорит. Я вовсе не планировал с ней романтических отношений.

— Значит, она об этом думала, — утешил я его. — Посмотрела, как ты вырос, и решила на всякий случай отшить. Женщины!

Найд, насупившись, смотрел на меня. Потом кивнул:

— Давай поедим. Я хочу мяса.

Есть мясо мы пошли в первый же ресторан, который встретили на пути. Это был однозначно мясной ресторан, с игривым названием «Таки стейк!» и улыбчивой гипсовой коровой у входа. Всем своим видом корова демонстрировала радость быть съеденной. Она даже была выкрашена в белый цвет и разделена линиями на мясницкие части с сурово звучащими названиями «кострец», «зарез», «оковалок».

Ресторан был чуть более пафосный, чем полагалось при наших джинсах и куртчонках, но я решил рискнуть. Мы заняли маленький столик у окна, официант мгновенно принял заказ (я попросил «рибай» прожарки «медиум рэйр», Найд был не столь радикален и взял хорошо прожаренный «стриплоин»). Найд получил «натуральный домашний лимонад», а я заказал порцию скотча и бокал вина к мясу.

— Бухать будешь, — неодобрительно сказал Найд.

— Порция виски — это не бухать, — возразил я. — Ну а вино к мясу, так это вообще полезно.

— Полезно пить сок и негазированную воду, — наставительно произнёс Найд.

Вот они, последствия воспитания у квazи. За рюмку вискаря приходится выслушивать от ребёнка нотацию. Я быстро опрокинул в себя широкий бокал, на дне которого болталось две столовые ложки драгоценного напитка. Благослови Господь суровых шотландских винокуров, которые вынесли всех восставших в считанные дни и сохранили свои заводики!

Найд картинно вздохнул и продолжил пить лимонад. А я, в ожидании ужина, скользнул взглядом по посетителям. Два мужика в костюмах и в распущенных галстуках, то ли бизнесмены, то ли чиновники. Трут что-то о делах, даже стейки свои не доели, зато графин водки уже пустой. Парень с девушкой. Парень волнуется, девушка кокетничает. Компания мужиков и женщин, всем около тридцати, все очень разные, но явно хорошо знакомые, шумные. Одноклассники встретились? Квazи средних лет, сидит с живой женщиной, едят стейки... Квazи? Стейки?

— Найд... — сказал я негромко. Но интонацию он понял, сразу напрягся, стрельнул глазами по сторонам. — Если что — держись за моей спиной...

— Ты чего, пап? — спокойно спросил Найд.

— Кваzи лопает мясо, — сказал я, глядя на немыслимое. — Филе-миньон. «Рэйр».

Найд вздохнул и пихнул мне по столу меню, которое официанту не удалось у него забрать.

— На последней странице.

Я опустил взгляд вниз.

Да, на четвертой странице короткого, на два листа, меню был раздел, нарочито безграмотно озаглавленный «Кваzи — без бояzи». Раздел вегетарианских стейков.

— Там соя всякая, капуста, свёкла, — сказал Найд. — Многие такое лопают, ну, они же помнят, как раньше мясо ели, да и выделяться в обычных ресторанах не хотят. Ты чего, папа?

Я махнул рукой, неловко улыбнулся.

Но Найд вдруг напрягся, куда сильнее, чем услышав мой обеспокоенный голос.

— Тебе тоже... сказали?

— О чём?

— Ну... мне Вероника... — Он замялся. — Она сказала, что несколько кваzи сошли с ума. Стали мясо жрать, даже людей покусали. Она предупредила, что если вдруг начнёт странно себя вести или ещё что — надо убегать. Даже от неё. Потому что никто заранее не знает, сойдёт с ума или нет.

Вот так секретность!

Каждая девчонка-кваzи в курсе того, что происходит.

— Что она ещё говорила? Какие ещё странности?

Найд покачал головой. Значит, про древних восставших информация ещё широко не разошлась.

— Вероника всё правильно тебе сказала, — признался я. — Не стоит лишний раз бояться, но если что...

— То убегаю, — согласился Найд. — Понял, не маленький.

Разговор не помешал нам доесть стейки, а Найду — даже попросить себе мороженого. Я взял кофе, хотя предпочёл бы ещё порцию виски. Ещё раз оглядел ресторан. Все ели и пили в своё удовольствие. Квази с живой подругой жевал фальшивый стейк. Юноша что-то горячо говорил подруге, та млела от его слов. Два бизнесмена заказали ещё один графин водки.

Никого подозрительного.

— Ты скучаешь по Насте? — неожиданно спросил сын.

— Да, — ответил я.

— А по маме?

Я помолчал. Трудный вопрос. Когда дети начинают задавать трудные вопросы, это значит, что они уже выросли.

— Да.

— Больше, чем по Насте?

— Не знаю. Одинаково. Сашка, на такие вещи невозможно ответить.

— Ты сказал, что не можешь теперь с Настей... жить. Когда она стала квази. А с мамой?

— Она умерла.

— Ну и что? — Найд искоса смотрел на меня.

— Она насовсем умерла.

— А если нет? Если она стала как Настя?

— Не знаю. Не могу этого представить.

— Значит, ты по ней больше скучаешь, — сказал Найд. Вроде бы удовлетворённо, но почему-то и с огорчением. — С Настей ты не смог жить, а про маму не знаешь.

— Я бы очень хотел, чтобы она была жива, — сказал я. — Пойдём?

Мы вышли в светлую питерскую ночь. Впрочем, сейчас она не была такой уж светлой, облака и накрапывающий дождик никуда не делись. Мы дошагали до улицы имени старого казахского акына, Найд то забегал вперёд, то вдруг возвращался и брал меня за руку, будто маленький. Уже на лестнице он спросил:

— Папа, я тебе не мешаю?

— Чем?

— Ну... вообще. Жить. С женщинами встречаться.

— Нет-нет, — сказал я, неожиданно смутившись. — Всё в порядке. У меня есть время на личную жизнь.

— Если ты захочешь на ком-то жениться, — продолжал Найд, — то не думай, я не буду против. Я уже большой, я всё понимаю. И я могу пойти в какое-нибудь кадетское училище...

— Ты можешь пойти в угол, — сказал я. — За недоверие к отцу. И вообще кончай кокетничать, как красна девица.

Я отпер дверь, и мы вошли в квартирку, предоставленную нам от щедрот квазi. Как и большинство квартир в старых питерских домах, она была с высокими потолками, и поэтому, как ни странно, казалась менее просторной, чем была. Ну и сыровато в ней было, если уж честно.

Но кухонька была оборудована неплохо, посуда новая, в холодильнике был запас продуктов — причём не только овощей-фруктов, имелись и яйца, и молоко, и колбаса на завтрак. Сантехника была старовата, но совмещённый санузел сверкал чистотой. В единственной комнате была кровать и раскладывающийся диван, который Найд сразу объявил своим, в телевизор (тоже новенький) кто-то заботливо воткнул флешку с полутерабайтом мультфильмов, комедий и развлекательных программ. Я догадывался, кто такой этот «кто-то», Найд, вероятно, тоже.

И дверь была хорошая, крепкая, стальная, с усиленной рамой. Может быть, со смутных времён конца двадцатого века тут стоит, тогда такая дверь была непременным атрибутом любого жилья.

Я зажёг свет, обошёл всю квартиру, заглянув даже в платяной шкаф. Там имелась самая разнообразная одежда разных размеров, мужская и женская. Видимо, квартиру использовали в самых разных целях. Найд искоса поглядывал на меня, прокручивая на экране телевизора список файлов.

— А если честно, Сашка, ты мне мешаешь, — сказал я, завершив осмотр. Заметил, как у него дрогнуло лицо. — Ты мешаешь мне спокойно убивать свою жизнь. Ты мешаешь мне жить, ни о чём не волнуясь — потому что мне есть за кого волноваться. Особенно теперь.

Я сел рядом и посмотрел ему в глаза.

— Да всё нормально, пап, — неловко пробормотал он. — Зачем волноваться...

— Прошлой ночью кто-то пытался меня убить. Невинные люди умерли. И ты тоже мог погибнуть. За компанию.

— Ничего со мной не будет...

Я вздохнул и взлохматил ему волосы.

— Верю. Как ты отнесёшься к тому, что я пойду немного погулять по ночному Питеру?

— Один?

— Один. Если ты обещаешь закрыть дверь на засов, никуда не выходить, в случае опасности немедленно позвонить мне... мне и Михаилу.

— Ты боишься, что мне с тобой опасно?

Разумеется, он был отчасти прав.

Разумеется, я не собирался это подтверждать.

— Нет. Я отправлюсь на поиски падших женщин, с которыми проведу полночи, танцуя в низкопробных кабаках и употребляя горячительные напитки.

Найда моё заявление не смутило.

— Не тот город, пап. Это тебе надо было в Москве делать.

— Ну надо же. А в моё время говорили — «в Питере пить»... — вздохнул я. — Просто погуляю часок-другой.

— Я посмотрю кино и лягу спать, — сказал Найд. — Не бойся, всё будет в порядке.

— Знаю, — кивнул я.

Достал из куртки пистолет и положил на стол. У Найда округлились глаза.

— Помнишь, как обращаться с оружием?

Мы ходили в тир в Москве, стрелять Найд умел.

— Помню, — сказал Найд зачарованно.

— Людям — вначале в воздух, потом в ноги, в крайнем случае, в живот. Восставшим и квazи — сразу в голову. И несколько раз.

Найд к пистолету не прикоснулся. Сказал укоризненно:

— Это не понадобится.

— Я знаю. Иначе бы никуда не уходил. Но мне будет спокойнее, если у тебя будет оружие.

Найд некоторое время размышлял. Потом улыбнулся и кивнул:

— А мне будет спокойнее, если у тебя оружия не будет. Много не пей, хорошо?

— Поклёп, навет и оговор, — сказал я. Накрыл пистолет лежавшей на столе книжкой «Санкт-Петербург туристический» — раритетной, напечатанной на бумаге лет двадцать назад. Небось, тоже Михаил притащил. Кто, кроме кваzи, сейчас пользуется дорогими бумажными книгами, когда есть электронные книги и планшеты? Похлопал ножны на бедре: — У меня, в конце концов, всегда есть табельное мачете.

— Пап, возвращайся побыстрее, — сказал Найд. Спокойно, но с ноткой просьбы в голосе, и я даже на миг заколебался.

Только на миг.

— Вернусь. Но ты не дожидайся. Закрой за мной дверь и ложись спать.

— А как же ты войдёшь?

— Я позвоню, — усмехнулся я. — А потом через дверь спою песенку: «Козлятушки, ребятушки...»

Пить я обычно начинал после полудня. Когда уходишь в запой, то нужно соблюдать какие-то правила, иначе пропадёшь.

У меня были сбережения, а финансовая система, как ни странно, окончательно не рухнула. Да и квартира родителей, которую я сдавал, позволяла экономно существовать одному интеллигентному алкоголику.

Вставал я рано, пьянство не способствует хорошему сну. Часов в семь готовил завтрак — иногда кашу, крупами удалось запастись впрок, раз в три дня — яичницу. Первые недели у меня каждое утро болела голова, и приходилось глотать таблетки, потом организм смирился с безостановочным пьянством. Теперь я пил только таблетку поливитаминов, если не забывал, конечно.

Полчаса смотрел новости. Час — другой резался в компьютерные игры. Было такое ощущение, что люди массово мигрировали в сеть. Туда, где их виртуальные аватары мечами и молниями испепеляют орды монстров и не надо бояться настоящих чудовищ.

Потом я открывал какую-нибудь книжку, ставил музыку погромче — и читал до полудня. В двенадцать мешал себе первый «коктейль» из дешёвой водки и лимонада. Дальше чтение шло куда приятнее, мир уходил в сторону, я оставался наедине с Чеховым, Дюрренматтом, Ремарком, Замятиным, Мартином. Мне, в общем-то, было всё равно кого и о чём читать. Даже про живых мертвецов годилось; это было очень смешно, если разобраться.

Часов в шесть, когда бутылка водки кончалась, я ставил себе какой-нибудь фильм. Готовил ужин — если не забывал.

Перед сном выпивал ещё полбутылки.

Если честно, то я решил, что это будет самым приятным способом самоубийства.

Сосед позвонил вскоре после шести, когда я уже вовсю поглядывал на часы. Сегодня я планировал пир — жареную картошку со свининой.

Я остановил фильм, взял со стола купленное неделю назад мачете — настоящий «Мату Гроссу», с таким не страшно и на улицу выйти. Заглянул в глазок.

Сосед был старым, но живым. Хороший дядька, интеллигентный и вежливый. Преподавал в строительном институте, уже несколько лет как был на пенсии.

Я открыл.

— Добрый вечер, Денис, — сказал сосед. В одной руке он держал вместительную сумку. — Позволишь войти?

— Конечно, — я посторонился. — Хотите выпить?

— Нет... — не слишком одобрительно оглядывая квартиру, сказал сосед. Честное слово, я старался держать

всё в приличном виде. Даже выносил мусор раз в два-три дня. А на прошлой неделе вымыл пол. — Сердце, знаешь ли... Собственно говоря, я потому и пришёл.

— У меня, кажется, есть валидол, — сказал я. — Или «скорую» вызвать?

— «Скорую» я и сам могу, — сосед улыбнулся. — Нет, я о другом...

Он посмотрел на мачете, которое я держал в руке.

— Ты не мог бы по утрам заходить ко мне? — спросил он. Запустил руку в карман, достал ключи, протянул. — Дверь будет закрыта, но ты открой. Только вначале позвони. Несколько раз. Если я отзовусь или сам открою, то всё в порядке. А если нет... то ты открой.

Мы смотрели друг на друга.

— Я не хочу восставать, — сказал сосед.

— Но ведь есть шанс стать кваzи-человеком, — сказал я. — Говорят, это довольно часто случается. Я могу вызвать полицию, вас отвезут в... в санаторий.

Резервации у границы города, куда свозили восставших в надежде на то, что те возвысятся, сейчас открывали одну за другой. Капотня, Западное Бирюлево, Северное и Южное Бутово...

— Не хочу, — сказал сосед. — Ты лучше... заглядывай по утрам. А это вот... тебе...

Он поставил сумку на пол. Там звякнуло.

— Давно уже не пью, — пояснил сосед извиняющимся тоном. — Полный бар остался. Там и виски есть, и коньяк. Чего ты травишься дрянью всякой...

— Ну... я как-то... — начал я.

— Не хочешь жить, — кивнул сосед. — Я понимаю, правда. Но когда человек не хочет жить — это одно. А когда живёт... — он запнулся, — когда живёт неподобающе — это другое.

Я опустил глаза. Он меня не ругал, не указывал, не просил. Он мне был никто. Чёрт побери, я даже имени его не помнил! Пётр... Павел... Нет, не помню.

— Будешь заглядывать? — спросил сосед.

— Да, — сказал я. — Не волнуйтесь. Мне уже доводилось.

Сосед кивнул. Глянул мельком на экран. С уважением сказал:

— «Любовь и голуби». Жена у меня очень этот фильм любила... Заранее спасибо, Денис.

В тот день я больше не пил.

На следующий вечер, впрочем, надрался.

И ещё один раз через две недели, когда ранним утром сосед не открыл дверь после моего звонка...

Потом я вынес на мусорку гору пустой посуды. Неделю валялся на диване, смотрел в потолок, слушал музыку и пил воду литрами. А потом пошёл записываться на ускоренные полицейские курсы.

За Найда я на самом деле не боялся. Если уж за мной следили, то увидят и как мы вошли, и как я вышел. Проще напасть на меня.

Вот только зачем?

Да, если начало твориться немыслимое, если кваzи нападают на людей и встают древние мертвецы, то в движение пришло множество сил. Человеческие спецслужбы (уж не знал ли Маркин загодя, зачем Михаил меня вытребовал в Питер?), спецслужбы кваzи, всякого рода тайные и полутайные общества — увы, их расплодилось немало. Множество людей и нелюдей хотят узнать новые и старые тайны. Множество людей и нелюдей готовы ради этого убивать.

Но я-то тут причём? Пускай я больше не рядовой участковый дознаватель, а сотрудник госбезопасности.

Ничего особенного во мне нет, и занимаюсь я на своём рабочем месте по большей части рутинными делами, ни до чего серьёзного меня пока не допускают. В истории с вирусом суперветрянки мне просто повезло остаться живым. Да и правильно ли я в итоге поступил — до сих пор не уверен.

Зачем кому-то за мной гоняться?

Зачем пытаться убить?

Вот, собственно говоря, по этой самой причине я и решил выйти из дома. Если и впрямь следят, если и впрямь хотят убить — то меньше риска для Найда. Но куда вероятнее, что со мной захотят встретиться и поговорить.

Когда тебя кто-то пытается убить, это значит, что кому-то другому ты очень-очень нужен.

В ближайшей пивной под названием «Пена дней» я занял маленький столик у окна с видом на набережную Фонтанки. Пивная вполне отвечала своему названию. На чёрных досках над стойкой было перечислено два десятка сортов пива, но кран из стойки шёл лишь один. Рядом с краном стояла маленькая статуэтка — чёрная мышка, держащая в передних лапках крошечную швабру. Нос у мышки был потёрт и блестел бронзой.

Я попросил кружку «Невского» — молодой бармен кивнул, опустил руки под стойку — там обнаружилась клавиатура электрического пианино, и довольно прилично сыграл первые такты песни «Что тебе снится, крейсер "Аврора"». Из крана бодро полилось светлое пиво.

— А можно ещё полкружечки... э... «Армейского»? — поинтересовался я.

Бармен ухмыльнулся, подставил кружку поменьше и сыграл «Но от тайги до Британских морей». Пиво полилось из того же крана, но было заметно темнее.

— Обалдеть, — сказал я. — Культурная столица.

— Да уж не Москва, — кивнул бармен добродушно.

С двумя кружками я вернулся к облюбованному столику — и обнаружил сидящего за ним мужчину в деловом костюме, рубашке с расстёгнутым воротом и с распущенным галстуком.

— Всё-таки вы! — восхитился я, садясь напротив и придвигая к незнакомцу кружку «Армейского». — А ваш товарищ? С которым вы ужинали в «Таки стейке»?

— Он в машине подождёт, — вполне трезво ответил мужчина.

Теперь я рассмотрел его получше.

Нет, не бизнесмен. Не сотрудник каких-то спецслужб. И те и другие на самом деле очень узнаваемы — даже если мультимиллионер наденет рваные шорты и футболку, а работник органов отпустит длинные волосы и сделает себе татушки на всю физиономию.

А это был чиновник. Тоже узнаваемый типаж. Ему было под пятьдесят или немного за пятьдесят, это уж смотря какой образ жизни ведёт и какая генетика. Скорее всего, уже перевалило за полвека, но немного. Стрижка аккуратная, щёки гладко выбриты, на усы тоже намёка нет, взгляд ровный и спокойный. Государственный взгляд.

— В графине была вода, — понимающе кивнул я. — Ненавижу пить воду рюмками. А пиво вы будете?

Вместо ответа мужчина пригубил пива и представился:

— Андрей.

— Очень приятно, — сказал я. Мне называть имя нужды явно не было. — Ну, рассказывайте. Предполагаю, что сдал меня Аристарх Ипатьевич, но в принципе это не так важно.

Андрей уважительно посмотрел на меня, сделал ещё глоток, кивнул.

— Очень рассчитывал на вот такой деловой тон. Спасибо, Денис... Давайте сразу к делу. Я представляю определённый круг людей...

— И кваzи, — добавил я.

— Людей и кваzи, — он кивнул. — В большей мере людей, но мы не делаем никакой разницы между различными формами разумной жизни. Нас немного, но мы достаточно влиятельны и информированы. Впрочем, это и так должно быть понятно... Наши с вами интересы в целом совпадают.

— А давайте вы расскажете про свои интересы, а я решу, насколько они совпадают? — предложил я.

Андрей на миг задумался.

— Оправданное недоверие. Ну хорошо. Я буду говорить на примере нашей страны, но ситуация характерна для всего мира. У нас есть контакты, которые позволяют уверенно это утверждать. Итак, сейчас на Земле существуют две разумные расы, причём одна происходит из другой.

— Восставших мы не учитываем, — сказал я.

— Не учитываем, — Андрей поморщился. — Они переходная форма и фактически лишены разума. Мы, люди, самодостаточны. Мы размножаемся, мы разносторонне развиты и способны развиваться и меняться в течение всей жизни. Кваzи иные. Они не способны к размножению, возникают из людей, их сознание ригидно и способно лишь к экстенсивному развитию, но не к изменению поведенческих установок. Но при этом кваzи живут... вас не шокирует, если я назову это жизнью?.. неопределённо долго. Возможно, что они бессмертны.

— Конечно, они ведь уже умерли, — согласился я.

— Они выносливы, сильны, практически иммунны к болезням...

— А как же «чёрная плесень»? — спросил я.

— Денис, ну это же искусственно созданная грибковая инфекция, это другое. К вирусам и бактериям квazi иммунны полностью. Итак, если смотреть непредвзято, то совместное существование людей и квazi — благо. Мы получаем жизнь после смерти, доказанную и явную. Квazi получают постоянный приток новых членов своего общества.

— Есть лишь одно «но», — сказал я.

— Конечно, — Андрей вздохнул. Из-за стойки донеслись первые такты песни «Утро красит нежным светом» — кто-то проявил сепаратизм и заказал кружку «Московского». — Кто-то знает, а кто-то догадывается. Превращение из восставшего в квazi требует человеческой жертвы. Примерно десять процентов людей должны погибать насовсем, чтобы девяносто возвысились. Крайне неприятная с моральной точки зрения дилемма! Но, несмотря на этот печальный факт, мы, то есть тот круг, который я представляю, считаем эту альтернативу единственно возможной. На данный момент.

— Я как-то общался с женщиной, которой даже нравился подобный ход вещей, — осторожно заметил я.

Андрей сморщился.

— Ой, оставьте это. Она в наш круг не входила. Это крайности, нельзя говорить такие вещи и так себя вести... Есть радикалы среди людей, причём как человеческие, так и мечтающие стать квazi. Есть радикалы и среди квazi, опять же — самых разных взглядов. Всё это заслуживает порицания. Мы исходим из реальности, сложившейся на данный момент. Вы ведь и сами так считаете, Денис. Вы отдали квazi вирус, позволивший им сохранить статус-кво. Вы дружите с Драным Лисом. Ваш сын, в конце концов, воспитывался у кваzи. Он как посредник между нашими цивилизациями.

— Допустим, — сказал я. — Но упомянутая вами моральная дилемма...

— Это лишь вопрос времени, — сказал Андрей резко. — Поверьте. Идут работы повсюду. У нас, у кваzи. Рано или поздно проблема будет решена. Для возвышения восставшим потребуется слопать мышь. Или шимпанзе. Станем их разводить в загонах, как овец. Чёрт с ними, с шимпанзе, зелёные повоют и успокоятся, все хотят бессмертия! Я не стану утверждать, что это вопрос дней или месяцев, но десять—двадцать лет — максимальный срок, который учёные отводят для решения проблемы.

— Учёные даже не знают, почему люди восстают после смерти, — сказал я, пристально вглядываясь в лицо Андрея. — Вирус найти не могут, а вы надеетесь... Ладно, допустим. Я ведь молчу о том, что знаю, выходит, и сам смирился с ситуацией.

— Вот! — обрадовался Андрей. — Правильное слово. Смирился. И мы смирились! Не сравнивайте нас с идиотами, которые под печальную ситуацию подводят социал-дарвинизм. Нам не нравится перспектива, мы хотим её изменить. Но пока это невозможно — надо хранить стабильность общества. Альтернатива хуже, вы же понимаете!

Он встал, не спрашивая меня, прошёл к стойке. Оттуда последовательно донеслись такты «На недельку до второго» и «Мохнатый шмель на душистый хмель».

Я «Балтику» не особо люблю и тоже предпочёл бы эль, но спорить не стал, молча взял кружку.

— Так вот, — вновь усаживаясь напротив, сказал Андрей. — Наши позиции во многом схожи. И, кстати, то, что вы не пострадали в результате ваших действий — наша заслуга. Вы же не думаете, что вас отмазал уважаемый полковник Маркин?

— Я знаю, что его тоже кто-то прикрывал, — осторожно сказал я.

Андрей многозначительно улыбнулся. Отпил эля.

— Так вот. Вы разумный и симпатичный нам человек. Я даже надеюсь, что вы со временем войдёте в наш круг.

— А это, наверное, даёт много интересных возможностей? — поинтересовался я.

— Конечно. К примеру — ускоренное возвышение после смерти. Вряд ли вам хочется невесть сколько лет жрать червей, чтобы возвысившись узнать, что мир ушёл далеко вперёд? Так вот, мы гарантируем возвышение через год, в особых случаях — через месяц.

— Так что вам надо-то? — спросил я. — Я уже понял, что в поезде — это не вы...

— Конечно нет! — возмутился Андрей. — На наш взгляд, смерть человека это не трагедия, а всего лишь беда, ведь все мы рано или поздно восстанем. Но лишить человеческой фазы существования такое количество молодых хороших ребят! Не дать им возможности испытать все радости жизни, оставить потомство. Чудовищно! Не наш способ. Вы уж простите за откровенность, но если бы мы хотели вас убить — мы бы именно вас и убили. Если бы потребовалось убить окончательно — убили бы окончательно. Без дилетантских терактов. Посторонние бы не пострадали... Нет, Денис. Мы узнали о вашем приезде и решили предложить вам совместную деятельность. Считайте это первым этапом вступления в наш круг.

— И что за деятельность?

Андрей покачал головой.

— Ну мы же оба знаем, что происходит? У кваzи появляются агрессивные экземпляры. Некоторые восставшие противятся воле кваzи. Скорее всего, это как-то связано, поскольку началось одновременно.

Про древнего восставшего он, похоже, не знал. Или не счёл нужным говорить. Возможно, это было не важно.

— Допустим, — сказал я. — Ладно, давайте откровенно. Вы правы. Именно ради этого Михаил вытребовал меня в Питер. Но вам-то я зачем нужен?

— А зачем вы нужны Михаилу? — с явным интересом спросил Андрей.

Я пожал плечами:

— Он считает, что я хороший дознаватель. Ну и, наверное, ему нужен надёжный партнёр. Если есть какие-то иные мотивы, то мне они не известны.

Андрей кивнул:

— Всё верно, мы пришли к таким же выводам. Но нам вы нужны ещё и потому, что работаете вместе с Дра... с Михаилом.

— Шпион, — сказал я.

— Двойной агент. Повторюсь, Михаил нам не враг! Просто ситуация опасна и любая информация на вес золота.

— Тогда кто же на меня покушался?

Андрей развёл руками.

— Технически, вероятно, Мария Белинская, хотя это и противоречит её психологическому профилю. А вот чьи интересы она представляет — мы пока не поймём. И чем вы так кого-то напугали — тоже.

— И это тоже причина для вас привлечь меня к себе, — сказал я. Посмотрел на часы.

— За сына не волнуйтесь, — небрежно сказал Андрей. — Квартиру охраняют... Да, и это тоже причина.

— Какие силы вообще действуют в этой истории?

— Человеческая госбезопасность, включая вас, — Андрей загнул палец. — Спецслужба Представителя квазi, — он загнул второй. — Михаил Бедренец, он сейчас в опале, но можно считать его, с узким кругом соратников, опять же включая и вас, третьей силой. Наш Круг, представляющий интересы серьёзных людей и уважаемых квазi — четвёртая сила. И, очевидно, какой-то таинственный Икс — потому что никому из перечисленных нет нужды вас устранять. Все мы лишь пытаемся разобраться в происходящем и восстановить статус-кво.

— Может, соседи?

— Зарубежные разведки только наблюдают, у них аналогичная проблема дома.

— Экстремисты?

— Это вполне возможно, — кивнул Андрей. — Человеческие или квазi. И это, кстати, объясняет агрессию в ваш адрес. Люди могут вас ненавидеть за вирус, отданный квазi и мешающий их уничтожить. Квазiэкстремисты — за то, что вирус попал не в их руки, а Представителю, и потому стал оружием сдерживания, а не уничтожения человечества. Вы хороший человек, но умеете наживать врагов. Вам повезло, что и друзья вас находят.

Из-за стойки донеслись жизнерадостные такты песни «На Рижском взморье воздух свеж».

— Все песни какие-то доисторические... — пробормотал я.

— Так новые хуже, — улыбнулся Андрей. — Да и публика здесь в основном квазi... старые квазi.

— Вижу, — признал я. — Только не пойму, зачем они сюда ходят. Их же алкоголь не пьянит.

— Привычка, — Андрей пожал плечами. — Они любили пить пиво с друзьями ещё в двадцатом веке. Пьют и теперь. А вы откуда так хорошо знаете старую музыку?

— Я после Катастрофы пару лет просидел дома. Читал, бухал, смотрел старое кино и слушал старую музыку.

Андрей кивнул, вроде как даже с уважением.

— То есть этот паб вас не удивил и разъяснений не потребовал?

— Я читал Виана, — признался я.

— Ну так как? — спросил Андрей. — Мы друзья?

— Что конкретно нужно от меня и что конкретно получу я?

Во взгляде Андрея мелькнуло лёгкое удивление. Впрочем, уважение тоже имелось.

— Ну... Во-первых, конечно, льготная очередь на возвышение после смерти. Во-вторых, помощь в продвижении по службе. В-третьих... вы должны понимать, что мы не разбрасываемся деньгами напрямую, это не наш метод. Но вы получите достойные выплаты. Причём совершенно официально, а это тоже многое значит. И в любых вопросах, когда будут возникать проблемы, мы поможем.

— Льготная очередь для меня и для сына, — сказал я.

— Принято, — кивнул Андрей. — Теперь о том, чего мы от вас хотим. Раз уж Драный Лис так в вас верит, то придётся поверить и нам. Держите нас в курсе происходящего. Причина происходящего в первую очередь. Что планируют делать кваzи, в частности Бедренец. Вообще всё любопытное, выходящее за рамки уже известного.

— Знать бы эти рамки... — вздохнул я.

— Могу ответить на некоторые вопросы.

— Почему покойные восстают? — спросил я тем же тоном, которым агностики вопрошают: «Есть ли Бог?». То есть в полной уверенности, что ответа не последует.

— Воскрешение — генетически заложенное во всех живых организмах свойство.

Андрей ответил так спокойно, что я сделал ещё пару глотков пива, прежде чем поперхнулся и уставился на него. Неуверенно спросил:

— Ч-что?

— У большинства высокоорганизованных живых существ, во всяком случае, мы можем с уверенностью говорить о млекопитающих, птицах и рептилиях, существует спящий локус ДНК, который неофициально называется «Эдем» или «Райский сад». Если этот ген активируется, то после смерти организм подвергается кардинальным изменениям. Клетки уже нельзя назвать живыми, они перестраиваются на анаэробный путь дыхания, утрачивают прежние органеллы и обзаводятся новыми, резко ускоряются репаративные процессы. Новые клетки возникают по всему организму после его смерти и стремительно пропитывают всё тело, замещая и подменяя прежние структуры. Внешняя структура органов более-менее сохраняется.

Андрей отставил пустой бокал, иронически посмотрел на меня. За стойкой очень в тему заиграло «Нам разум дал стальные руки-крылья...».

— Сложнее всего с нервной тканью. Нейроны тоже подвергаются замещению, но пребывают в состоянии полной дезориентации, разума как такого нет, точнее он спит. Но по непонятным, к сожалению, причинам, поступление в некро-организм живой нервной ткани, принадлежащей тому же биологическому виду, вызывает вторую волну изменений, стремительную, почти молниеносную. Работа некронейронов упорядочивается, выстраиваются новые нервные связи. Восставший превращается в кваzи-человека.

Я сидел напротив незнакомого человека, принадлежащего к таинственному «кругу», поздним вечером, в экстравагантном питерском пабе. Вокруг пили и общались люди и кваzи.

А я только что услышал главную тайну. Нет, не так. ГЛАВНУЮ ТАЙНУ.

— Мы долго размышляли, сообщать ли вам эту информацию, — сказал небрежно Андрей. — Разумеется, как и правда о деталях возвышения, эта информация закрыта, причём куда более строго. В итоге решение оставили за мной. Если бы вы торговались, я бы вам ничего не сказал. Но вы сразу согласились сотрудничать, и я считаю, что это нужно поощрить.

Он достал из внутреннего кармана пиджака авторучку, взял со стола салфетку и записал номер телефона. И слово «Круг» — с большой буквы.

— Позвоните, представитесь, скажете, что есть информация для Андрея. Если мне потребуется с вами связаться — я вас найду.

— Не сомневаюсь... — пробормотал я. — Но почему этот... «Райский сад»... активировался? У всех людей на Земле сразу?

— Неизвестно. И зачем он вообще есть в нашем геноме и почему спал тысячи лет — тоже.

Андрей промокнул губы чистой салфеткой, скомкал и бросил на стол.

— Приятно было пообщаться с вами, Денис. Увидимся.

Он вышел первым, я ещё некоторое время сидел, крутя в руках кружку с тёплыми остатками пива.

Потом спрятал в карман салфетку с номером телефона. Ту, которой Андрей промокнул губы, трогать не стал. Хотя, конечно, хотелось. Частицы кожи и слюны, генетический анализ, выяснение личности Андрея, тайный визит в его логово... «Говори всё, что знаешь!»

Будь я героем боевика, так бы и сделал.

А в реальности за мной могли следить, найти человека по фрагменту ДНК — сложная задача даже для спецслужб, «логово» Андрея — обычная квартира, где жена готовит ему борщ, а дочь просит помочь с уроками. И вполне вероятно, что Андрей сказал мне всё, что знал, и всё это чистая правда.

И как мне с этой информацией жить? Что она мне вообще даёт?

Да ничего, пожалуй.

Хоть вирус, хоть ДНК. Результат один.

— Можно присесть к вам, Денис?

Я узнал голос. И поднимая взгляд, уже знал, кого увижу.

Мария Белинская, она же Александра Фадеева, она же Ольга Чехова. Волосы её уже были не рыжими, а иссиня-чёрными, вместо платья она была одета в джинсы и оранжевый свитер грубой вязки. На свитере были вышиты два медведя. Надо же. Бывают свитера с оленями, а бывают и с медведями.

А ещё к свитеру была приколота чёрная ленточка.

— Ну надо же, — сказал я, глядя на ленточку. — Вы скорбите вместе со всеми.

Белинская села на освободившееся после Андрея место. Сказала:

— Я скорблю о Дмитрии Большакове. Все курсанты подписывали разрешение на возвышение, все они станут кваzи. Они не умерли и не умрут. Кроме Дмитрия, которого вы убили.

— Ах вот как, — сказал я. — Значит, убийца я? Надо было позволить восставшему наброситься на людей?

— Всё было под контролем. Я бы его остановила.

Самоуверенность — вещь хорошая. Я даже не стал объяснять ей, как быстры восставшие в фазе охоты.

— Что же не остановили меня?

Мария развела руками. Если она и играла, то делала это очень уверенно.

— Не ожидала от человека такой быстрой реакции. Недооценила.

— То есть вы про меня не знали, мы встретились случайно...

Она вдруг заколебалась.

— Я про вас многое знаю и, конечно же, сразу узнала. А встретились... случайно, наверное. Сама была удивлена, когда вас увидела.

— И вы не собирались убивать меня?

— Хотела бы — убила, — с той же самоуверенностью сказала она. — Была масса возможностей.

Я кивнул, соглашаясь.

— Вам я не враг, — сказала Мария. — На самом деле, вы очень помешали своим вмешательством, но это нелепая случайность. Может быть, вам трудно поверить, но я никому не враг. И об окончательно погибшем курсанте я скорблю. Просто вы цепляетесь за старые представления о том, что такое жизнь и смерть.

— Так вы работаете на квazi?

— Я... — Опять лёгкая пауза, будто она искренне пыталась найти ответ, который будет правдой, но не даст мне слишком много информации. — Нет. Вы не поймёте. Пока — не поймёте.

— Хорошо, — легко согласился я. — Не пойму сейчас, пойму позже. В любом случае, спасибо за явку с повинной, это обязательно будет отражено в протоколе.

Бармен сыграл «Прощание славянки» и «Что тебе снится, крейсер “Аврора”», посетители за стойкой чокнулись полными кружками.

— Мне не в чем виниться, — упрямо ответила Мария. — Я нашла вас с абсолютно другой целью.

— О как, — сказал я. — И с какой же?

Мария очень смешно наморщила лоб, глядя на меня, будто на несмышлёное дитя.

— Вы на хорошем счету в своей конторе. Вы видели, что произошло в поезде. Драный Лис наверняка поделился с вами последними новостями. Я прошу вас довести до начальства всю серьёзность ситуации. Дальнейшее сосуществование людей и кваzи становится опасным.

— Ну надо же, — воскликнул я. — Никогда такого не было, и вот опять!

— Отнеситесь к этому серьёзнее, Денис. Возможно, мне не следовало с вами встречаться, но я за вас искренне волнуюсь. Берите сына и уезжайте...

— Кто вы такая, Мария? Откуда вы меня знаете?

Что-то у неё в глазах мелькнуло. Что-то болезненное и беспомощное. Лишь на секунду.

— Денис, я искренне надеюсь, что нынешний кризис разрешится максимально мирно и безболезненно. Но эксцессы... они возможны. У меня есть личные причины беспокоиться о вас, которые я не хотела бы раскрывать. Уезжайте. Доложите о случившемся. Если ситуация не будет разрешена в ближайшее время, то всё усугубится. И у горячих голов, в первую очередь человеческих, возникнет искушение разрубить гордиев узел. К вам прислушиваются, так что бейте во все колокола! И не только по служебной линии. Человек, который к вам подсаживался, представляет тех, кто обладает серьёзной властью. Расскажите о происходящем и им тоже.

— Вы о «Круге»?

— Так они иногда себя называют, — кивнула Мария. — Им тоже. Они не представляют государства и организации, они представляют деньги, знания и власть. И потому могут куда больше, чем правительства или спецслужбы.

— Масоны, — усмехнулся я.

— Да как угодно называйте. Но войны и катаклизмы им не нужны, так что мы союзники.

Я кивнул.

— Хорошо. А теперь вставайте, Мария, и мы пойдём.

— Куда? — удивилась она.

— К Бедренцу. Там всё и расскажете.

— Я Драному Лису не доверяю, — она покачала головой. — И ничего более говорить не собираюсь.

— Вы не поняли, Мария. Это не предложение. Это информация — мы пойдём к Михаилу Бедренцу.

Она покачала головой:

— Обидно, Денис. Возможно, нам придётся поговорить позже. Когда вы поймёте, что мне нельзя диктовать условий.

К этому моменту я уже оглядел паб и пришёл к выводу, что охраны у Марии нет. Хороший профессионал всегда способен замаскироваться, но в пабах и ресторанах любой служивый торчит, как бельмо на глазу. Здесь, помимо нас и двух барменов, было-то всего шесть кваzи и две живые девушки. Ах да, ещё мелькала молоденькая девочка-официантка, таская с кухни закуски, по большей части жирные и жареные.

Ни в ком из присутствующих я не видел ничего подозрительного.

— Мария, я верю, что вы не просто красивая, но ещё и смелая, и сильная женщина, — я улыбнулся. —

Но я вас могу скрутить и притащить к Михаилу, поверьте.

Она кивнула.

— Да, могли бы.

Мария встала, с явным сожалением посмотрела на меня. И громко воскликнула:

— Помогите! Он пристаёт ко мне!

Все присутствующие, как и полагается, уставились на нас.

Я медленно поднялся. Достал удостоверение, помахал в воздухе.

— Спокойно! Госбезопасность! Действую по согласованию с личным помощником Представителя! Эта женщина подозревается в совершении особо опасных преступлений, и я осуществляю задержание!

Бармен, наливавший мне пиво, даже присвистнул. На его лице был, скорее, восторг. Не каждый день увидишь такую сцену, верно?

А вот кваzи-посетители смотрели на меня мрачно.

— Остановите его!

Да что ж такое? Ей верят, мне не верят?

— Вы можете вызвать полицию! — предложил я, поглядывая на Марию. Та стояла и улыбалась, не делая попытки бежать. — Чёрт побери, вызовите полицию, я прошу! Или что тут у вас вместо неё? Это особо опасная...

Мимо моей головы просвистела тяжёлая пивная кружка, запущенная одним из кваzи. Врезалась в оконное стекло и улетела прямо в Фонтанку. Стекло — вдребезги, кружка цела. Моя голова, к счастью, тоже.

Кваzи двинулись ко мне. Очень по-деловому. И старые, добродушного вида кваzи, умершие своей смертью, и восставшие в виде бодрых дедушек. И молодой лысый кваzи (он и запустил кружкой), видимо, погибший при Катастрофе или иной насильственной смертью. И двое очень интеллигентных квazi, что до этого пили пиво, держась за руки и нежно поглядывая друг на друга (да, вот такой он, Санкт-Петербург, европейский и толерантный город).

Я не размышлял — не было времени. Я выхватил мачете.

Квazi-геи немедленно кинулись ко мне бегом. На ходу один схватил с барной стойки кружку, другой подхватил тяжёлый вертящийся стул.

Да какие ж это геи? Геи должны быть жеманными, культурными и с боязливым визгом убегать от всяких разборок! А это какие-то суровые боевые извращенцы!

Мария сокрушённо покачала головой, отступая к двери.

Мне уже не было до неё дела. Я прыгал из стороны в сторону, уворачиваясь от кулаков, кружек и стула и отгоняя квazi взмахами мачете. Бармены, слава всевышнему, в драке участия не приняли. Один звонил (надеюсь, в полицию), другой увлечённо снимал происходящее на мобильник.

В какой-то момент меня сбили на пол, я даже не понял, кто именно. Гей с кружкой занёс её над моей головой — я извернулся и прямо с пола, лёжа, ухитрился рубануть его по руке мачете. Руку до конца не отсёк, поза всё-таки была неудобная, но надрубил до кости. Кружка выпала — увы, прямо на меня.

Спасло лишь то, что удар получился скользящий, тяжёлая стеклянная кружка задела меня по касательной. Но на мгновение в глазах всё поплыло — и я понял, что сейчас меня забьют. Возможно, что и насмерть.

А может и съедят потом. Кто их знает, этих новых квazi?

Но когда я пришёл в себя — неживые стояли неподвижно. Квazи с надрубленной рукой баюкал на груди повреждённую конечность, из раны текла густая чёрная кровь. Точнее — пыталась вытечь и с хлюпаньем втягивалась обратно, будто сопля из носа у маленького ребёнка.

— Вам помочь? — вежливо спросил спутник пострадавшего. Протянул мне руку, другой продолжая держать стул.

Я принял предложенную помощь и поднялся, втайне ожидая, что вот сейчас, на вставании, квazи махнёт стулом и уложит меня обратно.

Но нет, он помог мне встать и поставил рядом стул.

Спросил участливо:

— Вам нужна медицинская помощь? При жизни я был врачом. Стоматологом, правда, но базовые навыки имею.

— Зубы целы, — сказал я, пошатав их пальцем. — Как ни странно... Зачем вы на меня накинулись?

— Извините, — сказал раненый. — Сам не пойму, что на меня нашло.

— Женщина позвала на помощь, — предположил другой квazи, совсем молодой при жизни паренёк. Не слишком уверенно предположил.

Я обвёл квazи взглядом.

Все они, насколько вообще квazи способны к выражению эмоций, выглядели растерянными и смущёнными.

— У вас есть ко мне претензии? — спросил я квazи с полуотсеченной рукой.

— Покажите удостоверение, — попросил тот.

Удостоверение нашлось на полу, и я предъявил его снова.

— Претензий нет, вы действовали в рамках закона, — сказал квazi. — Вы будете подавать иск в мой адрес?

Я покачал головой и подошёл к бармену, снимавшему весь этот беспредел.

— Телефон.

— Я сотру запись, — быстро сказал он.

— А я тебе помогу, — пообещал я. Взял телефон, включил полное стирание контента и протянул бармену. — Приложи пальчик.

Бармен посмотрел на мачете на моём поясе и активировал на телефоне стирание. Пробормотал:

— Ничего страшного, я вчера копию делал.

— Вот и славно, — согласился я. — Извините за инцидент! У вас хорошее пиво и креативная атмосфера! Настоящая культурная столица!

На этой жизнеутверждающей ноте я и покинул бар «Пена дней».

Глава четвертая

НАШ ВРЕМЕННЫЙ ГЕРОЙ

Михаил пришёл в девять утра. Я как раз закончил жарить яичницу — для себя, и греть молоко для мюслей Найду.

— Открой, если это дядя Миша, — попросил я. Найд поплёлся с кухни в прихожую, загремел замком, я услышал вежливое: «Доброе утро» — которое после секундной заминки сменилось возмущённым воплем: «А это что такое?»

Я выглянул в коридор, держа в руках сковородку с скворчащей на ней яичницей.

Михаил стоял в дверях, протягивая Найду сиреневый школьный ранец. Найд застыл с поднятой рукой, напоминая то ли трезвенника, отказывающегося от выпивки, то ли святого, противостоящего соблазняющей его девице.

— Это твой ранец, — сказал Михаил. — Для школы. Там есть необходимый комплект учебников, тетрадей и пенал с письменными принадлежностями. В школе я обо всём договорился.

Помолчав немного, он добавил:

— Ещё я положил туда яблоко сорта «Кандиль», ты их всегда любил.

— Я что, должен и тут ходить в школу? — воскликнул Найд.

— А почему нет? — удивился я. — Или ты собирался шататься по городу?

Найд замотал головой.

— Нет. С этим ранцем не пойду, он розовый, девчоночий!

— Он сиреневый, унисекс, — сказал Михаил. — И ты его носил год назад.

— Год назад я был маленький! — Найд умоляюще посмотрел на меня.

— Можешь положить учебники в полиэтиленовый пакет, — сказал я. — На кухне найдётся пара.

— Я всё равно уже не успею, — попытался спорить Найд. — Моя старая школа далеко, а в другую я не пойду. И там дождь льёт, я промокну.

— Тебя довезёт машина, она ждёт внизу, — сказал Михаил. — У тебя даже есть десять минут на завтрак.

— Ты приехал на машине? — с недоверием спросил Найд.

Михаил кивнул.

Видимо, это было серьёзно. Найд поник и поплёлся на кухню, к своим размокшим мюслям.

А через четверть часа мы с Михаилом сидели вдвоём. Я пил кофе, он — воду.

— У тебя была бурная ночь? — деликатно поинтересовался Михаил. Я потёр саднящий лоб. Кивнул.

— Расскажешь?

— Всё из-за алкоголя и женщины, как обычно... — Я вздохнул. — Пойдём прогуляемся?

— Тут чисто, — сказал Михаил. Достал из кармана и положил на стол приборчик, похожий на древний мобильник — у него даже была торчащая антенна. Щёлкнул кнопкой включения. На приборчике загорелся зелёный огонёк. — Можно говорить, — повторил он.

— Что ты знаешь про «Круг»? — спросил я.

— Неформальная структура профессиональных управленцев и денежных мешков разных стран. Это одно из их названий. Состоят как люди, так и квазi, но в меньшей мере. Возможности у них немалые, но они стараются без нужды не пересекаться с госбезом и нашей службой. Даже порой содействуют. — Михаил кивнул. — Вышли на тебя?

— Да. Дружить зовут. Бонусы обещают.

— Чего хотят?

— Чтоб за тобой следил и им докладывал.

— Ну и соглашайся, — хладнокровно сказал Бедренец. — Только не спеши передавать информацию. Я тоже вынужден всё докладывать наверх, а там их люди есть. Нам важно иметь фору в пять-шесть часов.

— Тоже так подумал, потому согласился.

Бедренец кивнул.

— Тогда откуда ссадина? Или не сразу согласился?

— Это куда веселее, — признался я. — После этих бюрократических масонов ко мне подошла Маша Белинская.

И я коротко пересказал ему разговор.

Михаил нахмурился.

— Странно. Ты ей веришь?

— Она сказала, что не собиралась меня убивать. И при этом подтвердила, что знает, кто я такой. Даже некую личную заинтересованность обозначила. Но тогда выходит, что её целью были ребята-курсанты? Зачем? При этом я случайно оказался в соседнем вагоне? Михаил, не верю я в такие совпадения!

— Могла соврать? — по-деловому спросил Бедренец.

— Даже кваzи ухитряются, — глядя ему в глаза, сказал я. — А она человек.

Бедренец кивнул:

— Согласен. В убийстве курсантов я никакого смысла не вижу. Не исключал бы всё-таки версию, что покушались на тебя.

— Может, кто-то решил пополнить ряды кваzи хорошими военными? — спросил я небрежно.

Бедренец замотал головой.

— Нет. Я обдумывал эту версию, но... это же курсанты. Молодые ребята со всем максимализмом юности в голове. Даже если их возвысить ускоренно, они останутся идеалистами, из таких формировать армию против людей, да ещё таким путём — опасно.

Мне понравилось то, что Бедренец не стал с порога отрицать саму возможность такой принудительной «вербовки» или утверждать, что у кваzи нет собственной армии. Ну да, нет. Как и полиции, и спецслужб. Сплошь резервисты.

Но довод был убедительный. Курсанты — не тот контингент.

— Ты не понял, кого она представляет и чего хочет? — спросил Михаил.

Я развёл руками.

— Она лишь сказала, что не имеет отношения к «Кругу».

— Плохо то, что ты не смог объяснить посетителям происходящее и она ушла.

— Нет, Михаил, ты не понял, что на самом деле плохо.

— Объясни.

— Она им велела меня остановить. Они подчинились. Мария управляла кваzи — точно так же, как вы управляете восставшими.

Бедренец заёрзал на стуле.

— Денис, такого быть не может.

— Почему?

— Никогда такого не случалось.

— Раньше и мертвецы не вставали. В вас есть какая-то способность подчинять себе восставших. Ты знаешь, в чём она заключается? Телепатия?

— Да нет же... Не знаю. Есть версия, что это феромоны.

— Тахионы! Ну как можно феромонами передать осмысленный приказ? Есть у вас что-то, какой-то передатчик внутренний. У кого слабее, у кого сильнее. А если есть передатчик, то и приёмник должен быть.

— Одно из другого не следует... — упрямо сказал Михаил.

— Я тебе ещё раз говорю — кваzи ей подчинились. Не раздумывая. Не реагируя на мои слова и документы. Кинулись на меня — и, если бы Мария не ушла или не отдала приказа остановиться, разорвали бы на куски. Ты же видишь, что происходит? Встал древний мертвец, пролежавший десяток лет во льду. Восставшие не подчиняются приказам кваzи. Ну, вот и следующий этап — появились люди, которые могут приказывать вам. Наверняка это связанные события.

Михаил встал, прошёлся по кухне. Поглядел в окно. Налил себе ещё воды. Посмотрел на меня.

— Хорошо, допустим. Что ещё?

— Этот господин, из «Круга»... Он мне объяснил, почему начали восставать мёртвые. И я думаю, ты тоже это знаешь.

— Я знаком с теорией, что потенциальная возможность имелась в нашем ДНК изначально, — после секундной паузы признался Михаил.

— Ну, спасибо за доверие, спасибо, что объяснил это раньше и я не выглядел идиотом.

— Извини. Ты прав, я должен был тебе это рассказать. Раньше.

Бедренец склонил голову. Я некоторое время на него смотрел, потом кивнул:

— Хорошо, извинения приняты. Михаил, ты хочешь знать моё мнение о происходящем?

— Для того и позвал.

— Всё снова возвращается к одному. К тому дню, когда мёртвые стали восставать. Если мы поймём, из-за чего всё началось — сумеем понять, к чему всё движется. Мария говорит, что кризис может усугубиться, и в этом я ей верю.

— Мы с тобой уже ловили женщину в огромном городе.

— И поймали чудом. К тому же там была женщина-кваzи в городе людей. И у неё были связи, зацепки, история — мы знали, куда пойти и кого о ней расспросить. А сейчас нам надо найти живую женщину, которая считалась погибшей. Женщину в городе кваzи, которыми она может повелевать. Да она в любой дом войдёт и велит её прятать! И её будут прятать. Не забывай и про то, что кто-то пытался меня убить. Если это всё-таки не Мария, то кто?

— Хорошо, что предлагаешь?

— Марию пусть ловят ваши спецы. Сообщи всё, что я рассказал, своему начальству. Может из немилости выйдешь.

Михаил неохотно кивнул.

— Что Мария может управлять вами — тоже расскажи. Тебе вряд ли сразу поверят, но когда убедятся — твои акции резко возрастут.

Теперь Бедренец болезненно поморщился, но снова кивнул.

— А потом веди меня к тем, кто занимается историей Катастрофы. У вас наверняка есть такие специалисты.

— Это непросто, — сказал Михаил.

— Что поделать.

Бедренец выключил свою «глушилку», спрятал в карман. Достал телефон, вздохнул. Набрал какой-то номер. Голос его оставался ровным и спокойным.

— Это Михаил Бедренец, семьдесят три — красный — восемь. Соедините меня с Представителем.

Ого...

— Да. Не терпит. Да, я настаиваю. Хорошо, объясню суть вопроса. Мне с напарником нужен допуск...

Я подошёл к окну, посмотрел в серое небо. Лил довольно сильный дождь. Редкие прохожие, кстати, относились к этому вполне философски. Пооткрывали зонты, натянули капюшоны — и продолжали двигаться своей дорогой. Прокатила девчонка на моноколесе, одной рукой махающая в воздухе, другой прижимающая к уху телефон. Дождь серой пылью оседал на её пышных курчавых волосах и наверняка уже заливал за шиворот, но ей будто было всё равно.

— Обещают перезвонить через несколько часов, — мрачно сказал Бедренец, подходя ко мне. Телефон он сжимал в руке. — До Представителя не дозвонился, но они решат вопрос... Ты не думай, это ничего не значит. Представитель — очень занятой человек. А сейчас, в период кризиса...

— Понимаю, — сказал я.

— И вряд ли визит к учёным что-то тебе даст, — продолжил Михаил.

— Тоже верю. Но не могу я сидеть на месте. А болтаться по городу вслепую — глупость.

Михаил кивнул. Лицо у него было мрачное, происходящее жгло его ещё сильнее, чем меня. Тяжело, наверное, когда горячо любимый руководитель на тебя сердит и ты в опале. От этого есть только два лекарства — никогда не огорчать начальство или никогда его не любить.

Телефон у Михаила внезапно заиграл весёленькую мелодию, напоминающую о старых детских песнях. Голос певца, впрочем, был вполне взрослым, но удивительно мягким и лиричным:

Травы, травы, травы не успели
От росы серебряной согнуться...*

Впрочем, реакция Михаила на эту милую ностальгическую песню оказалась неожиданной. Он вскинул руку с трубкой, рявкнул:

— У аппарата!

Несколько секунд слушал бормочущий голос. Потом отрывисто сказал:

— Придержи информацию, сколько можешь.

Спрятал телефон и посмотрел на меня.

— Поехали, Денис.

— Представитель? — уточнил я.

— Нет. Мой человек в полиции. Учёных пока оставим в покое, Денис. Ещё один из наших начал кусаться.

Я посмотрел в окно. Дождь продолжал идти, медленно и упорно, будто вознамерился вернуть эту местность в состояние болота.

---

* Песня «Травы» из кинофильма «Анискин и Фантомас», музыка Владимира Шаинского, текст Ивана Юшина, исполнитель Геннадий Белов.

Как они тут живут, ну депрессивный же город при всей своей красоте! Тут и здоровый живой человек кусаться начнёт!

— Зря я не взял калоши, — сказал я.

К счастью, служебная машина, на которой Найда отвезли в школу, уже вернулась, и нам не пришлось ждать такси или седлать велосипеды.

— Лёни Голикова, сто четырнадцать, первый корпус, — сказал Михаил водителю, подтянутому квазi средних лет. — И можешь в дороге послушать музыку, Игорь.

Водитель кивнул — явно не был любителем пустых разговоров. Достал и надел наушники — крупные, не затычки в уши, а полноценные «мониторы».

— Хорошее имя для помощника, — заметил я. — С историей.

— Я не Дракула, — сухо ответил Михаил.

— А музыку ты велел поставить...

— Чтобы свободнее говорить.

— Ты учти, Михаил, наушники отсекают шумы куда сильнее, чем человеческий голос. Не замечал в самолётах, что стоит надеть ушки — и становится слышно сидящих вокруг?

Михаил покосился на водителя. Громко спросил:

— Игорь, ты меня слышишь? Как едем, по проспекту Стачек или по Западному Диаметру?

Водитель не реагировал.

— Он не слышит, — сказал Михаил. — Так, Денис. Предлагаю не сидеть на попе ровно в ожидании звонка сверху, а заняться горячим следом.

— Рассказывай.

— Елена Виленина, сорок два года... Ты что смеёшься?

— Реальные имя-фамилия? — спросил я. — Елена Виленина?

— Родители часто считают хорошей идеей дать ребёнку рифмующееся с фамилией имя, — сказал Михаил. — Это глупость, конечно, но их право.

— А фамилия, наверное, от ваших, от коммунистов. От Вождя пролетариата, — сказал я. — В-И-Ленин.

— От города Вильно, ныне Вильнюс. Ничего смешного. — Михаил несколько секунд строго смотрел на меня. Потом вздохнул и продолжил:

— ...сорок два года, живая. Муж — Андрей Виленин. Тридцать пять биологических, сорок четыре календарных, квazи. Обратилась в местный клуб любителей порядка с просьбой найти пропавшего мужа. При беседе дружинник обратил внимание на след укуса на её руке. Елена отказывается отвечать и подавать какие-либо жалобы. Но у добровольцев была ориентировка и указание обращать внимание на подобные случаи. Дружинник уверен, что укус — человеческий.

— Квazи-человеческий.

— Это нам и предстоит выяснить, — кивнул Михаил.

Мы ехали минут двадцать. Михаил несколько раз доставал телефон, хмуро и едва ли ни с упрёком на него смотрел. Потом сказал:

— Ты бы хоть рассказал, как у вас дела.

— У нас?

— У тебя и Александра. Вы стали жить с сыном, это большая перемена в вашей привычной жизни. Ты привык к холостяцкому существованию с излишним употреблением алкоголя, редкими, но беспорядочными половыми связями, свободным времяпровождением. Александр сменил организованную и упорядоченную жизнь в уютном Санкт-Петербурге со строгим и педантичным наставником на вольное существование в шумной безалаберной Москве с плохо контролирующим его неопытным отцом. Это, наверняка, вызвало у вас обоих стресс?

— Да ты издеваешься, Драный Лис! — только и сказал я.

Михаил безмолвно смотрел на меня.

Я понял, что придётся отвечать.

— Мы настолько легко сменили наш образ жизни, — сказал я, — что это просто удивительно. Моё существование... э... излишнее и беспорядочное, крайне нуждалось в организованном влиянии Найда и той неизбежной ответственности, которую накладывает на взрослого человека воспитание ребёнка. Мы приняли взаимные обязательства и ограничили свои прежние потребности. Ведь в этом и состоит настоящая, живая семья, верно?

Михаил мигнул. И отвёл глаза.

— Я боялся, что вам будет трудно.

— Допустим, боялся ты за Найда.

— По большей части. Но я надеялся, что в эти дни с тобой будет и Настя.

— Тоже так думал, — признал я. — Но мы с Найдом и это перенесли мужественно и спокойно, с любовью и пониманием поддерживая друг друга в трудные минуты. Ни единой ссоры, ни одного конфликта.

Я постучал. Никакой реакции не последовало.

Тогда я осторожно приоткрыл дверь и заглянул в комнату.

Найд валялся на кровати, задрав ноги в кроссовках на стенку, руки подложив под голову и глядя в потолок. Шторы были задёрнуты, и в комнате сгустилась полутьма.

— Саша, пойдём ужинать, — сказал я.

— Что ты вламываешься? — выкрикнул Найд, не глядя на меня.

— Я стучал. Долго. Ты же не в наушниках, верно?

— Я задумался. Ты всё равно не должен был входить. Я подросток, я имею право на личное пространство и уединение!

— А я взрослый, — ответил я. — Я не раздумываю. Я имею обязанности по отношению к тебе. В том числе и кормить.

— Я не буду есть, я не хочу! — твёрдо сказал Найд. — А что на ужин?

— Котлеты.

— Мяса я есть не буду!

— Но ты же не кваzи.

— Ну и что? Я вегетарианец. Я имею право на свои убеждения!

— Михаил говорил, что ты ешь мясо. Это нужно для роста и развития.

— Раньше ел, теперь перестал. Это моё личностное развитие и рост.

— Хорошо, но есть всё равно надо.

— Котлеты я не стану!

— Я пожарил тебе постные котлеты, — сказал я. — Капустные. На них даже наклейка была: «Пригодно для веганов, кваzи и употребления во время поста». Они вкусные, кстати. А себе я пожарил нормальные. Но на другой сковороде.

— У тебя две сковороды?

— У меня даже три кастрюли. Сам не знаю, зачем. Поешь, Сашка.

Пока Найд молча, но очень красноречиво размышлял (покачивая в воздухе ногой и сверля взглядом дырку в потолке), я изучал выделенную Найду комнату. За вчерашний день она вошла совсем уж в безобразное состояние.

Честно говоря, не припомню ни у себя в подростковом возрасте комнату в таком состоянии, ни у сверстников, даже самых безалаберных. На полу стояли несколько открытых и частично разобранных картонных коробок с вещами — Михаил прислал их из Питера четыре дня назад, Найд заявил, что сам разберёт вещи. На стульях валялись мятые рубашки, футболки, носки и трусы, причём, похоже, что чистая и грязная одежда уже перемешалась. На столе в стаканчике стояла зубная щётка — Найд почему-то отказывался переносить её в ванную. Может быть, это для него означало бы окончательно принятие того, что он живёт со мной в Москве, а не в Питере с Михаилом?

В общем, такой бардак я видел только в голливудских фильмах, где требовалось быстро и чётко обозначить подростковый возраст персонажа. В жизни такого почти не бывает, мало кто любит жить в хлеву.

— Хорошо, — наконец-то решил Найд. — Если капустные, то я поем.

— Только не забудь вымыть руки. — Я смело вступил на минное поле.

Но то ли Найд и впрямь проголодался, то ли Михаил привил ему привычку умываться — тут он спорить не стал. Поплёлся в ванную комнату.

Я пошёл на кухню и стал разогревать котлеты.

Найд вернулся, сел напротив. Придирчиво осмотрел капустную котлету. Понюхал. Откусил. Признал:

— Вкусно.

— Насыпать зелёного горошка?

— Из банки?

— Точно.

— Насыпь, — разрешил Найд.

На кухне было куда светлее, и, открывая банку, я заметил, что глаза у Найда покраснели, а лицо припухло.

— Я очень скучаю по Насте, — сказал я. Уж если заводить тяжёлый разговор, то первым.

— Ты даже не захотел её увидеть! — сразу же вскинулся Найд. Всё верно, болевую точку я угадал. — Она умерла, спасая мальчишку! А ты не хочешь её видеть, даже когда она стала кваzи!

Что мне было говорить?

Объяснять, как именно возвышаются восставшие?

Как теперь я могу её целовать?

Как мы можем смотреть друг другу в глаза?

— Саша, у меня очень сложные отношения с кваzи, — сказал я. — Уж извини. Я признателен Насте. Я очень переживаю о том, что с ней случилось. Но не могу с ней больше встречаться. То есть по работе — могу и буду. Маркин сказал, что возьмёт её к нам, в госбезопасность. А как с женщиной... нет. Ты поймёшь, когда вырастешь.

— Если я влюблюсь в кваzи и захочу жениться — не станешь со мной общаться? — спросил Найд с вызовом. — Убьёшь, как Тарас Бульба сына?

— Сразу ясно, что вы сейчас проходите в школе, — пробормотал я. — Нет, конечно. Ты же не родину предашь, а всего лишь свою человеческую природу. А этим люди занимаются с того момента, как стали людьми. Хочешь — женись на кваzи. Только не кури.

Найд ковырял вилкой распаренную капусту. Потом тихо сказал:

— Если ты их так ненавидишь... ты же не захочешь сам стать кваzи?

— Верно, — сказал я.

— Значит, ты умрёшь, — сказал Найд. — Я вырасту, стану кваzи, буду жить очень долго или вечно. А ты умрёшь. Как мама. Бросишь меня снова!

— Чёрт. — Я поморщился. Вот она, «причина засора». — Ниже пояса удар, Сашка... Я не хочу умирать, по-

верь! И вовсе не спешу. Но это такой естественный процесс, что поделать. Поколения сменяют друг друга, люди рождаются, живут...

Я посмотрел на Найда и увидел, что тот плачет. Крупные слёзы падали на несчастную веганскую котлету и горошек.

— Саш... Я хорошо посолил, честное слово.

Найд вскочил и на мгновение мне показалось, что он сейчас опять убежит в свою комнату. И ещё дверь стулом подопрёт. Но он подбежал ко мне, обнял, спрятал голову на груди.

— Сашка... — Я обнял его, посадил себе на колени. — Перестань. Мало ли — вдруг я передумаю? Или изобретут какой-нибудь другой способ бессмертия. Я ведь ещё молодой, верно?

— Ты бухаешь. Ты вчера с работы пришёл, от тебя пахло.

— Пивом.

— Неправда.

— Хорошо, я не буду. Молоко, кефир, газировка.

— Ладно, пиво можно... — разрешил Найд и потёрся об меня лицом, вытирая слёзы. — Обещай, что ты всё-таки попробуешь с Настей... дружить?

Я понимал, о чём он думает. Если я смогу принять то, что Настя стала кваzи, то смогу измениться и сам.

— Хорошо, — сказал я. — Когда она сумеет меня удивить, насмешить и растрогать — тут же сделаю ей предложение.

— Ты считаешь, что кваzи на такое неспособны?

— Если честно — да.

— Ладно, — согласился Найд. — Ты пообещал, запомни... Пап, слушай...

— Ну?

— Можно мне нормальную котлету? Она пахнет вкусно.

Я засмеялся, поставил Найда на пол. Переложил котлету на его тарелку. Сказал:

— Только при одном условии.

— Каком?

— После ужина мы наведём порядок в твоей комнате. Мне туда страшно заходить.

— Может, я этого и добиваюсь, — буркнул Найд.

Но улыбнулся.

Михаил смотрел на меня с недоверием.

— Ни единой ссоры, — повторил я.

— Я очень рад за вас, — сказал Михаил. — Я старался, чтобы всё было правильно и хорошо. Но живой ребёнок не должен расти в семье квази, тем более в неполной.

— Скучаешь?

Михаил помолчал, потом кивнул.

Машина остановилась у длинного пятиэтажного здания. Одна из «хрущёвок», переживших как вдохновителя своей постройки, так и советское государство, да и вообще государство в прежнем понимании. Странно, ведь много жилья освободилось, а квази не склонны жить в просторных хоромах. И всё равно в этом унылом здании продолжают жить люди.

Ностальгия?

Или один из признаков того краха «общества потребления», который сопутствовал Катастрофе?

Водитель снял наушники, вопросительно посмотрел на Михаила.

— Подожди здесь, Игорь, — попросил Бедренец, вылезая.

— Что слушали? — не удержался я.

— «Рамштайн».

— Старые концерты?

— Нет, новые, уже в квазi-составе. Они поэнергичнее, пободрее, — охотно сообщил водитель.

Покачивая в задумчивости головой, я вылез вслед за Михаилом. Он уверенно двинулся к крайнему подъезду, бросив через плечо:

— Дружинник уже ушёл, но Елена, надеюсь, осталась дома. Задерживать её оснований нет, сам понимаешь.

Я понимал. Перед Катастрофой, из-за разгула терроризма и общемирового кризиса, понятие «прав человека» несколько ужалось, а полномочия полиции и спецслужб несколько расширились. Случившееся, как ни странно, всё отыграло в обратную сторону.

Мы поднялись на третий этаж, Михаил позвонил. Дверь открылась почти сразу, на пороге стояла женщина. Немолодая, но эффектная, ухоженная, с хорошо наложенной косметикой, с неброской, но качественной бижутерией. Одета она была нарядно, как на выход в свет, хоть и своеобразно, в стиле ретро: в цветастой юбке и блузке в горошек. То ли мы её застали в последний момент, то ли она по дому так расхаживает.

— Елена Виленина? — вежливо спросил Михаил. — Мы по поводу вашего мужа...

— Вы нашли Андрюшу? — воскликнула Елена. — Где он, что с ним? Он не ночевал дома, он один, где-то там, в городе...

Она даже заломила руки на груди, что было бы нелепо и театрально в любой другой ситуации. Но к её блузке с рукавом в «три четверти» и плиссированной юбке с принтом из ромашек а-ля «шестидесятые годы двадцатого века» жест подошёл великолепно.

Уважаю женщин, умеющих так подать себя!

— Можно войти? — спросил Михаил, снимая шляпу. Я подумал, что он прекрасно подходит к этой женщине и этой квартире. Они будто из одной эпохи, хотя Елена ему не то что в дочери, во внучки годилась.

— Конечно-конечно. Входите! Нет, не разувайтесь, у нас не принято! Просто вытрите обувь о коврик хорошенько... Вы из полиции?

— Ну вы же знаете, — укоризненно сказал я, — в Санкт-Петербурге, городе культуры и кваzи, полиции нет! Только неравнодушные граждане.

Михаил глянул на меня укоризненно, но говорить ничего не стал. Мы вошли.

Квартирка была маленькая, но очень чистенькая и тоже вся выдержанная в стиле шестидесятых. Наверное, даже не наших шестидесятых, а американских. Мебель из пластика и стекла, яркие постеры на стенах, разноцветье — красная обивка кресел соседствовала с белыми столиками и лимонно-жёлтыми коврами, перламутровые светильники на стенах. Оживший пин-ап. Жалко, королевство маловато, разгуляться негде...

— Красиво тут у вас, — почти искренне сказал я.

— Это всё Андрей. — Елена зарделась. — Он художник, очень талантливый. Работает гейм-дизайнером, но в душе — художник... Что с ним?

— Мы пока не знаем, — сообщил Бедренец. Вслед за хозяйкой мы прошли в гостиную, уселись в кресла. — Но надеемся, что с вашей помощью быстро его найдём.

— Спасибо, — искренне обрадовалась женщина. — Может быть, чая? Или домашнего лимонада?

При словах о лимонаде я едва не поперхнулся. Впрочем, уж если люди живут в образе, то следуют ему до конца.

— Лучше чай, — попросил я. — Горячий. По погоде, знаете ли...

— Я быстренько... — Елена и впрямь энергично двинулась в крошечную кухню. — Чёрный, зелёный? У меня есть замечательный пуэр, если вы любите!

— Обычный чёрный, — попросил я.

— А мне воды, — сказал Бедренец. — Или очень-очень жидкий чай.

Через открытую дверь я видел, как Елена суетится на кухне. Холодильник там был бирюзового цвета, а покрытие на полу — в зелёно-белую клетку.

Мне захотелось надеть тёмные очки с серыми линзами.

— Вы понимаете, мы с Андреем живём душа в душу, — выкрикнула Елена с кухни. — Он никогда не уходил, никогда не ночевал вне дома... после возвращения. Я волнуюсь!

— А давно с ним случилось возвышение? — спросил я.

— Восемь лет назад, — с готовностью ответила Елена. — Он так нелепо умер, это просто уму непостижимо, его убило сосулей! Так неожиданно, среди зимы, мороз стоял и вдруг — бац! У него шапка была хорошая, норковая, я ему на годовщину свадьбы подарила, он мне подарил такую милую шапочку-пирожок, норковую, а я ему мужскую, тёплую. Мы договорились с ним о таком сюрпризе. Так шапку даже не пробило, представляете, но ударило так сильно, что он упал и умер. А уже темно было, переулок не людный, его и не заметили даже, он сам восстал и пошёл к метро! Представляете? Я думаю, что он домой стремился! Мы так друг друга любим, что он, восстав — домой пошёл. Потом его в лагерь отправили, я каждую неделю ходила навещать, молилась, разговаривала с ним. Это и подействовало, он уже через год возвысился, и вот с тех пор мы вместе...

Мы с Бедренцом переглянулись.

Разумеется, к метро убитый «сосулей» Андрей пошёл не потому, что собирался вернуться домой. Нечем ему было соображать о столь сложных материях. Двинулся он к наибольшему скоплению людей с целью поужинать.

Да и молитвы любящей жены тут были ни при чём. Если бы восставшие возвышались молитвами близких... как хорошо и просто бы всё было.

Конечно, Андрей был великолепным семьянином, если это осталось доминантой в его сознании. Но это теперь. В состоянии восставшего он был хищником и не более того.

Елена вернулась с подносом, на котором присутствовали и чайные чашки, и два фарфоровых заварочных чайничка — один побольше, другой поменьше, и вазочки со сладостями, и блестящий медный чайник с кипятком. Никаких пластиковых термопотов и чайников. Только хардкор, только пин-ап.

— Я всё-таки и чёрный, и зелёный заварила, — сказала Елена извиняющимся тоном. — И конфетки хорошие. Наши, питерские.

Яркие широкие браслеты на её запястьях позвякивали, когда она поставила перед нами поднос.

— Скажите, — наливая себе чёрного чая, спросил я, — когда вы видели мужа последний раз?

— Вчера вечером. — Елена опустила глаза. — Я рассказывала вашему коллеге. Мы посмотрели телевизор, мы всегда вечером смотрим сериал...

— Какой? — небрежно поинтересовался Бедренец.

— «Путеводный свет». — Женщина неожиданно смутилась.

— Не знаю такой, — удивлённо сказал Михаил.

— Это самый длинный сериал в мире, — пояснил я. — Шёл полвека, наверное. Если все серии подряд смотреть, то надо полгода у экрана провести. Неужели его снова стали снимать?

— Нет-нет! — Елена смутилась ещё больше. — Мы по интернету смотрим. Старые серии. Так мило... чудесная старая эпоха. Люди верят в Бога, придерживаются норм морали, помогают близким...

— Очень трогательно, — поддержал я. — Сам люблю эти милые шестидесятые! И американские — рок-н-ролл, хиппи, кантри, рок, большие машины... Наши родные шестидесятые — первый сладкий глоток свободы, стиляги, авторская песня... — Меня вдруг осенило: — Маленькие, но уютные квартирки...

Елена закивала. Я верно понял, почему они продолжают жить в этом старом доме. И решил ковать железо, не отходя от кассы.

— Скажите, а откуда у вас укус?

Елена вздрогнула, левая рука её непроизвольно дёрнулась к правому плечу. Несильно, но я заметил. И ещё кое-что заметил...

— Какой укус?

— На правом плече, — сказал я.

Елена медленно закатала правый рукав. Обречённо спросила:

— Вы об этом?

След от зубов на плече выделялся очень отчётливо. Нормальный такой след. С едва-едва намеченным прокусом двумя зубами. Однозначно — человеческая челюсть, крупная, мужская.

— Это... — Елена замешкалась.

— Это не собака, — сказал я. — Если вы это хотели сказать. Это след укуса человека или кваzи. Мужской особи.

Елена болезненно вздрогнула.

— Расскажите нам, как это произошло, — попросил я. — Вы смотрели сериал, пили чай. Говорили о прекрасных старых временах, сожалели, что не довелось родиться в то время...

Елена вскочила.

— Уходите. Я не буду с вами говорить!

— Елена, такое поведение не разумно, — увещевающим тоном сказал Михаил. — У нас иногда случаются такие проблемы. Поверьте, я всё понимаю, я ведь и сам кваzи! Это кратковременный и быстропроходящий психоз. Скоро мы научимся его лечить. Главное — что ваш муж не причинил вам никакого серьёзного вреда...

— Убирайтесь!

— Госпожа Виленина. — Михаил всё ещё пытался до неё достучаться. — Поймите, никто не желает Андрею зла. Но я уверен, он и сам напуган и растерян от произошедшего. А если это повторится? Рядом будете не вы, а кто-то другой...

— Вон! Вон из моего дома! — закричала Елена. Прозвучало это почти как «вон из моего уютного мира».

Она порывисто схватила с журнального столика вазу из цветного муранского стекла и высоко подняла её в руке, в полной готовности обрушить на наши головы.

Мы встали. Вот чего нам ещё не хватало — так это потасовки с разъярённой женщиной.

— Вон! Вон! Вон! — кричала Елена, провожая нас до дверей.

Выскакивая из квартиры, я подумал, что это очень удачно, что у Вилениных не принято разуваться.

Через пару секунд после того, как за нами захлопнулась дверь, мы услышали звон разбитого стекла.

— Как думаешь, это было настоящее муранское стекло? — озабоченно спросил Михаил.

— Да ты что! Ваза стоила бы дороже всей квартиры! Но знаешь, о наши головы она разбилось бы с тем же эффектом, как сосуля о голову Андрея.

— Денис! — осуждающе сказал Михаил.

— Я ничего. Только рассуждаю.

Мы прислушались — за дверью было тихо.

— Думаю, помощь в уборке она не примет, — решил Михаил.

Я кивнул, соглашаясь, и предложил:

— Пошли, напарник. Там у неё было ещё две-три такие вазы.

Мы быстро пошли вниз по лестнице, что, бесспорно, было самым мудрым из совершённых нами поступков.

— Как-то не заладилось у нас, — сокрушался Михаил. — Ты, обычно, хорошо женщин на разговор выводишь. А тут? Ну что за «мужская особь»? Тебе не стыдно?

— Я хотел её разозлить.

— Зачем? — удивился Бедренец.

— Да так, есть одна идейка... — Я покосился на Михаила. — А ты следы заметил?

— Какие?

— Следы под браслетами. Не шрамы, скорее, как странгуляционные полосы или потёртости... в общем, он её вначале связал, потом укусил.

— Плохо, — пробормотал Бедренец. — Все предыдущие случаи помешательства были очень краткими. Квazи проявлял агрессию, не спровоцированную, но и не рассудочную. Как восставший, будем говорить прямо! Это уже само по себе ужасно, но оправдывало нападавших — они действовали бессознательно. Если же кваzи проявил спланированную и долгую агрессию...

Мы вышли из подъезда.

Бедренец с несчастным видом посмотрел на меня. Спросил:

— Может, всё-таки, вернёмся? Убедим Елену сотрудничать?

Сверху хлопнуло окно — и на наши головы обрушилось ведро воды. Основной поток пришёлся на голову Бедренца, к счастью, прикрытую шляпой, меня всего лишь забрызгало.

Потом послышался торжествующий женский смех и окно захлопнулось.

— Не станет она сотрудничать, Миша, — сказал я. — Хоть сам её кусай.

Бедренец бережно снял шляпу, аккуратно вылил из тульи воду. Спросил:

— Что будем делать? Ситуация, пожалуй, уже не слишком горячая, но особый случай... и социальная опасность.

Я с сочувствием посмотрел на него.

— Ну так как? Московскому гостю оказать помощь питерским правоохранителям?

Бедренец был настолько расстроен, что не стал придираться к ёрническому тону, а просто кивнул.

— Подожди минутку, — сказал я. — Только лучше отойдём...

Мы отошли за угол (и я посмотрел вверх, чтобы убедиться — тут нет окна). Достав смартфон, я открыл карту и придирчиво изучил окрестности.

— Пошли, Мокрый Лис, — сказал я, пряча телефон в карман. — Если я прав, то нам недалеко, можем не дёргать Игоря. Пусть наслаждается новым, энергичным «Рамштайном».

* * *

Когда мы подошли к маленькой деревянной церкви на проспекте Народного Ополчения, Бедренец остановился и непонимающе посмотрел на меня:

— Это ещё что?

— Ближайшая церковь, — любезно пояснил я. — Храм Нечаянная Радость.

— Он же православный!

— Ну так и семья Вилениных — не протестанты, несмотря на их увлечение старым американским сериалом. Ты крестик у неё на груди видел? Наш, русский крестик.

— Видел. — Бедренец нахмурился. — Но даже если Андрей остался в традиционной вере... это бывает, да... он сейчас в невменяемом состоянии.

— С чего ты решил?

— Он укусил жену! Он её связывал! Если бы он пришёл в себя, то немедленно заявил бы о случившемся или вернулся домой!

— Так он из себя и не выходил, — заметил я. — Пошли, что стоять... возьмём след.

В церкви было хорошо, как и должно быть в таких местах. Полутьма, тишина, огоньки свечей, сладкий запах ладана. За прилавком крошечной церковной лавки стояла старушка — одна из тех типичных старушек, что к старости начинают энергично воцерковляться. Священника я не увидел, а молящихся было немного — девушка стояла у кануна, молилась за кого-то покойного, и мужчина молча, неподвижно застыл у иконы Спасителя.

Мужчина был кваzи.

Вот же повезло!

Бедренец сразу подтянулся, будто стойку сделал. Я придержал его за рукав, потом сделал страшные глаза, взглядом указывая на шляпу. Мало того, что Бедренец вошёл в храм не перекрестившись, так ещё и в головном уборе. Старушка за прилавком уже закипала, глядя на него.

Михаил быстро стянул шляпу и даже изобразил нечто вроде полупоклона в сторону алтаря. Креститься старый коммунист всё-таки не стал. Вот они, настоящие убеждения, и при жизни, и после! Не то что руководство компартии, в своё время дружно продавшее идеалы, заветы и лозунги, спешно уверовавшее в Господа и Капитал (в Капитал, конечно, куда более искренне).

Я же подошёл к старушке, протянул деньги, взял свечку. Тихо спросил, кивая на квazi у иконы:

— Давно стоит?

Глаза у старушки оживились. Она подалась ко мне через прилавок и доверительно прошептала:

— С ночи! Прибежал, заполошный, встал у иконы. Храм пора закрывать, а он взмолился, оставьте меня, говорит, мне очень надо...

— И что?

— Батюшка сам с ним остался. Всю ночь в церкви провёл. Всё с ним поговорить пытался, а он молится, молится...

— Какой у вас замечательный батюшка, — искренне восхитился я. — Вы его берегите. А за гражданина квazi не волнуйтесь, мы сейчас с ним поговорим и домой отведём.

Вначале я подошёл к кануну, поставил свечку. Постоял чуть-чуть, вспоминая своих. Помнится, гремели когда-то в православных кругах баталии на тему — можно ли ставить свечки за упокой восставших или возвысившихся. Я итог не помню.

Но я ставил.

Потом я подошёл к молящемуся мужчине. Выглядел тот неважно, помятым и усталым. Больше полсуток на ногах, тут и квazи устанет.

— Андрей, позвольте вас отвлечь на минутку... — тихо сказал я.

Квazи посмотрел на меня, собираясь с мыслями.

— Может быть выйдем из храма ненадолго? — спросил я. — Нам надо поговорить. Потом вернётесь, если захотите.

Андрей неловко кивнул и пошёл за мной. У дверей к нам присоединился Бедренец. Мы отошли немного от храма, присели на скамейку. Я сел посередине. Андрей изучающе посмотрел на меня, потом на Михаила. Потом на небо. Спросил:

— Такой сильный ливень был?

— Да, местами, — сказал я. — Как вы себя чувствуете?

— Плохо, — честно подтвердил Андрей. И тут же уточнил: — Не физически, духовно.

— Долго длилось помрачение сознания? — сочувственно спросил Бедренец.

Андрей нахмурился. Уточнил:

— Вы это мне? Какое помрачение?

— Михаил, позволь мне, — сказал я и взял Андрея за руку. — Мы были у вас дома, ваша супруга очень волнуется.

— Как вы меня нашли?

— Я подумал, что вы нуждаетесь в срочной духовной помощи, — сказал я. — И направитесь в ближайший храм. Я лишь не ожидал, что вы простоите тут всю ночь. Церкви ведь закрывают.

— У нас очень хороший священник, — негромко сказал Андрей. — Я не так часто захожу сюда... знаете, даже в Питере людей шокирует, когда квazи... но он меня знает и понял, что мне это важно.

— Почему вы так расстроились? — спросил я прямо.

— Вы же в курсе, раз пришли. — Андрей поморщился. — Я её укусил. До крови.

— Заигрались немного? — Я кивнул. — Она затянула со стоп-словом?

— Откуда вы...

— В этом нет ничего плохого, если вы поступаете так по обоюдному согласию, — сказал я.

— Связывать, причинять боль — это плохо, — с мукой в голосе сказал Андрей. — Это дурацкая игра. Но ей... так нравится.

— И вы не можете отказать.

Он кивнул.

— Елена вас попросила её укусить?

— Да. Она часто так просит. Но в этот раз хотела всё сильнее и сильнее... — Лицо Андрея передёрнулось от отвращения. — Я не рассчитал. Я почувствовал... кровь.

У него по лицу прошла какая-то чудовищная гримаса. Губы затряслись, он вдруг вскинул ладонь и провёл ею по рту, будто стирая следы.

И тут меня поразил Бедренец.

Он вдруг встал, мягко, но сильно отодвинул меня, сел рядом с Андреем. Заглянул тому в глаза. Обнял — и прижал к себе, будто ребёнка. Что-то зашептал на ухо. Встряхнул за плечи, снова заглянул в глаза.

Я встал, отошёл от скамейки. Похоже, с ролью психотерапевта в данном случае Бедренец прекрасно справится. Я стоял, смотрел на несущиеся по проспекту машины и думал о том, что для таких вот случаев хорошо бы уметь курить. Достать из кармана пачку сигарет, с суровым лицом пускать дым, думать о бренности всего сущего и многогранности человеческой натуры...

— Добрый день.

Священник подошёл со стороны церкви. Молодой мужчина, маленькая бородка, интеллигентские очки в тонкой оправе. Глаза красные — видно, что ночь не спал.

— Здравствуйте, батюшка, — сказал я.

— С ним всё в порядке? — спросил священник, кивнув на скамейку, где сидели, обнявшись, два кваzи.

— Да. Всё будет хорошо.

Священник помялся:

— Скажите, а пожилой человек...

— Пожилой кваzи, — поправил я. — Он лучше понимает некоторые психологические проблемы. Точнее, некоторые совсем не понимает, а некоторые хорошо понимает... Но вы не волнуйтесь. Он не гомосексуалист, он всего лишь покойник.

Как ни старался священник скрыть облегчение, но оно проступило на лице.

— Спасибо, — сказал он. — Я пытался говорить с Андреем, но он так глубоко ушёл в свои переживания.

— Вам спасибо большое, что оставили его на ночь, — сказал я. — И церковь у вас хорошая, пусть и маленькая, и вы настоящий.

— А вы... — Священник опять замялся.

— Нет, скорее неверующий, — сказал я. — Извините.

— Ничего, бывает, — кивнул священник.

Мы некоторое время постояли рядом, глядя в сторону от скамейки.

— Всего лишь небольшой конфликт с женой, — пояснил я. — Но так случилось, что...

— Не надо, — быстро сказал священник. — Если он захочет, то сам расскажет. У людей должно быть право самим решать, что говорить людям, а что — только Богу.

— Даже у мёртвых людей? — спросил я.

— Живой, мёртвый... Понимаете, для Церкви это не столь принципиально, — сказал священник и неожиданно улыбнулся.

Мы проводили Андрея до дома, но совсем уж близко к подъезду подходить не стали. Мало ли, вдруг любительница милых старых сериалов и супружеских игр со связыванием и укусами по-прежнему караулит у окна?

— А было так похоже, — глядя на уходящего квази, сказал Бедренец. — Как ты догадался?

— Следы на руках были характерные, — пояснил я. — И обстановка... уж больно кукольная. Я как вижу такой чудесный домик, сразу ожидаю найти в шкафу скелет. Ну или хотя бы кожаный лифчик, плеть и страпон...

— Что такое страпон? — удивился Михаил.

— Поверь, тебе лучше не знать. Ты человек старой закалки.

Мы двинулись к машине. Бедренец молчал, размышляя о чём-то своём. Потом сказал:

— Кажется, ты первый раз назвал меня человеком.

Глава пятая

ГВАРДИЯ МОЛОДЫХ

Обедать Михаил предложил в пельменной. Видимо, заведение пользовалось популярностью — нам пришлось постоять в небольшой очереди, ожидая, пока освободится столик. Водитель с нами не пошёл, сказал, что живёт недалеко, и отъехал обедать домой. Мы же поскучали четверть часа и вошли внутрь.

В меню оказались не только пельмени самых разных сортов, но и «дружественные блюда» — восточные манты, грузинские хинкали, малороссийские вареники, итальянские равиоли, китайские дим-сам, японские гедза и даже редкий немецкий гость — маульташен.

Разумеется, все блюда имелись и в веганском варианте, допустимом для кваzи. Одних лишь пельменей нашлось четыре вида — с картошкой, грибами, чечевицей и зелёной фасолью.

— Слу́шай, а все кваzи едят грибы? — заинтересовался я.

— Почему бы нет?

— Ну, мало ли... я как-то читал, что грибы — они посередине между растениями и животными.

— Тоже слышал, — согласился Михаил. — Но я грибы ем. И другие едят.

В доказательство он заказал себе пельмени с грибами и равиоли со шпинатом.

Я его вегетарианство не поддержал. Взял нормальные сибирские пельмени (из трёх сортов мяса) и, поддавшись любопытству, японские гедза с креветками. К тому же в меню было отмечено, что вся прибыль от покупки гедза жертвуется в фонд восстановления Японии.

Наши восточные соседи перенесли Катастрофу очень тяжело. Если китайцы мрачно и безжалостно пресекли и панику, и восставших, то японцы впали в какой-то ступор. Уж казалось бы — всеми своими фильмами и мультиками должны быть подготовлены к любой чертовщине, от Годзиллы до оживших покойников. Но нет, странная смесь из жёсткости и сентиментальности, составляющая суть рядового японца, при виде восстающих близких дала фатальный сбой.

Говорят, что у них погибло почти три четверти населения. И вот уже пару лет как Японию помогают восстанавливать всем миром. В том числе и такими вот акциями: «Часть прибыли от продажи суси отчисляется на восстановление океанариума в Осаке, пострадавшего во время Катастрофы».

К пельменям я хотел было взять кружку пива, но, поколебавшись, заказал пятьдесят грамм водки. Мне принесли холодную запотевшую рюмку. Михаил покосился на неё, но ничего не сказал.

— А ты пробовал выпить алкоголь? — спросил я. — После возвышения?

— Да, — к моему удивлению, ответил Михаил. — Почти все пробовали. Даже некоторые абстиненты, не употреблявшие алкоголь в прошлой жизни.

— Он вас не пьянит, верно?

— Никак не действует, — подтвердил Бедренец. — Вино пьёшь, как кислый сок. Портвейн — как сладкий сок. Водку — как мерзкую горькую микстуру. Того омерзения, что возникает после животной пищи, нет, просто неприятно и глупо. И с большим удивлением понимаешь, что когда-то принимал эту мерзость внутрь.

— Вот умеешь ты сказать тост, товарищ Бедренец, — упрекнул я.

Залпом выпил рюмку.

М-да.

И впрямь ведь — горькая и противная штука.

Торжествующе улыбнувшись Михаилу, я закусил пельменем, некошерно облитым сметаной.

— С мясом и кровью совсем другое, — сказал Бедренец негромко. — Тут непереносимость на всех уровнях, и физиологическом, и психологическом. Если съесть, на самом деле разжевать и проглотить, кусок мяса или выпить стакан молока — то будет мутить, наступит лёгкое отравление. Реакция сродни аллергической, не смертельная, но крайне неприятная. Психологическое отторжение ещё сильнее. Я однажды съел яблоко с червяком. Понял это по рези в животе. Боль прошла быстро, но стоило подумать о случившемся, как я испытывал дурноту ещё много месяцев. Мы даже стараемся не пить соки из пакетов, там, знаешь ли, не очень-то сортируют фрукты. Залетевшая в рот мошка-дрозофила на пару дней выбивает из колеи.

Я непроизвольно посмотрел на соседний столик, где мамаша с ребёнком радостно запивали пельмени яблочным соком. Да, лучше не задумываться, проверяют ли на заводах каждое яблочко на наличие червячка.

— Меня поэтому так шокируют случаи психоза у квазi, — продолжил Михаил. — Старик, совершивший самоубийство, поступил совершенно правильно с точки зрения нормального квазi. Но я боюсь, что это было связано не с самим фактом агрессии или попадания мяса в организм, а с тем, что это была плоть его правнука и малыш погиб. Ты ведь разговаривал с Аркадием. Милейший парень, неглупый, увлечённый наукой, — вдруг набросился на девчонку, вырвал у неё кусок мяса из руки, прожевал и проглотил.

— Он ведь опомнился почти сразу.

— Вспомни, что я тебе говорил. Меня мутило ещё несколько месяцев при воспоминании о проглоченном червяке. Аркадий совершенно спокойно рассказывает про недавний инцидент. Да, его вытошнило в туалете... Он даже притащил кусок прожёванного мяса и спросил, нельзя ли его пришить девочке обратно... Был слегка не в себе. Потом чистил зубы и полоскал рот. И пару дней его мутило, весь прыщами пошёл... Но никакого долгосрочного шока, никакого инфернального ужаса. Спокойное логичное обсуждение случившегося. Вот это меня тревожит. Психологический запрет будто начисто сорван и выброшен. Осталась физиологическая реакция и разумное неприятие. Это что же должно было случиться с сознанием, чтобы так всё изменилось? И что ещё может произойти? И почему?

Пельмени давно остыли. Я доедал их почти без аппетита. Что-то мне стало неприятно мясо, почти как нормальному кваzи.

А вот жареные гедза с креветками пошли лучше.

— Странные вы, кваzи, если честно, — сказал я. — Не знаешь, чего от вас и ждать.

Бедренец усмехнулся.

— Не знаешь... А чего от людей ждать — ты знаешь? Может, я и человек старой закалки, и вообще человек в прошлом. И жизнь свою, человеческую, жил в провинции, да ещё и советской. Но насмотрелся много чего. Милейший человек, заслуженный педагог, глава большой семьи, медали от власти получавший за воспитание юного поколения, насилует малолетнюю ученицу, душит её, труп зарывает в сарае, а потом со всеми вместе по лесам ходит, пропавшую ищет, родителей успокаивает... Думаешь, псих? Нет, в своём уме. Три молодых парня, один из армии приехал на побывку, двое старшеклассники, повздорили с бывшим приятелем, избили зверски и повесили на дереве. Не пьяные, заметь! Да и ссора была — тьфу! Родители волосы на себе рвали, в Москву письма писали — не могли наши деточки так поступить, наговаривает милиция... Жена два года потихонечку мужа травила... знаешь, чем? Толчёным стеклом. По какой причине? Пьянство, измена, бил? Нет, просто надоел! Мужик из больниц не вылезал, то язва, то прободение... Случайно врачи поняли в чём дело, лаборантка глазастая в дерьме стекло заметила. Я её потом спрашивал — почему не развелась попросту, по-человечески? Знаешь, что ответила?

— Деньги не хотела делить? — мрачно спросил я. — Или боялась, что детей отберёт?

— Детей в советское время всегда матери отдавали. А делить... какие там деньги-то... «Нехорошо разводиться, — сказала. — У нас в роду никто никогда не разводился, меня бы родители за такое всю жизнь пилили!» Люди. Живые. Советской властью воспитанные...

Я вдруг понял, что обедающие рядом поглядывают на нас. Без восторга поглядывают. Кое-кто и вилки с ложками отложил, потеряв аппетит. Бедренец предавался воспоминаниям слишком уж громко.

— Михаил, давай-ка не будем мешать людям кушать, — потянув его за рукав, сказал я.

У Бедренца зазвонил телефон. Мелодия снова была старая, но незнакомая.

— Это из канцелярии Представителя, — закидывая в рот последний пельмень, быстро сказал Михаил.

Мы вышли из пельменной на набережную Фонтанки. Наш водитель уже вернулся, машина стояла чуть в стороне. Михаил принял звонок, некоторое время слушал, прижимая трубку к уху, потом сказал:

— Спасибо. Да, мы выезжаем.

Он махнул рукой и машина мягко подъехала к нам.

— Всё в порядке? — уточнил я.

— Да, решили вопрос. Состоится у нас визит к учёным мужам. — Он помолчал, потом спросил: — А догадываешься, чем история с отравительницей закончилась?

Я покачал головой.

— Ей условный срок дали, потому что раскаялась, двое детей и характеристики сплошь положительные. И муж на суде выступал, просил не наказывать строго. Они не развелись даже. Продолжили вместе жить и детей воспитывать! Это всё люди. Живые, одной жизнью живущие. А ты говоришь — мы, кваzи, странные!

Напарником и учителем в первые дни работы в полиции у меня был невысокий, сухощавый паренёк по имени Рома. Именно паренёк, ему от силы было лет двадцать. Как я понял, Катастрофа застала его в Москве, хотя сам он был из какого-то дальнего городка в Нечерноземье, куда возвращаться не собирался. Чем он занимался в Москве, где учился, служил ли в армии, я не знал, а он, хоть и любил поболтать, на эти темы не особо распространялся. Я лишь знал, что в разгар общей паники Роман проявил редкостное хладнокровие и умение обращаться с топором, после чего и получил предложение служить в полиции.

Немного наводило на мысль о его прошлом то, что, рассказав в двух словах историю своего поступления на службу, Рома покачал головой и изрёк:

— Ты прикинь? Меня — в менты!

Впрочем, какой бы криминальной ни была юность Романа (сам он, кстати, предпочитал прозвище Ромса, а меня упорно звал Диня), в отделе очистки он работал на совесть. Восставших не боялся, адреса проверял досконально, на начальство смотрел вроде как с иронией, но никогда не хамил и не нарывался. Так, поглядывал с хитрецой человека, который оказался на противоположной стороне баррикад, но ему это неожиданно понравилось куда больше, чем прежняя жизнь.

Полиция только-только начала вырабатывать новые правила работы. Ещё не появилось должности «дознавателя смертных дел», пока была «очистка» — по шесть человек в каждом отделении полиции. Мы работали парами, сутки через двое, что меня вполне устраивало. Проверяли подозрительные или заброшенные квартиры (порой в запертой много месяцев квартире обнаруживалось несколько восставших, тупо бродящих из комнаты в комнату или впавших в ступор и ожидающих добычу у дверей). Впрочем, чаще нас вызывали соседи, услышавшие подозрительные звуки или обратившие внимание, что из квартиры давно никто не выходит. Иногда звонили прохожие, заметившие в окнах подозрительных существ. Не всегда, кстати, это оказывались восставшие. Рожи у людей бывают такие страхолюдные, что и при жизни они выглядят покойниками.

Ромса, устроив мне краткую проверку на умение работать мачете, остался доволен. Оружие тоже одобрил. В полиции как раз начали выдавать служебные мачете, но желающим под расписку оставляли их собственное, более привычное оружие. Помнится, был один чудак с пра-

дедовской кавалерийской шашкой... Впрочем, я об этом уже рассказывал.

Первую неделю мы притирались друг к другу, Роман раздражал меня смесью своей искренней простоты и напускной хитрости, чудовищной необразованностью и совершеннейшим равнодушием к чужим проблемам.

«Кому сейчас легко?» — обычно произносил он, услышав о чьей-то житейской трагедии. И пожимал плечами так, что становилось ясно — он главный страдалец в этом суровом мире.

При этом Роман успел уже обзавестись квартирой в Москве (и мне казалось, что не самыми честными путями), копил деньги на спортивный мотоцикл и любил порассуждать о том, как женится на красивой высокой девушке с большими сиськами. Рост и размер бюста явно были его фетишами — при виде высокой и грудастой женщины он начинал вести себя совершенно неадекватно, скалился в улыбке, рассыпал убогие комплименты и предлагал номер своего «телефончика». Он, кстати, обожал такие уменьшительные словечки: «Хотите мой телефончик?», «Пивасика надо попить», «Диня, глянь, какие у тёлки сисечки!».

В тот день нас вызвали на очередной адрес. Люди, вернувшиеся из поездки к родственникам в Саратов, сообщили, что из соседской квартиры периодически раздаётся стук. Разумеется, они даже не попытались проверить, что там случилось, а позвонили в полицию.

— Думаю я, Диня, что там ремонт затеяли, — рассуждал Роман, пока мы шли к старенькой девятиэтажке. Она была недалеко от отделения, смысла не было требовать служебную машину. — Молоточком тюк-тюк-тюк! А стены в панельках знаешь какие твёрдые? Или шкафчик решили собрать.

— Вот и проверим, — сказал я.

— Нам за это денежки платят, — согласился Роман.

У меня было серьёзное подозрение, что помимо зарплаты Роман не брезгует и мародёрством. Прихватывает из квартир, где никого живого не осталось, деньги и ценности. Но за руку я его ни разу не ловил, да и не был уверен, что стану это делать. Кому сейчас легко? Каждый выживает как может.

Подозрительная квартира была на шестом этаже. Лифт работал, мы поднялись, позвонили вначале бдительным соседям. Никто не открыл. Что ж, они не обязаны нас дожидаться, проинформировали органы — и ушли по своим делам.

— Вот она, нехорошая квартирка, — встав возле двери с номером «50», произнёс Роман.

Заподозрить его в знакомстве с великим романом Булгакова я не мог, поэтому невольно улыбнулся.

— Нечего улыбаться, Диня, — строго сказал Роман. — Тут, можно сказать, место трагедии! Слышишь?

Я прислушался.

Да, за дверью стукнуло. Негромко, но гулко. Будто по трубе колотят чем-то тяжёлым. Пауза. Долгая. Потом ещё один удар.

— Не нравится мне это, — решил Роман. — Эх, топорик бы мой, отобрали топорик...

Он достал выданное в полиции мачете, взял поудобнее. Велел:

— Выбивай дверь, Диня!

Дверь, пожалуй, и впрямь можно было выбить. Обычная старая деревянная дверь. Не надо звать слесаря или спецбригаду.

Я немного подёргал ручку — дверь слегка заходила взад-вперёд. Замок ерундовый.

Главное, влетев вместе с дверью в квартиру, не оказаться в гостеприимных объятиях восставшего.

Решив начать с малого, я отступил на пару шагов и рванулся к двери, ударив её плечом.

Как ни странно, двери этого хватило. Она была закрыта лишь на защёлку, которую вырвало из косяка. Роман крепко схватил меня за плечо, не позволив ввалиться внутрь, я отступил, давая ему возможность ударить.

Но бить было некого. Прихожая — пусто, дверь на кухню — открыта, пусто. Дверь в комнату — заперта.

За дверью тихо и знакомо скреблось.

— Хлопушки-воробышки, — сказал Роман. — Башкой они, что ли, в дверь долбят?

— Не похоже, Роман. — Я старался не произносить его нелепое прозвище. — Эй! Люди! Есть кто живой?

Через секунду из-за закрытой двери послышался тонкий детский голос:

— Да! Да!

Слышно было едва-едва. Между нами, похоже, была не одна дверь.

— Что там у вас? — крикнул я.

— Там мама с папой! Не убивайте их! Не убивайте!

— Твою ж... — Роман выматерился. — Знаю я такую планировку, ручки за неё отрывать строителям... Там две комнаты и тубзик.

— Значит, мама с папой в комнате... бродят, — сказал я.

— А дитё заперлось в сортире.

— Не убивайте их! — ещё раз, едва слышно, крикнул ребёнок.

Мы с Романом переглянулись.

Правила требовали уничтожить агрессивных восставших. Особенно если в опасности кто-то живой. Конечно, если есть возможность восставших связать или иным образом иммобилизовать...

— Вот же проблема, Диня, — обречённо сказал Роман. — Давай, доставай сеть.

— Они активные, — напомнил я. — Может, подмогу вызовем?

— Их положат, никто возиться не станет. Сеть давай!

Почти четверть часа мы готовились, стоя у дверей, в которые скреблись и бились восставшие. Несколько раз из-за дверей снова звал ребёнок, слабее и слабее с каждой минутой. Звал и просил не убивать маму и папу.

Мы справились.

Нам удалось набросить сети на папу, выскочившего первым. Папа был молод, крепок и голоден. Сети бы его долго не удержали, но они дали нам тридцать секунд, за которые Роман огрел молодую, высокую и грудастую — в его вкусе — маму по голове дубинкой. Даже восставшие от хорошего удара на время теряются.

Мы сковали их наручниками, а потом ещё и связали. Мама ухитрилась укусить Романа — он тоже оказался в её вкусе, Роман лишь выругался.

Только убедившись, что восставшие не вырвутся, мы кинулись в ванную комнату.

— Открывайте, это полиция! — крикнул Роман.

Через несколько мгновений дверь открылась. Внутри пряталась девочка лет десяти и мальчик лет пяти. В маленькой ванной комнате было невыносимо душно и жарко от труб горячей воды и полотенцесушителя. Дети провели здесь почти три дня, были обессилены, от жары разделись догола, и Роман молча, с поразившей меня деликатностью, сорвал с крючка банное полотенце, набросил на девочку и лишь потом взял её на руки, бросив мне:

— Мальца бери...

Детям очень повезло, что восставшим не хватило ума дёргать дверь на себя, они лишь скреблись в неё и толка-

лись. Восставшим родителям, на мой взгляд, повезло с детьми ещё больше.

Что заставило Романа рисковать жизнью, но связывать двух оголодавших восставших, я так и не узнал. Было что-то в его жизни, заставившее рисковать собой.

С Романом я после этого работал в паре ещё полгода.

Потом перешёл служить в другое отделение, в центр.

А Роман нашёл-таки себе высокую грудастую блондинку, женился на ней, купил мощный мотоцикл «Хонда» и гонял на нём по Москве, пугая честных граждан рёвом мотора, пока одной осенней ночью не разбился насмерть.

Так разбился, что даже не восстал.

Люди странные, да.

«Лаборатория по изучению проблем Катастрофы» находилась на Васильевском острове, на Галерном проезде. Начался дождь, Игорь молча сосредоточился на дороге.

Неразговорчив был и Михаил. Видимо, разговор в пельменной дался ему тяжело.

Так что ехали молча. Я смотрел в окно и пытался оценить, какие беды предрекала Мария. Почему советовала уехать? Восстанут старые покойники? Вряд ли, пляски скелетов всё-таки для мультиков. Восставшие перестанут слушаться квазі? Ну... неприятно, но справимся. Михаил не зря за голову хватается, но гибелью человечества это не грозит, мы уже приспособились. Значит, что-то ещё надвигается?

— Надеюсь, по звонку из канцелярии Представителя тебя пропустят... — пробормотал Михаил, глядя перед собой. — Там довольно строго... чужим не доверяют...

Вода по машине текла мутными потоками, дождь усиливался. На улицах горели фонари, такая плотная наползла облачность. Прохожих, велосипедистов и скутеристов, впрочем, всё равно хватало.

Доверие. Вот самое главное, чего нам всем не хватает. Люди не доверяют кваzи, кваzи не доверяют людям. Доверие — производное от правды, а люди не честны друг с другом. Большинство даже не знает, что для возвышения восставшим надо растерзать живого человека и сожрать его мозг. А среди тех, кто знает эту мрачную тайну, почти никто не знает причины, по которой мёртвые восстают. У кваzи, вероятно, то же самое — множество маленьких и больших тайн. Интересно, помнят ли они момент возвышения, точнее — то, что сотворили перед ним, в своём голодном животном беспамятстве? Может быть, помнят как кошмарный сон, который пытаются выдавить из памяти, удалить в бессознательное, как сказал бы Фрейд? Или просто чувствуют, что лучше не вспоминать и не интересоваться, что они делали, будучи восставшими?

Жизнь после смерти, а то и бессмертие — очень заманчивая штука. Конечно, не все готовы платить за неё любую цену, но если можно вообще не интересоваться ценой, то сомневающихся не будет. Поэтому тайна и живёт — лучше не знать, лучше не думать.

А доверие — всего лишь производное от правды...

Люди врали друг другу веками и тысячелетиями. С тех пор, как научились говорить, а может быть и раньше.

Дети врали родителям «я далеко не уходил», а родители врали детям «у нас всё хорошо». И доверяли друг другу, успокоенные, потому что не правда им была нужна, а спокойствие. Жены врали мужьям — «я люблю только тебя», а мужья врали жёнам — «ты у меня единственная» — и, успокоенные, садились ужинать. Царьки врали народу, что заботятся о нём, народ врал царькам, что любит их, и все получали свою порцию фальшивого доверия. Производители врали потребителям, врачи врали больным, писатели врали читателям, полководцы врали солдатам. И все как бы доверяли — но доверия и в помине не было.

Никаких восставших и кваzи нам было не нужно для того, чтобы не говорить правды и не доверять.

Ну так к чему удивляться, что порождения нашей смерти вполне усвоили это умение? Мы так любим повторять, что «кваzи не лгут», хотя понимаем, что под этой правдой скрывается большая ложь. Ведь не сказать лжи — вовсе не значит сказать правду. Опытный разведчик, которого проверяют на детекторе лжи, ускользает из паутины датчиков. «Вы русский шпион? Конечно же нет! *(Ведь я на четверть татарин.)* Вы прибыли к нам из России? Конечно же нет! *(Ведь у меня была пересадка в Германии.)* Вы не любите Соединённые Штаты Америки? Конечно же люблю! *(Тут замечательная природа.)*».

Так и кваzи ускользают от правды, не говоря лжи.

«Ты знаешь, почему мёртвые стали восставать? Нет! *(Никто не знает точно, это только теория.)* Ты расскажешь как кваzи управляют восставшими? Мне говорили, что это феромоны *(Ну да, и такое тоже говорили.)*».

Я не могу доверять Михаилу. К сожалению, не могу. Я никогда не буду уверен, сформулировал ли свой вопрос так, что не оставил ему лазейку для лжи.

— О чём ты задумался? — спросил Бедренец.

— Об арифметике и нумерологии, — сказал я. Мы ехали по старым кварталам Васильевского острова, куда-то в сторону порта. К сожалению, это сказывалось на красоте пейзажа — красивый старый Питер исчезал, становился обычным городом.

— Это как?

— О том, что мы с тобой дважды сходились в поединке.

— То есть дрались, — уточнил Бедренец.

— Ну да. Можно сказать и так. Но «в поединке» — торжественнее.

— Да, это случилось при нашем знакомстве, а потом при расставании, — кивнул Бедренец. — А нумерология тут при чём?

— Сакральное число «три», — объяснил я.

— Я понимаю. — Михаил не стал спорить. — Ты имеешь все основания обижаться и не доверять мне. Но поверь, то, что я иногда не рассказываю тебе всего, — это ради твоего же блага. Ты дорог моему старому сердцу, хотя бы потому, что ты — отец Александра.

Я выразительно посмотрел на него.

— Ты первый заговорил патетически, — сказал Михаил, будто оправдываясь.

— Твоё сердце не старое, к вам неприменимо понятие «старость», — сказал я. — И оно не совсем сердце, в нём нет предсердий и желудочков, оно работает по принципу перистальтически-импеллерного насоса, иначе то, что у вас вместо крови, не прокачать. Оно даже не бьётся.

— Оно стучит, — обиделся Михаил.

— Оно не стучит, оно дёргается. Михаил, ты тоже дорог мне. По той же причине — когда-то ты спас Найда. Но не утаивай больше от меня ничего важного!

— Договорились, — кивнул Михаил. — Но с оговорками. Если я пойму, что не имею права дать на твой вопрос честный и полный ответ, я скажу, что не могу отвечать. Но я больше не стану увиливать и жонглировать словами. Либо правда, либо молчание.

— Хорошо, — согласился я, поразмыслив. — Это честно.

Водитель остановился возле длинного дома постройки начала века. Судя по вывескам, это была какая-то поликлиника или больница. Я вопросительно посмотрел на Михаила.

— После Катастрофы и заселения Питера кваzи стало понятно, что у города нет нужды в таком количестве медицинских центров, как при людях, — начал обстоятельно пояснять он. — Однако в больницах имелась неплохая аппаратура и персонал, который можно было привлечь к исследованиям. Поэтому в данном медицинском центре примерно половина помещений продолжает функционировать в прежнем качестве, обслуживая и людей, и кваzи, а половину отгородили, сделали другой вход и открыли там...

— Понятно, — сказал я. — Ещё и подопытные кролики рядом, сами идут.

Михаил моргнул. Сказал:

— Я не могу об этом говорить.

Вылезая из машины, я усмехнулся. Похоже, Михаил считает, что у меня есть какие-то иллюзии по отношению к кваzи, и боится их разрушить.

Да у меня и по отношению к людям-то иллюзий нет...

— А чем вы, кваzи, болеете? — поинтересовался я. — Ну, если не считать таинственную «чёрную плесень», ну так её специально против вас вывели, так? Вы же все повреждения сами залечиваете.

Михаил, тоже выбравшийся из машины, помедлил, но вроде как не решая, говорить ли правдиво, а пытаясь сформулировать короткий ответ. Поправил шляпу. Вздохнул.

— Основная масса наших медицинских проблем носит психологический характер. Но у нас есть и специфические заболевания. Есть проблемы с желудочно-кишечным трактом, есть две аутоиммунные болезни и ещё кое-что по мелочи. Ну и непереносимость животного белка, как ты знаешь.

Век живи — век учись. Я кивнул и вслед за Михаилом направился к широкой двери без вывески, в противоположном конце от дверей медицинского центра. Здесь было как-то уж совсем ветрено и слякотно, поэтому в двери я нырнул с искренним облегчением. Это была приёмная скучного больничного вида, вот только посетителей особо не наблюдалось.

И ещё мне тут были не рады.

Два охранника-квазі (не знаю, как они сами себя официально называли, но это были именно охранники, с пистолетами на поясе и в полувоенной форме) посмотрели документы Михаила и вроде как претензий у них не возникло. А вот все мои бумаги энтузиазма не вызвали.

Так что через пару минут я, вздохнув, сел на стуле в углу приёмной и стал наблюдать за перепалкой Михаила и охранников.

— Вы удостоверились в его личности? — уже в третий раз спрашивал Михаил.

— Да, — согласился охранник. — Это Денис Симонов, сотрудник госбезопасности из Москвы.

— Вы согласны, что он находится у нас официально и мы вместе работаем над особо важным заданием?

— Да, — опять соглашался охранник.

— Вам звонили из канцелярии Представителя с просьбой допустить Дениса Симонова в центр?

— Звонили.

Начиналась моя любимая часть диалога.

— Мы можем пройти?

— Вы можете. Денис Симонов нет, поскольку вход только по пропускам.

— Вы не подчиняетесь приказам Представителя?

— Подчиняемся.

— Он приказал пропустить Дениса Симонова?

— Да, разрешение было дано.

— Вы удостоверились, что это Денис Симонов?

— Да.

— Он может пройти?

— К сожалению, у него нет пропуска.

Я понял, что сейчас разговор пойдёт по третьему кругу. Кажется, Драный Лис попал в собственный капкан.

— Простите, могу я задать вопрос? — выкрикнул я. — Вы можете повторить точную формулировку моего разрешения на проход?

Серое лицо охранника стало чуть белее. Но ответил он достойно.

— Да, могу.

— Прекрасно, — обрадовался я. — Тогда повторите слово в слово, насколько точно вы помните, формулировку моего разрешения на проход, не упуская никаких значимых деталей.

— Я не обязан, — с достоинством ответил охранник. — Поэтому я игнорирую вашу просьбу.

Что и требовалось доказать.

— Вы нарочно нас задерживаете, — прозрел Бедренец. — Вы получили приказ задержать нас!

Охранники молча смотрели на него.

— Мы ехали полчаса, — заметил я. — Интересно, что можно прятать столько времени? Мы же не с обыском, мы поговорить.

Михаил явно начал выходить из себя.

— Я сейчас же звоню Представителю, — сказал он. — Если вы думаете, что вас прикроет непосредственное начальство... вы же в курсе, что Представитель очень не любит, когда его приказы игнорируют? Козлами отпущения станете вы.

Охранники переглянулись. Видимо, они были в курсе.

— Проводи их к Алексею Владимировичу, — решил один из охранников. Бедренец удовлетворённо кивнул.

Значит, этот Алексей Владимирович и отдал приказ придержать нас в дверях. Охранники решили от греха подальше переложить ответственность на него.

Вместе с охранником мы прошли скучными больничными коридорами, миновали несколько комнат, где кваzи и люди работали с бумагами и компьютерами, потом миновали холл, где стоял столик для пинг-понга и двое живых людей в белых халатах с увлечением перекидывались мячиком. В холле имелась новенькая кофе-машина и шкаф с какой-то снедью.

— Душевно тут у вас, — сказал я. — Ещё нужна комната отдыха с аквариумами и канарейками.

— У нас там попугайчики жако, а не канарейки, — буркнул охранник. — Они лучше. Разговаривают будто люди.

— Прям как кваzи, — согласился я.

Охранник обиделся и замолчал. Ну, во всяком случае, я надеялся, что он обиделся. Нечего было нас мариновать на входе без причины.

Алексей Владимирович оказался заместителем директора по научной работе — во всяком случае, так гласила табличка на двери. Фамилию он носил звучную и аристократическую — Воронцов, впрочем, для Питера это вряд ли редкость.

А вот что меня удивило — заместитель директора был живым человеком.

Охранник даже входить не стал, открыл перед нами дверь и смылся. Господин Воронцов поднялся навстречу, поздоровался с Бедренцом — видно было, что они знакомы, потом протянул мне руку.

— Здравствуйте, господин Симонов. Скажу сразу, я не рад вашему визиту.

— Почему? — поинтересовался я. Воронцов выглядел вполне симпатичным человеком, средних лет, носил очки в тонкой оправе, был одет в хороший, но поношенный тёмный костюм, в мятой рубашке без галстука. Похоже было, что он скорее учёный, чем чиновник.

— Вы вторгаетесь в очень сложные и деликатные области, господин Симонов. Поверьте, лучше бы вам остаться в стороне.

Я пожал плечами.

— С удовольствием бы. Но я уже внутри всего этого дерьма.

Алексей Владимирович пытливо посмотрел мне в глаза. Вздохнул. Сделал приглашающий жест.

— Садитесь, Симонов. И ты, Михаил, не стой, садись. В канцелярии велели быть откровенным, я готов отвечать на вопросы.

— Тогда почему вы нас держали у входа? — спросил я, присаживаясь на старый венский стул. Откуда только в государственных учреждениях берутся эти древние стулья и столы? — Что прятали?

— Ничего не прятали, — поморщился Воронцов. — Пытались убедить начальство отменить ваш визит.

Я решил, что поверю ему. Облокотился на стол, чуть подался вперёд. Теперь всё выглядело не так, что он был в кабинете главным, а я — просителем. Теперь мы были как бы наравне.

— Алексей Владимирович, я не совсем понимаю причину вашей неприязни, — сказал я. — Михаил Иванович может подтвердить, что я вполне достоин доверия. Я не люблю восставших и квазi, у меня есть на то причины. Но это не мешает моей работе, в ней я исхожу из логики и необходимости мирного сосуществования.

И этих чёртовых секретов я уже узнал больше, чем хотел бы. И как мёртвые становятся восставшими. И как восставшие становятся квazи. Ничего, видите — не бегаю по улице с рассказом о том, что знаю. Но сейчас творится вообще Бог весть что. Мне нужна помощь — чтобы помочь Михаилу, чтобы помочь людям, помочь квazи...

Воронцов вздохнул. Посмотрел на Михаила. Снял и протёр очки.

— А что рассказывать-то? Вы, похоже, знаете всё то же, что и я. Мы — бессмертны. Люди, звери, птицы, рыбы — все мы потенциально бессмертны. В четвёртой хромосоме у людей есть локус «Эдем». Это спящий ген, который теоретически может активироваться после прекращения жизнедеятельности организма и вызывать его молниеносную перестройку, превращать в восставшего. Мы полагаем, что иногда, очень редко, этот ген активировался раньше, и люди восставали после смерти. Отсюда легенды о живых мертвецах, о зомби. Понятное дело, что одиночный восставший очень быстро уничтожался людьми, ведь заразить он никого не мог. Возможно, подобное случалось и с животными, но такие случаи вряд ли привлекали много внимания. Хотя легенды о всяческих волкулаках...

— Вы нашли ген? — спросил я.

— Нашли, — кивнул Воронцов. — А толку-то? Мы даже не можем его снова «выключить», да и многие ли захотят лишиться надежды на бессмертие? Наши усилия сейчас сосредоточены на втором этапе, на превращении безмозглого восставшего в квazи-человека. Если это удастся делать без человеческих жертв, то человечество сорвёт джек-пот.

Он помолчал, глядя на разложенные на столе бумаги. Аккуратно сдвинул их, полюбовался стопочкой, снова посмотрел на меня.

— Когда люди только мечтали о бессмертии, то выдвигался целый ряд доводов «против». И перенаселение, если люди не будут умирать. И потеря интереса к жизни. И то, что бессмертные станут чересчур осторожными, дрожащими за свою вечную жизнь. И что ресурсов Земли не хватит для поддержания цивилизации бессмертных. Существование в форме кваzи снимает бо́льшую часть проблем. Кваzи не размножаются. Кваzи увлечены лишь чем-то одним в жизни, но зато увлечены по полной, им никогда не наскучит исследовать космос, крутить гайки или ловить преступников. Верно?

Бедренец кивнул.

— И страх окончательной смерти, как ни странно, у кваzи не появился. Может быть, из-за общего снижения эмоциональности. Может, оттого, что они уже пережили смерть и новой не боятся. Кваzи работают спасателями, полицейскими, исследователями. Порой погибают насовсем. Но они гораздо сильнее и прочнее людей, они могут существовать сотни лет. И у них нет страсти к накопительству, стяжательству, кваzи неприхотливы в еде и довольствуются простыми маленькими домами для жизни. Уровень преступности у них чрезвычайно низок. Всё замечательно!

— Только десять процентов должны быть растерзаны заживо.

Воронцов кивнул.

— Да. И мы ищем альтернативу. Если найдём — всё будет замечательно.

— А если нет?

— Тогда человечество привыкнет и выработает новую мораль, — сказал Воронцов. — Мы проводили исследования, выясняли, какую модель может принять социум. Скорее всего, это будет система наработки баллов в течение жизни. Если ты заслужил, то гарантировано избежишь участи жертвы.

— Участи пищи.

— Участи пищи, — покорно согласился Воронцов. — Если нет, то в возрасте пятидесяти—шестидесяти лет человек участвует в лотерее и либо вытягивает счастливый билетик...

Он замолчал.

— А почему так рано-то? — спросил я.

— Чем старше человек, тем меньшее количество восставших способно на нём возвыситься. После шестидесяти начинается падение по экспоненте.

— Вы понимаете, каким кошмаром станет такой мир? — спросил я.

Воронцов кивнул. Неожиданно резко ответил:

— Ещё как понимаю. Не смотрите на меня, как на монстра! Я понимаю, что с точки зрения чистой логики рано или поздно можно прийти и к тому, что в жертву лучше приносить одного несмышлёного младенца, а не десять стариков. Всё понимаю! Поэтому мы скрываем информацию и ищем способ гуманизировать механизм возвышения.

— Хорошо! — я примирительно поднял руки. — Вы не монстр. Никто не монстр. Просто человечество получило подарок, к которому приложен ночной кошмар.

— Чаще всего с подарками так и бывает, — кивнул Воронцов. — И не откажемся мы от него. Уговорим себя, что кошмар не очень-то и кошмарный. Уж всяко получше, чем неизбежная смерть каждого из нас.

Я решил, что Воронцов мне всё больше и больше нравится.

— Ладно, — сказал я. — Давайте об этом сейчас не будем. Что за ерунда начала происходить?

— Вспышки агрессии у кваzи? — Воронцов как-то обмяк. — Не знаю. Мы исследовали все случаи. С точки зрения биологии никаких изменений не произошло. Просто какой-то сбой... в мозгах. Раньше такого не фиксировалось. Психиатры работают над изучением.

— А если это следующий этап развития? — спросил я безжалостно. — Кваzи пожили мирными вегетарианцами, а потом вспомнили бурную молодость...

— Тогда человечеству крышка. Вымрем, как динозавры, бодро истребляя друг друга.

— Восставшие, которые не подчиняются кваzи?

— Тоже ничего не выяснили, — вздохнул Воронцов. — У нас десяток таких в лабораториях. На команды не реагируют.

— Как-то вы плохо стараетесь, — упрекнул я.

— Ну а как мы можем стараться, если сам механизм контроля до сих пор остаётся загадкой? Контроль возможен через герметичную стеклянную стену — значит, это не феромоны и не химические агенты. Контроль осуществляется через клетку Фарадея — значит, это не электромагнитные волны. Никаких признаков радиации и никаких слабых взаимодействий не отмечается. Контроль требует визуального контакта между кваzи и восставшим, но что это значит — вообще непонятно.

— Восставшие считывают выражение лица кваzи? — предположил я.

— Была версия, — с уважением подтвердил Воронцов. — Но контроль возможен на расстоянии в несколько километров, и через мутные светофильтры — никаких деталей мимики не видно. Мы в тупике, господин Симонов. Помогать я вам готов, но только скажите — чем.

— Я же говорил, никакой полезной информации мы не найдём, — тихо сказал Бедренец.

Но я не сдавался.

— Ладно, вы не выяснили ничего о происходящем сейчас. А как насчёт произошедшего раньше? Почему активировался спящий ген?

— На уровне предположений мы имеем ответ, — против моих ожиданий сказал Воронцов.

— И могу я его услышать?

— Конечно. Покойные начали восставать по всей Земле одновременно. Так что это не мог быть какой-либо вирус, ровно как иной химический или биологический агент. Впоследствии были проверены все физические и астрономические лаборатории. Никаких электромагнитных сигналов, никаких вспышек на Солнце или сверхновых звёзд...

— И слабых взаимодействий, полагаю, тоже не отмечено, — сказал я.

— Совершенно верно.

— Что-то мне это напоминает, — заметил я.

— Догадываюсь. Тот странный фактор, посредством которого кваzи управляют восставшими. Только неизмеримо более сильный. Но, увы, что это такое, мы понять всё равно не можем.

— А когда именно началась Катастрофа? — спросил я. — Нет-нет, дату я не забыл. Первое июня. Но как-то не интересовался точным временем...

— Девять ноль-ноль по Гринвичу, — сказал Воронцов. Судя по тону, он был доволен, что я задал этот вопрос.

Несколько секунд я осмысливал сказанное.

— Ноль-ноль?

— Совершенно верно. У нас есть масса свидетельств из больниц с точно установленным временем смерти и восстания.

— Но умершие поднимаются не сразу. И те, что умерли незадолго до первого июня, тоже восстали...

— Да, конечно. Но именно с девяти часов по Гринвичу люди стали умирать *иначе*. Многие больные были подключены к мониторам. И врачи, едва зафиксировав смерть, с недоумением отмечали какие-то беспорядочные сокращения сердца, подёргивание мышц, признаки электрической активности мозга. Начинали реанимационные мероприятия...

Он замолчал. Мы оба прекрасно понимали, чем в большинстве случаев завершались эти реанимационные мероприятия.

— Ноль-ноль, — повторил я. — Девять ноль-ноль. Кто-то пришёл на работу, посмотрел на часы, дождался красивой цифры...

— И взмахнул волшебной палочкой? — поинтересовался Михаил. — Да, с определённой долей вероятности Катастрофа — дело рук человеческих. Но это никак не объясняет механизм.

— А девять по Гринвичу — это ведь полдень по Москве? — уточнил я. — Ещё красивее.

— Да, американцы нам это высказывали, — подтвердил Воронцов. — Ну, вы же понимаете, русские всегда и во всём виноваты... Мы ответили, что это ещё и шесть утра в Нью-Йорке. И практически точное время восхода солнца. Очень символично для какого-нибудь сумасшедшего учёного.

Мы помолчали. Я представил себе небоскрёб на Манхэттене. Я там, правда, не был, но любой, кто смотрит голливудское кино, представляет себе место действия. Итак, небоскрёбы, небоскрёбы, пентхаус безумного учёного (пусть он будет богатым, будто Тони Старк). Алеет восход. Или, как говорится, «горит восток зарёю новой». Над небоскрёбами появляется первый солнечный луч. Сумасшедший учёный, держа в одной руке бутылку мерзкого кукурузного виски (или пузырящегося шампанского, если угодно), хохочет и жмёт на кнопку затейливой машины судного дня. Машина испускает во все стороны зелёные и оранжевые лучи...

— Ну фигня же какая-то, — сказал я. — Это даже для комиксов несерьёзно.

Воронцов развёл руками.

В кармане у Михаила заиграл телефон. Он резко встал, достал трубку и отошёл к окну. Тихо заговорил. Я расслышал: «Да. Прямо сейчас. Я захвачу Симонова» — и понял, что наша встреча в институте окончена.

— В любом случае большое спасибо за помощь, — сказал я, вставая. — Вы правда не можете больше ничем мне помочь?

— Оставьте номер телефона, будет что-то — позвоню, — пообещал Воронцов. — Я всегда...

— Спасибо, — сказал я, роясь в карманах в поисках визитки. — Но только учтите... вы всё-таки тут что-то прятали! И если это было важно для расследования, если из-за вас мир погибнет — то я вас найду и убью. Даже если мы оба к тому времени будем мёртвые.

Воронцов так и остался сидеть с полуоткрытым ртом, когда мы выходили. Я люблю оставлять о себе свежее, запоминающееся впечатление.

Глава шестая

ОХОТНИЧЬИ ЗАПИСКИ

— Что тебе приказал Представитель? — спросил я, когда мы миновали вахту и вышли на набережную.

— С чего ты взял, что звонил он? — небрежно спросил Михаил.

— Музыка звонка — «Король мертвецов» группы «Кирит Унгол», — сказал я. — И ты не сбросил звонок, хотя разговор с Воронцовым был тебе интересен. Тут же согласился куда-то ехать. То есть тебе приказали, а приказать тебе могут немногие. Вывод?

— Кваzи не приказывают, — пробормотал Михаил.

— Ага. Кваzи очень убедительно просят. И что сказал самый убедительный из кваzи?

— Меня попросили не пренебрегать повседневной работой. Рядовая проблема, но её нужно решать. Велели тебе заниматься своей работой, а мне — своей.

Я обернулся на здание института. Посмотрел в окно, за которым, по моим прикидкам, был кабинет Воронцова. То ли жалюзи и впрямь дрогнули, то ли зрение подводит.

— Рядовая, значит... Ничего он не прятал. Но ему есть что скрывать. Пока нас держали у входа, профессор Воронцов висел на телефоне, нажимал на все связи и добился-таки своего. Представитель в максимально вежливой форме тебя отозвал.

— Наверное, мне стоило уйти без тебя.

— Ничего бы Воронцов мне одному не сказал. Вроде и неплохой человек, но темнит.

Михаил не стал спорить. Спросил:

— А ты не поможешь? Работы на полдня.

— Вообще-то я собирался сходить в Эрмитаж и в Мариинку... — Я с усмешкой посмотрел на кваzи. — Помогу, конечно. Лучше скажи, откуда ты знаешь группу «Кирит Унгол»?

— В это трудно поверить, но когда-то я был не только живым, но и молодым, — ответил Михаил. — А вот откуда ты знаешь песню тысяча девятьсот восемьдесят четвёртого года?

— Я полон сюрпризов, — признался я.

Но объяснять ничего не стал.

...Клиентов было двое. Немолодая женщина и парень лет восемнадцати. Паспортов я не спрашивал, но фамильное сходство было налицо. Они были напряжённые, казалось, тронь — завопят. Но это нормально.

— Значит, так, — сказал я. — С какой целью вы пошли за Мкад — не моя забота. Грибов собрать, воздухом подышать... за погибшего мужа и отца отомстить...

У женщины лицо даже не дрогнуло, а вот у парня губы плотно сжались.

— На всякий случай напомню, что мстить восставшим бесполезно, — сказал я. — Они безмозглые твари. Они друг за друга не отвечают. Если когда-то один восставший убил дорогого вам человека — других уничтожать бессмысленно.

— Вы же сказали, что это не ваше дело, — заметила женщина.

— Я сказал, что это не моя забота, — поправил я. — А вот дело — моё. Месть плохой советчик. Упокаивать восставших надо с холодным сердцем и спокойным разумом.

— Я вас услышала, — произнесла женщина.

Вздохнув, я выключил музыку — «Кирит Унгол» затих на половине композиции «Смерть солнца», разблокировал двери внедорожника. За Мкад мы вышли через мою лазейку, сто метров прошли пешком, а потом тридцать километров проехали на припрятанном в кустах «Рендж Ровере».

— Хорошо. Идите за мной.

Машина осталась стоять на обочине среди таких же брошенных четыре года назад автомобилей. Некоторые проржавели, но большинство сохранилось на удивление неплохо. Район такой, здесь в основном ездили на хороших дорогих машинах.

Мы зашагали по шоссе, мимо высоких заборов и дорогих домов, укрытых среди деревьев. Я шёл впереди, временами оглядываясь на клиентов. Первое время женщина и юноша не отпускали рукояток мачете. Потом расслабились.

— Здесь никого нет, — сказала женщина.

— Москва близко. Кто к Мкаду ушёл, кого в резервации загнали. Да вы не беспокойтесь, найдём восставших. Я здесь всё знаю.

Мы дошли до здания с вывеской «Теннисный центр» — там я стал идти осторожнее. Здесь восставшие иногда встречались у самой дороги. Их вообще привлекают крупные общественные здания — магазины, стадионы, кинотеатры. Может быть, какая-то память просыпается? Или они чуют, что там бывало много людей?

— Мам, помнишь... — внезапно оживился парень.

— Заткнись, — сказала женщина.

Экипировались они отлично — немаркая и неброская одежда, лёгкие кевларовые бронежилеты — не от пули, от укуса. И мачете неплохие. Если они их собираются выбросить перед возвращением в город, надо будет забрать или приметить место.

— Нам туда, — сказал я.

Парень слегка занервничал, посмотрел на мать, но ничего говорить не стал.

Мы подошли к дверям «Теннисного центра», но внутрь заходить я не стал. Восставшие особенно опасны в помещении. Вместо этого мы обогнули здание слева, лавируя по стоянке между многочисленных автомобилей. Здесь машины были большей частью открыты и раскурочены. Кожаные салоны поросли плесенью. В луже воды валялись побуревшие монетки, яркие банковские карты и пластиковые банкноты, будто кто-то вытряс из бумажника ненужный больше хлам.

— Тут бы «Пикник на обочине» снимать, — сказал я. — Только кому это сейчас интересно? Сейчас всё больше комедии да про любовь. Фантастики и ужасов в жизни хватает.

Обойдя центр, я остановился. Подождал, пока клиенты подойдут ко мне.

— Ну вот, — сказал я. — Как на заказ.

Спортивную форму делают по большей части из синтетики. Она и крепче, и гигиеничнее, что бы там ни говорили сторонники натуральных тканей. У тех ребятишек, что когда-то занимались в дорогом спортивном клубе посреди элитного посёлка, форма была самая лучшая.

Она даже за четыре года не сгнила.

Я насчитал семерых подростков в возрасте примерно от десяти до пятнадцати — хотя возраст восставшего довольно трудно определить на глаз. Они были заторможены и медленно бродили на заднем дворе спортивного центра. При нашем появлении восставшие слегка оживились и даже стали издавать какие-то гукающие звуки. Но, в общем-то, они были в плохой форме и до сих пор нас не замечали.

Спортивная одежда на детях выгорела, истрепалась, но всё-таки была цела, только один парень лишился шорт, а другой — футболки. В прошлый раз на этом месте тусовался десяток подростков, я тогда ещё присматривался, одежда какой фирмы оказалась крепче — как раз собирался покупать себе форму для спортзала. Увы, и «Найк», и «Пума», и «Адидас», и «Боско» перенесли время и непогоду примерно одинаково. Так что я купил себе самую дешёвую форму в «Декатлоне»...

— Мам... — сказал юноша.

Пятеро восставших были мальчишками, девчонок было всего две. Интересно, что означал этот дисбаланс? Может быть, девочки в целом умнее и в большинстве своём успели убежать?

— Вот, — сказал я негромко. — Раз, два... пять, шесть... семь восставших. В указанном районе, не самые опасные. Как заказывали.

— Мама, — сдавленно повторил мой клиент.

— Насчёт возраста у нас никакого уговора не было, — продолжил я. — Можете охотиться. Подстрахую.

Я помолчал и добавил:

— Или можем поехать обратно.

В это место я привозил уже четыре группы желающих «поохотиться». Восставшие подростки обитали здесь постоянно. Довольно необычно, как правило, восставших если и тянет куда-то, помимо скопления людей, то к дому. Может быть, эти подростки спортивный клуб любили больше, чем свои просторные и дорогие двух-трёхэтажные дома?

Все четыре раза «охотники» разворачивались и уезжали обратно.

Старший из подростков начал двигаться быстрее. Вскидывая голову, будто нюхая воздух, двинулся в нашу сторону, встал между нами и остальными.

— Может показаться, что он защищает младших товарищей, — сказал я и положил руку на мачете. — На самом деле он лишь более активен, чем дети допубертатного возраста, и раньше почуял добычу. Ну что, охотитесь, или едем обратно?

— Маша... — сказал вдруг юноша. — Машка, прости, что так долго...

Я обернулся. И увидел, что он плачет.

А женщина не плакала, но неотрывно смотрела на самую младшую девочку в рваном бело-сине-красном теннисном костюмчике. Я мысленно отмотал возраст юноши на четыре года назад, поставил его рядом с девочкой...

Какой же я дурак.

Женщина достала мачете и пошла к подросткам.

Юноша всхлипнул, вынул мачете из ножен и двинулся следом.

Если Москву от внешнего мира защищают мощные оборонительные сооружения на кольцевой автодороге с многочисленными пулемётными гнёздами и наблюдательными вышками, то Питер обходится проще. Обычная колючая проволока и стеклянные кабинки на расстоянии нескольких сотен метров друг от друга — вот и вся защита.

Ну а какая ещё нужна защита от восставших, если в стеклянных «стаканах» сидят кваzи?

Разумеется, восставшие постоянно двигаются в сторону Питера. Как ни странно, но там живёт немало нормальных людей. Но, приближаясь к периметру, восставшие получают беззвучный приказ — и начинают плестись в сторону ближайшего сборного пункта. Часть доходит, их загоняют в фургоны и везут в резервации. Часть сбивается с пути и начинает снова бродить по округе. Часть вновь пытается войти в город — и снова их отсылают. Самых упорных и примелькавшихся везут в сборный пункт персонально.

Мы выехали из Питера в сторону Эстонии. Вряд ли Михаилу велели что-то делать в этом заброшенном болотистом краю, где на ощетинившихся частоколами хуторах немногочисленные крестьяне упрямо выращивают рожь и пасут коров. Скорее уж его направили куда-то в район Ямбурга. Почти сразу кончился дождь, будто не желая расставаться с полюбившимся городом.

— Так что случилось-то? — спросил я, когда мы миновали последний пост питерского периметра — пожалуй, самый капитальный, двухэтажное здание с зарешеченными окнами, сетчатым забором и даже пулемётчиком на крыше. — Куда тебя дёрнули?

— Тут дачные районы, — сказал Михаил, будто это всё объясняло. — Заброшенные, понятное дело.

— Охотники на восставших, — понимающе сказал я. — Ясно.

Михаил глянул на меня с недоумением.

— Какие ещё охотники... нет, конечно. Мародёры.

Я невольно фыркнул.

— Мародёры? А смысл?

Наш водитель негромко рассмеялся. Точнее — изобразил смех, как это принято у кваzи или плохих актёров в роли Санта-Клауса: «Хо-хо-хо!»

— Денис, я не знаю, изучал ли ты марксизм-ленинизм, — сказал Бедренец. — Судя по возрасту — не должен был.

— Но я любознательный, — сказал я.

— Но ты любознательный, — подтвердил Бедренец. — Так вот, единственное, в чём Маркс был прав безусловно — это в главенстве базиса над надстройкой. В нашем случае это означает, что ни появление кваzи и восставших, ни коренное изменение всей политической и социальной структуры человечества не отменяют желания отдельных индивидуумов к незаконному владению материальными ценностями.

— Это у тебя какой-то Маркс для сельских участковых получился, — съязвил я. — То, что люди не прочь воровать и никакие катастрофы им не помеха, — известно, как минимум, со времён извержения Везувия. Мне интересно, что они воруют на старых дачах? Варенья-соленья? Мятые кастрюли? Старые деньги никому не нужны, машины тоже.

— Действительно не знаешь? — удивился Бедренец. — В Москве, вижу, всё иначе...

— Питер всегда был культурной столицей... — не выдержал и вставил свою реплику водитель.

— Иконы? — предположил я. — Антиквариат? О! Антиквариат на старых дачах! Прабабушкины пузатые комоды, древние зеркала с отслоившейся амальгамой, запылённые хрустальные люстры.

— Хо-хо-хо! — снова не удержался водитель.

— Сдаюсь, — сказал я.

— Возьмём с поличным — увидишь, — ответил Бедренец с явным удовлетворением. Я обиделся и больше спрашивать не стал.

Ещё некоторое время мы ехали по шоссе. Временами накрапывало, потом небо прояснялось. Один раз мы обогнали восставшую, при нашем появлении заковылявшую с дороги в кусты. То ли здесь восставшие были пуганные и осторожные, то ли мои спутники-кваzи отдали ей мысленный приказ.

— Шла Саша по шоссе и сосала сушку, — сострил я.

Восставшая и впрямь что-то жевала, впрочем, у этого «что-то» был маленький лысый хвостик. Крысы — основная пища восставших.

Бедренец посмотрел на меня укоризненно.

Через несколько минут мы свернули с шоссе, на удивление неплохо сохранившегося, и поехали по куда более ухабистой и раздолбанной дороге. Водитель сбросил скорость.

— Тут недалеко уже, дачный посёлок, — пояснил Бедренец. — А насчёт политэкономии... если уж серьёзно... ты помнишь уровень жизни до Катастрофы?

— В общих чертах, — кивнул я.

— Сильно он отличается от нынешнего?

Я подумал.

— Да, в общем, не особо. А что?

— Огромные территории вышли из хозяйственного оборота. Две трети населения превратились в восставших, и ныне единственная польза от них — борьба с грызунами. Большие ресурсы тратятся на строительство заграждений, блокпостов, охрану дорог. И при этом уровень жизни в целом не упал, а в отдельных сферах так даже и поднялся. О чём это тебе говорит?

— Честно? — спросил я.

— Конечно.

— О том, что интенсивное сельское хозяйство и современная промышленность не требуют больших площадей и значительного количества рабочих рук.

— Так, — подбодрил меня Бедренец. — Дальше?

— О том, что значительная часть населения нынче не употребляет в пищу мяса. Я имею в виду не только вас, но и всех поклонников квazи. А производство мясной продукции очень затратное.

— Отчасти, — сказал Михаил. — И всё?

— Военные расходы упали, поскольку сверхдержавы практически не ведут гонку вооружений.

— Тоже верно. Что-нибудь ещё?

— Две трети... нет, наверное, половина населения Земли были, по сути, иждивенцами. Если они что-то и производили, то это едва окупало их потребление. Толпы офисного планктона, авангардных режиссёров, непризнанных поэтов и писателей, продюсеров, моделей, имиджмейкеров, копирайтеров, брокеров и юристов превратились в восставших или занялись более полезными делами. Многие страны третьего мира фактически обезлюдели, и стало ясно, что они находились на внешнем содержании. Которое прекратилось.

— Вот, — сказал Бедренец. — Дошли до сути. К началу двадцать первого века мир был полон никому не нужных людей, имитирующих полезную деятельность. И оказалось, что человечество прекрасно способно существовать без них.

— Это социальный дарвинизм, — сказал я. — Даже, не побоюсь этого слова, фашизм и нацизм. И расизм. И оголтелый... э...

— Империализм, — буркнул Бедренец. — Да как ни называй. В двадцатом веке развитие науки привело к появлению лишних людей. Вначале человечество сжигало их в топках войн и революций, а потом, набравшись гуманности, различными способами убедило не размножаться — отсюда пропаганда однополых отношений и бездетности, а ещё придумало множество ненужных никому занятий. В нормальном ресторане посетитель заходил в зал, хозяин помогал ему раздеться, сажал его за стол и готовил еду. Хозяину помогали жена и дети — если требовалось. Потом появились официанты и повара, которые бо́льшую часть времени скучали. А в двадцать первом веке в ресторане легко мог быть человек у входа, провожающий клиента к столику, гардеробщик, человек принимающий заказ, человек приносящий воду и напитки, втюхивающий тебе то или иное вино сомелье, шеф-повар, су-шеф и шеф по десертам, несколько простых поваров...

— Понял твою мысль, — сказал я. — Можно не перечислять девушку, продающую цветы, и скучающую у барной стойки проститутку. Впрочем, этих двух можно и совместить.

— В общем, бо́льшую часть материальных потерь никто и не заметил, — подытожил Бедренец. — Ну стало выпускаться не двести типов смартфонов в год, а десяток. Ну в магазине не сто пятьдесят сортов сыра, а двадцать пять. Художников, рисующих оленьим говном по папирусу ручной выделки или делающих инсталляции из разбитого унитаза и огнетушителя, теперь единицы — а были тысячи. Грустят по этому всему только отдельные фрики. Есть лишь одна вещь, потеря которой меня искренне огорчает. И не только меня.

Машина затормозила у полуоткрытых ворот в потрёпанном непогодой и временем дощатом заборе. У ворот висела едва читаемая вывеска: «Садоводческое товарищество “Лени...”».

Полностью название, к сожалению, я прочитать не смог.

— Вас подстраховать? — спросил водитель Бедренца.

— Спасибо, Игорь. Меня Денис подстрахует, — решил Михаил. Повернулся ко мне: — У тебя пистолет с собой?

— Э... — начал я. — Да, конечно.

Пистолет остался в квартире, под раритетным путеводителем по Питеру. Но говорить об этом было как-то неловко.

Бедренец недоверчиво посмотрел на меня.

— Со мной моё мачете, — сказал я. — И пистолет, конечно же. «Макаров». Хорошая вещица, вечная.

— Пошли, — сказал Михаил. Водителю бросил: — Ты на всякий случай этот вход покарауль. Если что... ну, знаешь.

Игорь кивнул, вылез из машины и встал чуть в сторонке от ворот. Крепкий дядька и явно имевший боевой опыт при жизни.

И наверняка с пистолетом.

Вслед за Михаилом я протиснулся в ворота, огляделся.

Ну, дачный посёлок, как его ни назови, всюду одинаков. Проезды, ограды, домики и зелень вокруг. Различаются лишь детали: проезды заасфальтированы, выложены плитами, или это просто утоптанная земля; между участками штакетник или забор выше человеческого роста; домики одноэтажные деревянно-щелястые или шале-бунгало в два-три этажа с башенками; вокруг домиков растут одичалые яблони и лучок с укропчиком на грядке или же разбиты альпийские горки с канадскими клёнами и японскими вишнями.

Этот посёлок был ближе к эконом-варианту. Нет, дома большей частью были в два этажа, но деревянные и старые. Сады тоже запущены, заборчики покосились, дороги отсыпаны щебёнкой и едва угадываются.

— Сдаётся мне, что здесь жила небогатая творческая интеллигенция, — сказал я. — Из числа тех, кто вначале ругал советскую власть, а потом капитализм.

— Верно, — сказал Михаил, не оборачиваясь. Он посмотрел на экран смартфона, где была выведена какая-то схема, кивнул. — Нам туда. Сигнализация сработала поочерёдно в четырёх домах, они шли из дома в дом.

— Да кто они? — спросил я. — Что тут брать-то? Я бы в такой посёлок и не зашёл... — Я быстро поправился: — Если бы был мародёром.

Бедренец посмотрел на меня с подозрением, кивнул и уверенно пошёл по краю дорожки, стараясь не шуметь и особо не светиться. Смирившись, я двинулся за ним.

Вначале мы увидели машину — старый «фордовский» пикап. Машина была пустая и стояла возле ворот одной из дач. То, что это пикап, меня обрадовало. Вряд ли кто-то ехал в кузове, значит, нам противостоит максимум два-три человека.

— Ага, — прошептал Бедренец с удовлетворением. — Крупный зверь попался. Мы его пару лет не можем взять с поличным.

Мы миновали одну за другой три дачи — во всех двери были взломаны фомкой, но аккуратно притворены. В четвёртой дверь оказалась открыта, да и внутри поблёскивали лучи фонарей. День был слишком пасмурный, чтобы работать внутри дома при свете из окон.

— Теперь тихо, — прошептал Бедренец.

— Не учи учёного...

Мы проскользнули в сени. Или пристроенная к дому прихожая в Питере и его окрестностях как-то иначе должна называться? Вестибюль? Какой-нибудь особый такой вестибюль.

Ну, пусть будет летний вестибюль, что мне, жалко что ли.

Мы проскользнули в летний вестибюль дачи, хотя если посмотреть повнимательнее — сени они и есть сени. Ящики и лари со всяким хламом. Маленький стол, на нём початая и надёжно закрытая бутылка водки — древний русский оберег от воров, по преданиям, не мешающий им воровать, но заклинающий не мусорить и не жечь.

На вешалках висела заплесневелая и полусгнившая одежда, на полу стояла древняя обувь. В завалившемся на пол валенке попискивало, похоже, там было целое мышиное гнездо. Это хорошо. Значит, восставших рядом нет.

Михаил беззвучно прошёл через внутреннюю дверь в комнату. Я за ним.

И мы сразу же увидели мародёров.

Их было двое. Мужчина в возрасте хорошо за сорок, лысоватый, в очках, с пузиком, выпирающим из-под расстёгнутой ветровки. Он стоял у старого книжного шкафа с распахнутыми стеклянными дверцами, боком к нам, но был так увлечён грабежом, что нашего появления не заметил. Рядом с ним, спиной к нам, стоял подросток лет пятнадцати, даже не поймёшь, мальчик или девочка. В руках подросток держал мощный фонарь, которым светил на книгу в руках мужчины.

— Вот она, Петя, — произнёс мужчина, развеяв мои сомнения о поле подростка. — Вот она! «Властительница надводная»! Двенадцатый и последний роман Илоны Жемчужной из серии о Дарье Чудиковой и Ктулху. Почти весь тираж погиб в типографии во время Катастрофы.

Он перевернул книгу — сверкнула аляповатая обложка, на которой было изображено очень много щупалец и улыбающаяся блондинка. Прочёл аннотацию:

— «Минуло два года с тех пор, как появившийся из глубин Океана великий Ктулху стал править человечеством, и два года без трёх дней, как простая продавщица ювелирного магазина Даша Чудикова стала его секретаршей по связям с общественностью. Благодаря природному обаянию и искромётному чувству юмора Даши Ктулху не стал уничтожать весь мир. Но станет ли Даша царицею морскою, ведь все боги древнего мира мечтают разрушить их союз? Даша готова сражаться за свою любовь и жизнь человечества. Ктулху фхтагн!»

— Станет, — сказал ломающимся голоском Петя. — Станет она царицею! Я же читал файл. Пап, неужели этот шлак много стоит? В сети он есть!

— Балбес ты, — добродушно ответил ему отец. — Это бумага. Это уникальное первое и последнее бумажное издание! Никто на такое говно нынче бумагу тратить не станет. А коллекционеры мечтают его поставить на полку. Десять тысяч рублей, как с куста.

— Скорее пять, Библиотекарь, — сказал Михаил. — Может и три. Не такая уж и редкость эта романтическая фантастика.

Мародёр подпрыгнул на месте и повернулся к нам. Он оказался не только лысоватым, но ещё и очкариком, что успокаивало.

А вот в руках у повернувшегося к нам Пети обнаружился не только фонарь — теперь бьющий нам лучом света прямо в глаза, но и двуствольное ружьё.

Ненавижу, когда дети берут в руки оружие. У них слишком мало воображения, они не колеблются, когда стреляют.

— Драный Лис! — воскликнул человек, которого Михаил назвал Библиотекарем. Пришёл в себя он на удивление быстро. — Нет, именно десять, у меня конкретный заказ. Петя! Опусти ружьё и не свети гостям в глаза.

— Но папа! — возмущённо воскликнул мальчик, но двустволку и фонарь всё-таки направил в пол.

— Ружьё у нас для защиты от агрессивных восставших, а не для конфликтов с представителями власти, — сказал Библиотекарь. — Всё в порядке.

— Да неужели? — спросил Михаил. — И документы на оружие есть?

— Конечно! — Библиотекарь полез в карман ветровки и протянул Михаилу какие-то бумаги. — Охотбилет, разрешение на оружие, разрешение на выезд за периметр.

— А в чужих домах ты роешься на каких основаниях? — спросил Бедренец.

— На законных! — бодро, блеснув очками, ответил Библиотекарь. — Вот договор переуступки прав на движимое имущество от владельцев и их наследников.

Я вышел вперёд и взял бумаги. Михаил молча смотрел на мародёров.

— Всё, вроде как, законно, — сказал я, проглядывая текст. — Пацан, посвети...

Петя послушно посветил.

— Договор разрешает Андрею Ростиславовичу Мшанину войти в нижеперечисленные дома садоводческого товарищества «Лениздат» и произвести по своему выбору забор движимого имущества, которое будет разделено между Мшаниным А. Р. и владельцами нижеперечисленных домов или их наследниками в пропорции 60 на 40 процентов по результатам соглашения сторон или независимой оценки, если данного соглашения не удастся достичь. Перечислены дома... подпись директора садоводческого товарищества Александра Сидоровича... дата — сегодняшнее утро... всё заверено нотариально. Вроде бы всё правильно.

— Я же тебе говорил, Драный Лис, я чист перед законом! — Мшанин смелел прямо на глазах. — И тот... эпизод... был досадным недоразумением.

— Мы же знаем, что ты поделил бы только всякую ерунду, — сказал Бедренец. — А настоящие сокровища продал бы на чёрном рынке. «Мёртвые души», «Живые и мёртвые», «Живой труп»...

— О, оставьте, Бедренец! — воскликнул Мшанин. — Во-первых, это ничем не обоснованные домыслы. Во-вторых, мода на подобные книги давно прошла. После неё был период советской классической литературы, лауреатов Нобелевской премии, эротической и порнографической литературы, космической боевой фантастики, сентиментальной прозы, русской поэзии начала века. Сейчас в моде романтическая фантастика. Ну и детские книги, конечно, они всегда в цене. Маршак, Барри, Туве Янссон, Агния Барто... «Как на нашей на лужайке пляшут белки, пляшут зайки...»* — сами понимаете. Все хотят деткам настоящую бумажную книжку с цветными рисунками. А бумага нынче в цене, книг издают мало, и стоят они неподъёмных денег. Но я, как вы могли убедиться, спасаю ценные книги и честно делю их стоимость с владельцами. Как говорилось в классическом фильме — нет у вас методов против Андрея Мшанина!

Я посмотрел на Бедренца. Увы, Драный Лис выглядел сейчас не хитроумным Глебом Жегловым, а морально устойчивым Володей Шараповым.

Вот почему мне всегда достаётся грязная работа?

— Вижу, вы и впрямь поставили свой бизнес на законную основу, — сказал я. — Законный семейный бизнес.

— Передам по наследству, — кивнул Мшанин.

— Тебе сколько лет, Петя? — спросил я подростка. — Двенадцать?

---

* Приписывается Агнии Барто.

— Пятнадцать! — оскорбился тот. — Почти шестнадцать!

— Почти не считается, — сообщил я, забирая у него из рук ружьё. — Охотиться и брать в руки оружие ты можешь только с шестнадцати. Случаи нападения восставших рассматриваются в особом порядке, но здесь восставших не было.

— Они могли быть! — воскликнул Мшанин.

— Логично. Однако их не было. Поэтому ружьё мальчик брать не имел права. Но поскольку, как вы сами сказали, восставшие здесь быть всё-таки могли, то вы, помимо нарушения норм обращения с огнестрельным оружием, виновны в создании опасной ситуации для жизни несовершеннолетнего. Полагаю, на лишение родительских прав и помещение молодого человека под опеку оснований хватит. Как думаете, Михаил?

— Думаю, что вполне хватит, — согласился Бедренец.

Мшанин мгновенно потерял свой кураж. Нервно провёл ладонью по вспотевшему лицу.

— Дра... Михаил Иванович... вы же не допустите...

— К моему большому огорчению, — сказал Бедренец, — коллега прав. Очень жаль.

— Лучше сажайте за книжки, — быстро сказал Мшанин. — Полгода. Идёт? За проникновение в чужие дома с целью наживы.

— Не полгода, а как минимум два. И это ещё один довод к лишению тебя родительских прав, Библиотекарь, — сказал я.

— Сразу видно, что у вас нет детей, — возмутился Мшанин.

— О, как раз наоборот. Потому я и знаю, как вас взять за живое, — пояснил я.

— Папа! — воскликнул подросток, мигом утратив напускную взрослость. — Папа, они что, серьёзно?

Мшанин пожевал губами, будто грызя какую-то рвущуюся из души и от сердца фразу. Я смотрел на него с искренним любопытством — в моей практике, как правило, вторая сигнальная система побеждала, и я узнавал много интересного о полиции в целом и о себе в частности.

Но у Мшанина, очевидно, были крепкие зубы, и свой крик души он загрыз и проглотил. После чего натуральным образом облизнул губы и сказал:

— Так. Давайте для начала все успокоимся?

— Я спокоен, как надгробье, — сказал Бедренец. Не только Мшанин, но и я посмотрел на него с удивлением. Драный Лис делал явные успехи на поприще сатиры и юмора.

— Сделка, — сказал Мшанин. — Предлагаю сделку.

— Тебе нечего мне предложить, — сказал Михаил. — Читаю с планшета, берегу лес. Детские книжки мне были нужны раньше.

— Я не о книжках. Ты же в курсе, что появились кваzи, нападающие на людей? Ты должен быть в курсе, Бедренец!

— Где ты, а где сумасшедшие кваzи? — Михаил пожал плечами. — Не лепи горбатого.

— Бедренец, я человек интеллигентный, по фене не ботаю, — с достоинством ответил Мшанин. — Да, иногда делаю ошибки, ну так кто без греха? Повторяю — могу тебе кое-что интересное рассказать о хищных кваzи. Это беда так беда, верно? Что по сравнению с ней пара книжек из заброшенной дачи или ружьишко в руках у мальца?

— Я не... — начал было Петя Мшанин, но глянул на отца и благоразумно заткнулся.

Бедренец посмотрел на меня. Я кивнул.

Полицейская работа — она такая, сходная с политикой. Требует компромиссов. Взаимных уступок. Если ловишь маньяка-насильника, так любого обыкновенного вора или грабителя готов отпустить за информацию. Ну а если ты уже не в полиции, а в спецслужбе, так границы дозволенного становятся ещё эластичнее.

— Всё зависит от того, что ты расскажешь, — решил Бедренец. — Разрешение на вход в дома у тебя есть, а кто держал ружьё — ты или парнишка, я не до конца уверен. Если и впрямь поможешь важной информацией, то придётся считать тебя умным человеком, который не даёт оружие несовершеннолетним.

— Я могу доверять твоему слову? — спросил Мшанин.

— Ты знаешь, что можешь. Я кваzи.

— Ха, — буркнул Мшанин, явно расслабившись. — Кваzи бывают разные... раньше они людей не грызли... Сам я может и немного знаю, а вот ниточку тебе дам. Крепкую. На эту книжку — он потряс «Властительницей надводной» у меня особый срочный заказ. Дамское чтиво, сам понимаешь, а женщины — они упорные, кого хочешь достанут. Я спешку не люблю, да клиент больно хороший, давний. Так вот, я когда у него предыдущий заказ брал, то торговался. Как положено. Для порядка, сам понимаешь. Опасно, говорю. Там надо было идти... неважно, но место трудное. Восставшие там ходят толпами, грызут честных шухартов...

Я фыркнул, услышав, как называют себя питерские мародёры. И впрямь — культурная столица, помнят героя «Пикника на обочине» братьев Стругацких. Спросил:

— Почему не «сталкеров»?

— Сталкеры — это клиенты есть такие, собирают книжки из серии про аномальную зону, — недовольно пояснил Мшанин. — Мы себя зовём шухартами. Так вот, я про восставших говорю, а заказчик усмехается, говорит, ты, мол, не восставших бойся, а кваzи, они тоже кусаются, только быстрее и умнее восставших.

— Идёт утечка информации, — сказал я. — Ничего твоя информация не стоит, шухарт хренов.

— Когда кваzи первый раз напал на человека? — спросил Мшанин. — Я имею в виду — попытался сожрать?

Мы с Бедренцом переглянулись.

— Это государственная тайна, — сказал Михаил.

— Тоже мне, тайна, — презрительно сказал Мшанин. — Среди наших говорят, что две недели назад. Дед-кваzи внучка загрыз, а потом самоубился... Мне про кусающихся кваzи сказали три недели назад, день в день.

— Договорились, — быстро сказал Бедренец. — Рассказывай про своего заказчика.

Мшанин торжествующе улыбнулся.

— Вот это другой разговор. На самом деле — заказчицу, а не заказчика. Интеллигентная женщина, вроде как сама из писательской семьи...

В голове у меня будто щёлкнуло что-то.

— Она навела тебя на эти дачи? — крикнул я. — Именно на эти? Прямо сегодня утром, спешно, езжай и привези «Владычицу надводную»?

Мшанин кивнул, секунду смотрел на меня с недоумением. Потом в его глазах появилось понимание. Он схватил сына и быстро толкнул себе за спину, чем заработал в моих глазах несколько плюсиков к карме.

— Это ловушка. Михаил, звони водиле, пусть гонит сюда, к даче! — я переломил ружьё, глянул на патроны.

— Картечь! — коротко сообщил Мшанин. — Петя, дай дяде полицаю патроны!

Патроны у пацана были в карманах. Просто потрясающая безалаберность. Он выгреб десять и протянул мне. Я глянул. Радовало то, что это был надёжный итальянский «Клевер».

У меня выбора не было, и я тоже распихал патроны в карманы. Глянул на Бедренца — в одной руке у него был пистолет, в другой — телефон. Судя по всему, водитель трубку не брал.

Я открыл дверь в сени, прислушался.

И совсем не удивился, услышав с улицы, совсем рядом, мелодию из какого-то старого кинофильма.

— Михаил, твой Игорь — больше не твой Игорь, — сказал я и запнулся от внезапной догадки. — Что будет с кваzи от пары стволов картечи в грудь, в упор?

Михаил поморщился.

— Очень неприятно, но если не в голову, то не смертельно. Отлежимся и регенерируем. Но я и так смогу его остановить!

— Даже если сердце будет задето?

— Регенерирует. У нас, собственно говоря, сердце не единственный орган по перекачиванию крови.

Взгляд у Бедренца вдруг затуманился, будто он о чём-то глубоко задумался.

— Спасибо, Миша, ты снял груз с моего примитивного сердца, — сказал я.

Поднял ружьё и выстрелил в грудь Бедренцу.

Громыхнуло так, что заложило уши, а под потолком зазвенела простенькая люстра из пыльного синего стекла. Кисло и едко запахло порохом.

— Твою мать! — завопил Мшанин, шарахаясь от меня и едва не сбивая сына.

Бедренец упал как подкошенный. Грудь у него была разворочена, тягучая кваzи-кровь выплёскивалась и пыталась втянуться обратно. Бедренец тускнеющими глазами смотрел на меня.

— С ним-то и я справлюсь, — пояснил я, забирая из его руки пистолет. — А с вами двумя — нет. Держи!

Я протянул пистолет Мшанину. Библиотекарь миг поколебался и схватил оружие.

— Стреляйте во всё, что движется, — сказал я, перезаряжая ружьё и протягивая его Мшанину-младшему. — Кроме меня. Это ваш единственный шанс выжить.

Сам я достал мачете и вышел в сени, до последнего ощущая две пары напряжённых взглядов и три ствола, смотрящие мне в спину.

Они не выстрелили. Хватило всё-таки ума.

Наружную дверь я распахнул пинком, сразу же сместился вбок. Очень не хотелось получить пулю от Игоря и наглядно продемонстрировать разницу между огнестрельным ранением у человека и у кваzи.

Но Игорь, стоящий в паре метров от меня, не стрелял. Пистолета у него я вообще не видел, он был будто какой-то пришибленный. Держал в руках звонящий телефон и недоумённо на него смотрел.

Я ещё в пабе «Пена дней» заметил, что реакция у попавших под управление кваzи заторможена. Словно подавленный разум цепляется за любую возможность ускользнуть от выполнения приказа.

Хуже было то, что за бедолагой-водителем стояло десятка два восставших разной степени помятости. Были тут и крепкие при жизни мужики, и блондинка, при жизни, похоже, потрясающе красивая, и старушка, чья седина и скрюченность придавала ей вид настоящей Бабы-яги, и несколько подростков, и даже двое малышей, мальчик и девочка, едва ли трёх-четырёх лет при жизни.

В общем, боевой отряд выглядел очень разнокалиберным, собранным с бору по сосенке. Или же наоборот? И тот, точнее та, кто собирал эту группу захвата, взял каждой твари по паре? Мужчин как боевую силу, а красивую тётку, старушку, детей — как потенциально трудных для уничтожения, способных вызвать жалость противников.

К счастью, у меня нет никаких комплексов. Я не вижу разницы между живыми мертвецами, какого бы они ни были пола, возраста и внешности.

— За мной! — крикнул я, надеясь, что мародёрская семейка не тормозит и стоит сейчас в сенях. Всё-таки они занимались опасным делом и должны были привыкнуть быстро удирать.

Игорь уронил продолжающий звонить телефон и двинулся мне наперерез. Была в этом какая-то карикатурность, напоминающая романы в жанре фэнтези. Колдун-некромант... нет, кажется, это называется «лич»... и его армия восставших из мёртвых...

Я размашисто взмахнул мачете, Игорь легко ушёл от удара, рассчитанного на тупых восставших, и потянулся к моему горлу рукой. Глаза у него были пустые, бессмысленные, но где-то в глубине зрачков плескался вечный, неутолимый голод.

Рухнув на колени (вот так и зарабатываешь к пенсии артроз, но иначе есть шанс до неё не дожить), я рванул руку с мачете обратно и ударил Игоря в спину и в бок. Кваzи издал негодующий рык, стал наваливаться на меня, я ушёл перекатом, ухитрившись при этом резануть противника по груди. Совсем не смертельно, но неприятно. Восставшие уже двинулись к нам, совсем по-киношному вытягивая руки. Вот если бы они ещё умели говорить и бормотали: «Мозги, мозги», — стало бы совсем страшно...

Игорь, увы, вскочил первым. Навалился на меня, одной рукой прижал к земле, другую занёс для удара. И застыл. Глаза у него стали совсем мёртвые, ничего в них не осталось, даже голода. Будто заснул на ходу или его выключили.

Дважды грохнула двустволка, не дублетом, как я стрелял в Бедренца, а поочерёдно. Первый выстрел бросил на землю подобравшегося ближе всех восставшего, второй разворотил спину Игорю. Тот задёргался, отпуская меня. Я немедля вскочил и кинулся к распахнутой садовой калитке. На улице восставших, к счастью, не было, все оказались возле дома. У калитки меня догнал мальчик Петя, прямо на ходу перезаряжающий ружьё и его папа, в одной руке сжимающий пистолет Бедренца, а другой крепко держащий книгу о Даше, укротительнице Ктулху.

— Быстрее, они сейчас выйдут из-под контроля и начнут охотиться самостоятельно! — прокричал на ходу Мшанин-старший.

Ай да Библиотекарь, ай да сукин сын! Какое чёткое понимание ситуации! Никогда не знал, что книжный бизнес так опасен и столь разносторонне развивает личность!

Мы добежали до пикапа в тот самый момент, когда восставшие окончательно освободились от воли Игоря и кинулись за нами. Те, что посмышлёнее, лезли в калитку, остальные таранили штакетник. Впереди неслись двое малышей-восставших. Библиотекарь кинулся в кабину, его сын — в кузов. Я последовал за ним. Мотор негодующе взвыл, машина рванулась вперёд и стала круто разворачиваться.

— Дави их, пап! — завопил Петя, азартно целясь из ружья в маленьких восставших.

Я дал ему по локтю, картечь ушла в воздух. Вырвал ружьё у парнишки, перезарядил.

Пикап, трясясь на ухабистой дорожке, набирал ход. Восставшие отставали. Их метаболизм, как у гепарда, позволял резкие рывки и ускорения, но очень недолгие.

— Стреляешь ты хорошо, — сказал я обиженному Пете. — И вообще, парень не промах. Но убивать восставших, тем более детей, без нужды не стоит.

— Я оба раза в вас стрелял, но промазал, — сообщил Петя.

— За враньё — ружьё не верну, — сказал я.

Пикап ударом «кенгурятника» распахнул ворота — нас тряхнуло так, что я едва не вылетел из кузова. Мы промчались мимо служебной машины и понеслись к шоссе.

— Видел кого-нибудь, кроме мертвецов? — спросил я. — Женщину? Красивую?

— Только дохлую блондинку, — вызывающе сказал Петя. — Ничё так, но не в моём вкусе.

— Жаль, — вздохнул я. — Она где-то тут была, в засаде.

Паренёк засопел. Потом сказал:

— Вам теперь достанется. Не до красоток будет. Вы же Драного Лиса застрелили.

— Очухается, — сказал я. — На то он и Драный Лис.

Я сел на дно пикапа. Мшанин-старший явно не собирался останавливаться, пока между нами и посёлком издателей не окажется несколько десятков километров. Я его вполне понимал. Расстегнул одну из сумок, заглянул внутрь. Книжки. Хоть Библиотекарь и шёл за конкретной книгой, но и попутной добычей не пренебрегал.

— Ну, хоть скучать не придётся, — сказал я, доставая одну из книг. — Перумов, «Дочь некроманта». Пойдёт.

— Не порвите, она тоже в заказах, — буркнул Петя, усаживаясь рядом. — Интересная?

— Сейчас посмотрим. А сам не читал?

— Нет, — сказал Петя. — У меня эта... дислексия.

Я укоризненно посмотрел на него. Петя Мшанин отвёл глаза.

— Ну дайте чего-нибудь... — сказал он. — Только небольшое.

— Держи, — я протянул ему первую попавшуюся книгу. — Там картинки, втянешься.

Это оказались «Сто лет одиночества» и картинок в них не было. Но, как ни странно, юный Петя вчитался и не выпускал книгу из рук, пока мы не остановились вблизи первого блокпоста питерского Периметра.

А я вначале открыл на смартфоне служебный мессенджер и написал краткий отчёт Маркину. Потом достал из кармана бумажку с телефоном дружелюбного человека Андрея, с которым познакомился в «Пене дней». Некоторое время смотрел на номер. Потом набрал его. Сработал автоответчик, что меня даже обрадовало. Я так же коротко, как и в отчёте начальнику, сообщил о происшествии на заброшенных дачах.

Если таинственный «Круг» сам причастен к произошедшему — то ничего нового они не узнают. Если нет — я чуть-чуть повышу свою значимость и укреплю наше хрупкое и сомнительное сотрудничество.

Глава седьмая

НАКАЗАНИЕ И ПРЕСТУПЛЕНИЕ

Я ждал Найда возле станции метро «Пушкинская». Он позвонил, когда я ехал на автобусе в центр от питерского Периметра и спросил, ждать ли ему машину. Пришлось сказать, что водитель приболел и договориться встретиться у метро.

Близился вечер, и Питер плавно переходил в своё вечерне-расслабленное состояние. Открывались кафешки, на открытых площадках загорались инфракрасные лампы, на улицах появлялось всё больше молодёжи — причём не только квazи, но и нормальной, живой. Компании почти все были смешанные. Вот три живых парня и мертвец. Вот два квazи и живая девушка. А вот группа молодёжи, где и не угадаешь, кто есть кто, — лица подкрашены в серовато-голубой у живых, выбелены у мёртвых, стрижки одинаково небрежные. Полное торжество толерантности. Жизнь и смерть гуляют под ручку по улицам столицы мёртвых.

Я подумал, что это в итоге оказалось совсем не так плохо, как могло быть. И дело не в том, что Катастрофа прошла самым странным и мирным образом, как она только могла пройти, что улицы городов не превратились в руины, в которых хищные мертвяки охотятся за немногими выжившими. Без всякой Катастрофы всё могло быть плохо. Человечество упорно шло к самоуничтожению — ломало существующие и рабочие социальные модели, придумывая взамен немыслимые и нежизнеспособные, создавало всё новые и новые средства массового уничтожения, конфликтовало, воевало, боролось с плохим — развивая и популяризируя его, поддерживало хорошее — давя и дискредитируя. Всё шло вразнос. Восставшие оказались мёртвой водой, уничтожившей то, что требовалось уничтожить, кваzи стали живой водой, запустившей новое развитие. Конечно, если тебя самого не угораздило попасть в эту мясорубку. Но ведь так, наверное, бывает при любом социальном катаклизме. При революциях, крушении и становлении империй, возникновении новых религий, даже при промышленном перевороте. Всегда мир сгорал и рушился, погребая ни в чём не повинных неудачников под своими обломками — а потом вставал из руин и пепла, благообразный и привлекательный. Кого нынче волнует судьба помирающего с голода луддита или язычника, не принявшего христианство? Да никого. Победитель получает всё, в том числе и право переписать историю на свой вкус. Если спросить этих молодых ребят, выросших уже после Катастрофы, хотят ли они, чтобы всё было «как раньше», что они ответят?

Пальцем у виска покрутят.

Мир адаптировался.

Жизнь после смерти, да ещё и доказанная, гарантированная, — это очень сильный довод. А кваzи — слишком славные ребята, чтобы представить мир без них.

— Пап?

Найд выскочил из толпы, валящей из метро, подбежал ко мне, придерживая болтающийся на одном плече ранец.

— Что-то случилось? — он заглянул мне в глаза.

Я махнул рукой.

— Да ерунда. Думаю о жизни. Почему ты до Пушкинской ехал?

— О жизни — это хорошо, — решил Найд. — Я провожал... приятеля. Не люблю провожать, но надо было.

— Пошли, — согласился я. — Я тоже не люблю проводы.

Найд хмыкнул, мы двинулись от метро в сторону дома.

— Папа, Пушкин был хороший поэт?

— Да. Неужели его не проходят в школе?

— Проходят. Но он как бы главный поэт, а главный и лучший — это разное. А ты как считаешь? Кто лучший?

— Пушкин.

— Ну а серьёзно?

— Мне Маяковский нравится. И Симонов, конечно. Фамилия обязывает.

— Думаешь, они хорошие поэты?

Я пожал плечами. Остановился и нравоучительно произнёс:

Для веселия
планета наша
мало оборудована.
Надо
вырвать
радость
у грядущих дней.
В этой жизни
помереть
не трудно.
Сделать жизнь
значительно трудней*.

* *Маяковский В.,* Сергею Есенину.

Найд неуверенно кивнул. Я продолжил:

Ты слышишь меня, я верю:
Смертью таких не взять.
Держись, мой мальчик: на свете
Два раза не умирать...*

Найд быстро сказал:

— Не надо дальше. Я это стихотворение знаю, оно грустное... Пошли.

— Поэты все лучшие, — сказал я. — Если настоящие. Нельзя сравнивать. Даже с Пушкиным. Главный, конечно, Пушкин. А лучший для каждого свой.

— Наверное, так... — согласился Найд. — Почему все хорошие стихи про любовь и смерть?

— Ну с чего ты такое взял. Ещё про зверюшек: «Зайку бросила хозяйка, под дождём остался зайка...»**

— Так это тоже про любовь и смерть.

Я невольно рассмеялся.

— Блин. А ты прав. Тебя не обманешь, Сашка.

Мы пошли дальше.

— Что вы сегодня делали с Михаилом? — спросил Найд, искоса поглядывая на меня.

— Да так, всякое разное. За город съездили.

— Михаил зайдёт к нам?

— Хм. Не знаю, — честно сказал я. — Хочется провести вечер тихо, по-домашнему. Давай возьмём пиццу и посмотрим какое-нибудь кино?

— Давай, — обрадовался Найд.

— А у тебя как в школе дела?

— Ну... с ребятами потрепались. Расспрашивали, как в Москве. Правда ли, что у нас кваzи запрещено по

* *Симонов К.,* Сын артиллериста.

** *Барто А.,* Война.

городу ходить без намордников. Вот кто такие слухи распускает, не пойму!

В ресторанчике по пути мы взяли две пиццы — «Мексиканскую», с острым перцем и салями, и «Вегетарианскую», с сыром тофу и баклажанами, на случай, если вдруг зайдёт Михаил.

Подходя к подъезду, я понял, что пицца с тофу была взята не зря.

Нет, это был не Бедренец.

В коротком плаще, с наброшенным на голову капюшоном (опять начало накрапывать, всё сильнее и сильнее), с большим пластиковым чемоданом у ног, возле подъезда стояла молодая женщина-кваzи.

— Настя! — радостно завопил Сашка и бросился к ней.

— Здравствуй, Саша. — Настя обняла его и совсем по-человечески потрепала по голове. — Почему ты без зонтика, ты весь мокрый. Денис, ты понимаешь, что Саша может простудиться?

При жизни Настя относилась к Найду очень хорошо, но после смерти и возвышения стала относиться ещё лучше. Какой-то заместительный эффект, очевидно, после того, как её братишка возвысился и перестал нуждаться в её заботе.

— Здрасте вам! Тоже рад тебя видеть, — сказал я, подходя ближе. В темноте она казалась почти прежней. Почти нормальной. Почти живой.

Только серовато-голубой цвет лица и что-то чужое, нездешнее, в глазах мешали мне обрадоваться. Даже в темноте.

— Добрый вечер, Денис, — вежливо и скучно произнесла Настя.

— Какими судьбами? Не знал, что ты с нашего раёна.

— Это не смешно и нелогично, — сказала Настя. — Меня направил Маркин. Он считает, что тебе нужна помощь эксперта.

— Точно, — сказал я. — Где же в этих сырых каменных джунглях найти судмедэксперта.

— Это...

— Знаю, знаю, — я вздохнул и взял чемодан. Тяжёлый, блин!

— Лучше неси пиццу, я сильнее, — спокойно сказала Настя, забирая чемодан у меня из рук.

Ну кто бы спорил. Квazи сильнее человека в два — два с половиной раза. Метаболизм другой.

— У нас тут тесновато, — сказал я, отпирая дверь. Щёлкнул выключателем. — Не обессудь.

— Ничего, — обводя взглядом комнату, сказала Настя. — Вы с Найдом на диване, он широкий. Я на кровати. Или мы с тобой можем лечь на диване.

— Я нарежу пиццу, — быстро сказал Найд, забирая коробки. — Тут есть вегетарианская.

Мы с Настей уставились друг на друга, пока Найд возился с ужином.

— Вы меня ждали? — спросила Настя.

— С чего... А! Нет, думали, вдруг Михаил заглянет. Он в курсе твоего визита?

— Маркин ему сообщил.

— А почему мне не сказал?

— Догадайся.

— Чтобы я не протестовал. — Я вздохнул, отошёл от двери. — Извини. Но мне действительно трудно работать с тобой. Давай уж начистоту.

— Давай. Мне с тобой нетрудно работать. Я понимаю твою эмоциональную реакцию и постараюсь не сильно беспокоить. Если хочешь, то мы сейчас поговорим о деле, и я уйду.

— В такую погоду хороший хозяин кваzи из дома не выгонит, — сказал я, глядя в окно. — Оставайся. Только давай вначале поужинаем, я весь день на ногах.

Мы умылись и сели за стол. Настя была одета в бирюзовую блузку, которую я помнил, и лёгкие широкие брюки, которые раньше вроде как не носила. При жизни она бы ранней весной и в дорогу эту блузку не надела, но кваzи не мёрзнут, а блузка ей была хороша. Зато брюки не шли, но, наверное, хорошо скрывали тактическую кобуру на бедре. Я решил, что педалировать эту тему не стану и ограничился вежливым кивком. Найд налил себе молока, а нам с Настей воды. Посмотрел исподлобья.

Он очень переживал, когда Настя умерла. Хоть она стараниями Маркина и возвысилась удивительно быстро (причины Найд, к счастью, не знал), но мальчишке было понятно, что мои отношения с Настей изменились навсегда.

— Я рада вас видеть, — сказала Настя суховато, но искренне. — Меня ввели в курс дела... насколько откровенно я могу говорить?

— Найд в курсе, что стали появляться агрессивные кваzи, — сказал я. — И что некоторые покойники восстают аномально быстро. В этих рамках, полагаю, можно всё обсуждать при нём.

Настя кивнула, с аппетитом откусила кусок пиццы. Я тоже взял один. Пицца была ещё тёплой и довольно вкусной, хотя я бы добавил остроты.

— Папу хотели убить, — сказал Найд. — Целый вагон отравили. Насмерть.

— Собственно говоря, поэтому меня и послали, — сказала Настя. — Маркин полагает, что на этой стороне кто-то слил данные о твоём приезде.

— Хорошо, что номер вагона перепутали, — кивнул я. — Конечно, если покушались и впрямь на меня.

— Никто ничего не путал, — нахмурилась Настя. — Во всяком случае, мне про это не говорили... Но у нас утечки не было, значит — она в Питере. Вот и решили прислать меня.

— Прости, с каких пор ты на оперативной работе?

— Я не на оперативной. Но я квazи. Я их понимаю. У меня неплохие способности к управлению восставшими. А ещё я теперь сильнее тебя и смогу защитить в случае необходимости.

В дверь позвонили.

— Верно, — сказал я. — Я-то человек мирный и беспомощный. Может быть, тогда откроешь? В целях безопасности меня.

Настя нахмурилась, глядя на меня. Отложила надкушенную пиццу. Пошла к двери — я заметил, как её рука на мгновение потянулась к бедру и вернулась обратно.

Ну вот и хорошо. Мой пистолет, как я видел, до сих пор лежал под путеводителем в углу стола.

— Михаил Иванович? — с удивлением спросила Настя, открыв дверь.

— Что с вами? — негромко произнёс я, не глядя в её сторону.

— Что с вами? — послушно повторила Настя.

Бедренец вошёл в комнату. Найд тихонько ойкнул и будто прирос к стулу.

Я поднял взгляд на Михаила.

Надо сказать, что восстановился он замечательно. Никаких следов от картечи не было на голой стариковской груди, цвет лица тоже остался здоровым, землисто-голубым.

А вот с одеждой всё было плохо. Пиджак на груди был весь разодран и болтался лоскутами, к тому же ещё обугленными от выстрела в упор. От рубашки вообще остались какие-то тонкие ленточки и обгорелые нитки.

Бедренец подошёл к столу и замер, глядя на меня.

— Не нависай, — попросил я. — Пиццу будешь? С баклажанами и сыром тофу. Гадость, зато вегетарианская.

— Там ещё брокколи, — тихонько сказал Найд.

Михаил посмотрел на мальчика, потом снова уставился на меня. Я выжидал.

Бедренец вытянул руку и с глухим звоном высыпал на мою тарелку с десяток свинцовых картечин.

— Выковырял? — спросил я.

— Сама вышла, — ответил Михаил.

— Что-то мало, — сказал я.

— Крупная. На кабана, — пояснил Михаил.

— Извини, какая была, — вздохнул я.

— Это было больно. Очень больно.

— Папа... — прошептал Найд. Он с ужасом смотрел то на меня, то на Михаила.

— Понимаю, — кивнул я.

Несколько мгновений мы с Михаилом продолжали играть в гляделки.

— Спасибо, — сказал Бедренец и сел за свободный стул. — Ты успел в последнюю секунду.

— А вот я ничего не понимаю, — растерянно сказала Настя. — Михаил Иванович, вам нужна помощь?

Бедренец достал из кармана деньги и протянул Найду пару банкнот.

— Саша, будь хорошим мальчиком. Сгоняй ещё за одной пиццей. И купи пару бутылок сладкого лимонада, только не красного цвета. Одну себе.

— У вас всё будет нормально? — с подозрением спросил Найд.

— Да. Я понимаю, как всё это выглядит, но твой папа сегодня спас и себя, и меня.

Найд помялся, потом запихнул в рот кусок пиццы и побежал к двери.

— Надень куртку с капюшоном! — крикнула ему вслед Настя. Но дверь уже хлопнула. Настя вздохнула и неожиданно сказала: — Я его провожу. Вам, наверное, есть о чём поговорить.

Она выскочила вслед за Найдом, схватив его куртку.

— Как ты понял? — спросил Бедренец.

— Библиотекарю дали конкретную наводку на этот дачный посёлок. А тебе — приказ его арестовать, время и место. Надо быть дураком, чтобы не сообразить, что это засада.

— Как ты понял, что меня берут под контроль?

— Без этого вся операция не имела смысла, вдвоём мы бы их в порошок стёрли. Я уже видел, что кваzи могут попадать под чужой контроль. И твой водитель тоже попал. Значит, рядом была наша дорогая знакомая с фамилией литературного критика... или кто-то с аналогичными умениями.

Михаил кивнул. Свернул кусок пиццы в трубочку и запихнул в рот.

— Организм требует энергии? — риторически спросил я. — Как Игорь?

— Жив, — коротко ответил Михаил. — А Библиотекарь и его сын?

— Живы.

Михаил кивнул, выпил воды из стакана Насти, налил ещё. Взял ещё пиццы, пробормотал с набитым ртом:

— Волновался и спешил. Не было времени перекусить.

— День такой, — согласился я. — Можно ещё вопрос?

— Можно. Это крайне неприятное ощущение. Я ничего не чувствовал, кроме глубочайшей внутренней убеждённости, что должен броситься на тебя, оглушить ударом по голове, разорвать мышечные ткани на груди, сломать рёбра и зубами впиться в сердце.

— Господи, Миша, мы же кушаем! — патетически воскликнул я.

— Меня потом стошнило, как всё представил, — пожаловался Михаил. — Но в тот момент это воспринималось моим выстраданным решением, собственным искренним порывом, без всякого внешнего давления или принуждения.

— Вот так себя чувствуют и бедолаги восставшие, когда вы ими командуете, — сказал я. — Я примерно этого и ожидал. Никакого внутреннего голоса, никакого ощутимого воздействия... Но я хотел спросить — почему лимонад должен быть не красным?

— Лимонад? Ах да. Красный до сих пор иногда красят кошенилью. Как и йогурты, и пирожные. А кошениль вырабатывают из жучков. Продукт животного происхождения.

— Думаю, Найд и сам это понимает, он умный мальчик. Ты ешь, ешь...

Я пошёл к гардеробу, открыл, достал оттуда рубашку.

— Тут было немного одежды разных размеров.

— Конечно. Это конспиративная квартира, тут есть разная одежда.

— Возьми, тебе должно подойти. Пиджака нет, но есть толстый свитер. С оленями.

— Обойдусь рубашкой.

Михаил переоделся, с сожалением выбросив в мусорное ведро рубашку и пиджак. Старомодный бумажник он вынул и положил на стол. С отвращением посмотрел на яркую, неформальную рубашку в мелкий цветочек, но надел её, сразу став похожим на пенсионера в отпуске.

— А как там пистолет, что ты у меня забрал? — мимоходом спросил он.

— Я его оставил Библиотекарю. Мы поговорили, он всё мне рассказал, ну, во всяком случае, достаточно многое. Что-то, боюсь, мог придержать для себя, очень уж ушлый дядька. Мы договорились, что он заляжет на дно, но адрес он мне сказал. Я ему и дал твою пушку. Ему нужнее.

— Наверное, да, — согласился Михаил. — Рассказывай.

— Пусть придут Настя и Найд. Не хочу пересказывать по три раза.

— Ты уверен, что мальчику надо это знать?

— Раз уж он во всё это оказался втянут, то почему бы и нет? — спросил я. — Всё равно хочу его записать в кружок «Юный сотрудник госбезопасности».

— Есть такие кружки? — поразился Михаил.

— Один. На Лубянке. Берут только из семей, состоящих на службе, с хорошей успеваемостью и рекомендациями от сотрудников не ниже полковника. Маркин обещал мне подписать бумаги. Там требуется сдать сочинение об антигосударственных высказываниях в семье, простучать на входной двери мотив «С чего начинается Родина» и...

— Петросян, — мрачно сказал Бедренец.

— Я? Да брось, я в шахматы очень плохо играю, куда мне до Тиграна Вартановича...

Бедренец прекратил жевать и некоторое время с любопытством смотрел на меня. Изо рта у него торчала зеленоватая веточка брокколи.

— Денис, я тебе неоднократно говорил, что меня поражают две вещи. Твоя расхлябанность и твоя эрудиция. Причём и то и другое, как правило, проявляются в неуместное время и место. Откуда ты всё это знаешь?

— У меня память, как у слона. Кстати, ты знаешь, что у африканских слонов бивни есть и у самцов, и у самок, а у индийских — только у самцов?

Бедренец махнул рукой и потянулся к пицце. Увы, осталась только «Мексиканская». Он секунду помедлил, потом взял надкушенный кусок из тарелки Насти и отправил в рот. Пояснил:

— Всё равно уже остыла.

Дверь хлопнула, вернулись Найд и Настя. Бежали они, что ли, всю дорогу?

— Мы взяли две готовые пиццы, они уже порезанные, — сказал Найд, ставя коробки на стол.

— Садитесь, — сказал я. — Мы решили вам кое-что объяснить.

— Я едва не сожрал Дениса, — сообщил Михаил. — Он был вынужден в меня выстрелить.

Настя нахмурилась.

— Кваzи, которые набрасываются на людей, делают это не по своей воле, — пояснил я. — Кто-то научился их контролировать. Точно так же, как сами кваzи контролируют восставших.

— Собственно говоря, этого надо было ожидать, — добавил Михаил. — Если есть передатчик, то должен быть и приёмник. Кто-то понял, как мы контролируем восставших, и обратил это против нас.

— Кому потребовалось натравить дедушку на маленького правнука? — спросила Настя. — Или кваzи на человека в музее?

— Может быть, и никому, — сказал я. — Может быть, это просто эксперимент, проба сил. А может быть, там была непонятная для нас причина. Если мы её не видим, это ещё не значит, что её нет.

— Но в случае со мной всё иначе, — сказал Михаил. — Дениса хотели убить моими руками.

— Зубами, — поправил я и удостоился неприязненного взгляда Насти.

— Причём накануне он имел разговор с Марией Белинской, — продолжил Михаил. — Та отрицала свою причастность к отравлению в поезде, а когда Денис попытался её удержать — напустила на него случайных кваzи и ушла. Приказа убивать она явно не отдавала, как только вышла — кваzи пришли в себя.

— Что подводит нас к простому выводу, — подхватил я. — В промежутке между вчерашней ночью и тремя часами дня, когда на нас напали, произошло что-то, потребовавшее моей смерти.

— Полуднем, — поправил Михаил. — В начале первого мне позвонили и направили в дачный посёлок, где мы наткнулись на засаду.

— Не согласна, — быстро сказала Настя. — Вы всё валите в одну кучу. А это могли действовать две разные силы. Одна ищет контакт, другая пытается убить Дениса.

Я подумал и вынужден был кивнуть.

— Бесспорно лишь одно, — сказала Настя. — Тот, кто направил вас в посёлок, имеет отношение к покушению.

Михаил покачал головой.

— Приказ отдал Представитель, — пояснил я. — Товарищ Бедренец верит в руководство. Товарищ Бедренец гневно отвергает клевету в адрес Представителя.

— Дело не в том, что я отвергаю, — неохотно сказал Михаил. — Слишком сложно. У Представителя имеется масса способов помешать нам. Он мог запретить тебе приезжать в Питер — основания имеются. Или посадить нас в тюрьму. Или уничтожить менее подозрительным способом. Направить в ловушку, прекрасно понимая, что любые планы могут рухнуть, и мы останемся живы — не его метод. Поверьте, Представитель никогда не полагается на случай. И вообще, он хочет, чтобы мы ушли с Земли и поселились на Марсе.

— Тоже мне, Илон Маск, — насмешливо сказал я. — Но я согласен, для Представителя слишком ненадёжный подход. Тогда надо выяснить, кто подбросил ему идею послать тебя на задание.

Михаил глянул на часы и сказал:

— Завтра. Попробую выяснить.

— Вместе попробуем, — поправил я. — Полагаю, что имею на это право.

Бедренец неохотно кивнул.

— Михаил, вы позволите взять у вас анализ крови? — спросила Настя.

— Никаких психотропных средств во мне ты не обнаружишь, — предупредил Михаил. — Мы проверяли всех, кто попадал под контроль. Но пожалуйста, бери.

Настя пошла к своему чемодану. Похоже, он был набит не только и не столько одеждой. Михаил стал засучивать рукав рубашки.

— И насчёт Библиотекаря, — сказал я. — Мы с ним поговорили, когда въехали в город. На женщину по имени Маша он работает уже пару лет. Добывал для неё самые разные книги, большей частью научные, иногда беллетристику. Кто такая — не знает, контакт имел только по телефону, причём односторонний, она звонила сама. Это его, кстати, всегда удивляло. В общем-то клиенты у него так не шифруются, он же не наркотики продаёт и не оружие, а где достал книги, клиенты знать не обязаны. Говорит, покупатели у него были самые разные, в том числе и высокопоставленные. Даже...

— Это к делу не относится, — сказал Михаил. — Ребёнку нужны книжки для развития, а если их уже не печатают...

— Дед! — возмущённо воскликнул Найд.

— Замнём вопрос, — сказал я. — Три недели назад он добыл для Маши несколько книжек. В старом железнодорожном депо. Ремонт вагонов, устройство систем вентиляции и кондиционирования...

Настя, подошедшая к Михаилу со шприцом, негромко выругалась. Потом склонилась над Михаилом и вонзила ему иглу в вену. Тот даже не вздрогнул. Сказал:

— Улика, конечно, косвенная. Но думаю, что ни один суд после этого её не оправдает.

— Тогда Маша и упомянула про кусающихся кваzи. Была какая-то возбуждённая, будто навеселе. Фразу Библиотекарь посчитал неудачной шуткой, но когда услышал об агрессивном дедушке и происшествии в музее — задумался. Вчера рано утром от Маши поступил ещё один заказ, на книжку, которую отпечатали перед самой Катастрофой. Она и упомянула, что экземпляры могут найтись у сотрудников издательства или типографии, возможно, в дачном посёлке. Очень торопила. Говорила, что подарок на день рождения. Библиотекарь вроде как заподозрил неладное, но деньги были обещаны хорошие. Он взял сына и поехал в посёлок. А тут и мы. И всё завертелось.

— Очень всё странно, — сказала Настя, вынимая иглу. Разумеется, никакими дезинфицирующими салфетками она перед уколом не пользовалась, и к ранке после не прикладывала. У кваzи кровь из царапин и места уколов не идёт, слишком густая, микробы им не страшны. — Диверсию на транспорте, выходит, планировали давно. А тут вы с Сашкой! Совпадение?

Я развёл руками.

— За что купил, за то продал. Мне не показалось, что Библиотекарь врёт. Он, в общем-то, мужик умный и напугался изрядно.

— Ему хватит ума не встречаться с Машей, если та позвонит и спросит про книжку? — неожиданно спросил Михаил.

— Разумеется. Он книжку-то прихватил, но сразу сказал, что даже трубку брать не будет, если Маша позвонит.

— Так значит, ему не хватило ума отключить телефон, номер которого Мария знает? — уточнил Михаил.

— Блин, — сказал я. — Блин, блин, блин. Михаил, но это уже паранойя, какие у неё должны быть возможности, чтобы отследить сотовый?

— Да не больше, чем повлиять на Представителя и завести нас в ловушку.

Я достал мобильник. Выбрал внесённый несколько часов назад номер Библиотекаря, набрал.

— Выключен или недоступен? — спросил Михаил.

— Нет, — слушая неторопливые гудки, сказал я. — Просто не берёт.

Я ждал полминуты, прежде чем включился автоответчик.

— Вы позвонили в вольную библиотеку «Приватир»! — бодро произнёс голос Библиотекаря. — К сожалению, сейчас я не могу подойти к телефону. Если вы хотите сделать заказ или осведомиться о поступлении книги — говорите после сигнала! Помните — информация должна быть свободной, и она предоставляется вам исключительно в осведомительных целях!

Я сбросил звонок. Потом открыл «Яндекс» и заказал такси.

— Ты знаешь, где этот хренов капер лёг на дно? — спросил Михаил.

— Да, — мрачно ответил я. — Миша, скорее всего, он просто спит. Да и вообще он уже всё сказал, что знал.

— И всё-таки нам надо проверить, как он там. Поехали.

Я покачал головой.

— Нет. Мне надоело в тебя стрелять. Если там Маша, то ты помешаешь. Если её нет, то помощь мне не нужна.

Бедренец кивнул. На его лице появилось что-то вроде мучительной гримасы. Кажется, даже, непроизвольной.

— Ты прав. Но и здесь нам оставаться без тебя опасно, — он кивнул на Найда. — Если я опять...

— Может быть вызвать ваших сотрудников? — предложила Настя.

— Они почти все кваzи, — с сожалением сказал Михаил. — И опять же... если мы принимаем гипотезу о связях Маши с нашей безопасностью... Езжай один. Скорее всего, у Библиотекаря всё в порядке, он осторожный и хитрый. Но проверь! Мы с Настей будем ждать в пиццерии за углом и присматривать за подъездом. Александр закроется в квартире и впустит нас только если мы придём с тобой.

— Или с другим живым человеком, — сказал я. — Ну... если что.

— Папа, — тревожно сказал Найд.

— Держись мой мальчик: на свете два раза не умирать... — Я помедлил. — Хотя это правило и устарело. Но звучит по-прежнему хорошо, правда?

* * *

Маркин положил передо мной на стол лист бумаги. Спросил:

— Это что?

— Анкета, — сказал я. — Моя. Заполненная. Четырнадцатая страница.

— Догада! — восхитился Маркин. — А это что?

— Галочка, — сказал я. — В пункте девяносто четыре, в графе «Нет».

— То есть ты отказываешься от возвышения.

Я вздохнул и без разрешения сел напротив начальника.

— Да. В здравом уме и в ясной памяти. Но, в общем-то, это тавтология. В пункте девяносто три я поставил «Да», что означает: «Я отказываюсь от восстания из мёртвых и прошу уничтожить моё мёртвое тело после смерти». К чему следующий пункт об особых условиях возвышения?

— Дело в том, дорогой Денис, что уничтожить твоё мёртвое тело мы можем только пока оно мёртвое. Если же ты восстал — то обращение с тобой регулируется Конституцией и Международным Пактом о правах восставших, который Россия подписала.

Я кивнул.

— Так что перед тобой маячит перспектива провести десятилетия в состоянии восставшего, — продолжил Маркин. — Пожирая червей и крыс в огороженном загоне за Мкадом, рядом с сотнями тысяч таких же ходячих мертвецов.

— То ли дело уютный спецзагон, куда каждый день вталкивают осуждённых на смерть преступников, — сказал я. — Я понимаю, Владислав. Но ответ мой будет «да, да» и «нет, нет». А что сверх этого, то от лукавого.

— Ты же неверующий.

— Можно и неверующему оставаться человеком.

Маркин вздохнул. Вернул листок в папку с моим личным делом. Сказал:

— Дурак ты. У тебя сын растёт. А жизнь — она прекрасна и удивительна, глупо от неё отказываться...

— Я могу идти?

Маркин махнул рукой.

Дурашливо щёлкнув каблуками, я развернулся.

— Ты ещё передумаешь, — сказал Маркин мне вслед. — Ты думаешь, Денис, что ты такой смелый, непреклонный и с моралью твёрже моржового хера. А на самом деле...

— Что «на самом деле»? — спросил я, не поворачиваясь. — Смерти не видел?

— Жизни ты не видел. Но однажды ты ко мне подойдёшь и попросишь своё личное дело. Все приходят, рано или поздно. И я дам тебе переписать четырнадцатую страницу. Даже не стану ничего спрашивать и многозначительно улыбаться. Но это обязательно произойдёт, если ты не ухитришься угробить себя слишком быстро.

Таксист был говорливым. Обычный молодой парень, живой, подрабатывающий вечерами.

— У меня и «Яндекс-такси», и «Убер», и «Гетс», и ещё три такси-агрегатора, — рассказывал он в дороге. — Мониторю все заказы, стоит специальная программа, всё сравнивает и выбирает лучшее. Сам написал, кстати. Вот обкатаю программу как следует, выложу в инете, буду продавать.

Похоже, он немного стеснялся того, что занимается частным извозом.

— Не упусти момент, — сказал я. — А то появятся такси с автопилотом, не успеешь заработать.

— Ещё не скоро, — уверенно сказал парень. — Одно дело машину по улицам водить, другое — с клиентами работать. Вот садится ко мне человек и говорит: «Я хочу попасть в такой бар, где можно снять девчонку-кваzи, и не профессионалку, а любительницу живых мужиков». Какой робот сумеет его правильно отвезти? А я сумею. Ну а если надо профи, тоже подскажу.

— Да, робот тут не помощник, — согласился я.

Парень бросил на меня быстрый взгляд в зеркало.

— Это не противозаконно, если что. Это, может, в Москве запрещено. А у нас нет. Потому что если девушка при жизни нуждалась в сексе, то, став кваzи, она не способна поменять свои вкусы.

— Мне-то что? — пожал я плечами.

— Ну я ведь вижу, что вы москвич и работаете в органах.

— Мачете, — понимающе кивнул я.

— Носить мачете не запрещено, — сказал парень. — По манере разговора понятно. У меня отчим в органах работал, я на него и его дружков насмотрелся. Нет, отчим толковый, я его даже папой зову, ему приятно. Но полиция — она отпечаток накладывает.

— А сам чем занимаешься? — спросил я. — В свободное от работы водителем и написания программ время?

— На космическую программу кваzи работаю, — с гордостью сказал парень. — Считаю всякое разное.

— Ну и скоро они на Марс полетят?

Парень рассмеялся.

— Не очень. Бóльшая часть технологий и инфраструктуры — она у людей. Если бы всё человечество способствовало — через пару лет могли бы первый корабль отправить. А так — сплошная масковщина...

Юркий «гольф» уже миновал Ушаковский мост и ехал по Приморскому проспекту. Вечер и дождь были нам в помощь — движение по проспекту было слабое.

Впереди уже сиял «Лахта-центр», неизменный источник раздражения коренных питерцев. Будь их воля — ничего выше Адмиралтейства до самой Москвы бы не построили.

— А вы бы хотели, чтобы кваzи улетели на Марс? — спросил я, в полной уверенности, что юноша возмутится.

— Сложный вопрос, — против ожиданий ответил тот. — С одной стороны, нет, конечно. С другой — если у них будет свой мир, а у нас свой, то всем станет легче. И вообще интереснее жить, если знаешь, что после смерти попадёшь в другой мир.

— Этим вопросом обычно занимается религия.

— Я в Нарнии всякие не верю, — сказал парень. — Я материалист и атеист. Я верю в торжество человеческого разума во всех его проявлениях.

— У-э-э, — проворчал я негромко и кровожадно.

Парень вздрогнул и покосился на меня. С обидой сказал:

— Смеяться над восставшими нехорошо.

— Да я и не смеюсь. Но в их «проявлении» разума немного.

— Период, когда мы восстаём, но ещё не возвысились, это необходимое испытание и очищение разума, — убеждённо сказал парень. — Чем меньше ты отягощал при жизни карму, тем быстрее этот этап минует.

Вот это был материализм и атеизм высшей пробы! Фантастический атеизм! Это даже не традиционная Церковь Кваzи, это что-то новое, дремучее и самобытное.

— Вам приходилось убивать восставших? — неожиданно спросил парень.

— Всякое бывало.

— Вы же понимаете, что лишили кого-то полноценной жизни?

— Когда живой преступник нападает на людей, полиции тоже приходится стрелять. Даже если это хороший в целом человек, выпивший лишнего или впавший в состояние аффекта.

— Оно, конечно, так, — согласился парень. — Я не осуждаю. Но убитый человек восстанет, возвысится и снова будет жить. А убитый восставший умирает навсегда. Есть разница. Знаете ведь, вчера в поезде трагедия случилась? Вижу, что знаете, ленточку носите... Молодые ребята, офицеры, будущие подводники. Ужасно, конечно, но они все восстанут и будут работать с кваzи над их космической программой.

— Какая связь между подводниками и космосом?

— Да самая прямая, это же не звёздные войны, там не пилоты нужны, чтобы за джойстик дёргать и «пиу-пиу» по вражеским кораблям. Те, кто готов жить в маленьких помещениях, где за стенкой смертельная среда, — куда полезнее для колонизации Марса. Тем более они молодые, мотивированные, смелые. Представитель уже сказал, что кваzи приложат все усилия для их быстрейшего возвышения и реабилитации. Но один-то погиб насовсем. Какой-то полицейский его убил.

— Может, это я был? — предположил я задумчиво.

— Шуточки у вас, — сказал парень с обидой. — Ага, вы убили, а я с вами заговорил. Таких совпадений не бывает. По теории вероятности.

— Как раз по теории вероятности всё что угодно может быть, — возразил я. — Например, в соседнем вагоне мог ехать человек с секретным заданием. Увидел, что целый вагон полёг, и решил, что хотели его убить. Но в целом я ваше мнение разделяю. За совпадением обычно стоит непонятая закономерность.

Мы уже подъезжали к «Лахта-центру», сияющим кристаллом заслонившему полнеба.

— Всё может быть, — с сомнением признал водитель. — Вот, приехали... Вам к казино или к ресторану?

— Мне к входу в офисы.

— Ночь же.

— Работа такая, — вздохнул я. — Полицейская.

— Выемка документов? — предположил парень.

Я загадочно улыбнулся и вылез из машины.

Жилые комплексы в небоскрёбе «Лахта-центр», конечно, были. Но совсем немного, и стоили они так, что никакой самый удачливый книжный вор не мог их себе позволить.

А вот маленький офис на тридцать втором этаже Библиотекарь снимал. Разумеется, никакого отношения к его основному полузаконному бизнесу тот не имел. То ли для прикрытия, то ли благоразумно подумывая о легализации, Мшанин владел через подставных лиц маленькой издательской фирмой, печатающей книги «по требованию». Если кто-то хотел осчастливить мир своим шедевром в бумажном виде или не мог раздобыть редкую книгу и хотел получить репринт, то фирма «Лучший подарок» была готова отпечатать ему всё, что угодно. Разумное дело, если разобраться.

Санкт-Петербург — город большой, бизнес в нём и раньше никогда не спал, а уж после Катастрофы и появления кваzи ночь в нём стала довольно условным понятием. Нет, конечно, большинство людей и кваzи предпочитали работать днём, но и ночью в вестибюле было многолюдно.

Милая живая девушка за пропускным столом глянула на мой паспорт и прощебетала:

— Офис «Лучшего подарка» открыт, я должна осведомиться, ожидают ли вас.

Это в мои планы не входило, и я наудачу спросил:

— Скажите, а господин Мшанин не оставлял распоряжения, кого можно к нему впускать в любое время?

Девушка посмотрела на экран и огорчённо покачала головой.

— Нет. Я должна позвонить.

Пришлось некоторое время подождать, после чего девушка извиняющимся тоном сказала:

— Мне очень жаль. Но часы не приёмные, и хотя господин Мшанин в офисе, но я не могу вас впустить.

— К нему вечером кто-нибудь заходил?

— Боюсь, что не могу вас проинформировать.

Я молча достал и положил перед ней удостоверение сотрудника госбезопасности.

— Санкт-Петербург — город квазu, — сказала девушка, глядя на корочку с двуглавым орлом.

— И находится в России, — заметил я.

— Это верно, — согласилась девушка. — Нет, посетителей не было.

— Тогда я пройду в офис, если вы не против.

— Вы сейчас на службе?

— Мы всегда на службе, — пафосно сказал я.

— Тогда вам нужен ордер...

— Но данный визит неофициальный. Просто хотел показать, что мне можно доверять. Я не вор, не шпион конкурентов...

Видимо, она нажала на какую-то кнопку, поскольку к нам подошёл один из охранников.

— Витя, проводишь господина Симонова, сотрудника органов государственной безопасности, в офис тридцать два—шестнадцать? — мило улыбаясь, произнесла девушка.

Витя, крепкий квазu средних лет, одетый в голубую форму корпоративной полиции «Газпрома», кивнул.

Да что ж за невезение.

Я огляделся. В фойе было ещё три охранника — двое мужчин-кваzи и живая женщина лет сорока, невысокая и плотная, как и все охранники — с резиновой дубинкой на поясе.

— А могу я попросить другого сопровождающего? — как можно деликатнее спросил я.

Лицо «Вити» не дрогнуло, а вот милая девушка посмотрела на меня с отвращением. И со всей прямотой двадцати лет спросила:

— Вы не хотите, чтобы вас сопровождал кваzи?

— Нет, что вы, — сказал я, подпустив в голос возмущения и обиды. — Дело не в этом. Я бы хотел, чтобы со мной пошла женщина. Понимаете... тут очень деликатный вопрос... господин Мшанин сегодня вдрызг разругался с женой... забрал ребёнка, пошёл ночевать на работу... Лида мне позвонила, попросила поговорить с мужем, уговорить вернуться. Но сами понимаете, тут лучше прийти с женщиной, чем с мужчиной.

Если бы у меня была хоть одна разумная идея, почему другу семьи, взявшему на себя неблагодарную роль среди ночи примирять супругов, лучше идти на разговор с женщиной-охранником!

По-моему, пытаться мирить ругающихся супругов вообще не стоит, только с обеих сторон отгребёшь. Пусть этим занимаются психологи, им за это хоть деньги платят. А уж идти сразу после ссоры... и брать с собой чужую тётку с дубинкой...

Бред собачий!

Но я искренне смотрел девушке в глаза, ожидая понимания.

— О, — сказала девушка. — Конечно... Лида, да?

Охранник кивнул. Спросил:

— Позвать?

— Лучше попроси её проводить господина Симонова.

Я ни секунды не сомневался, что как только отойду от стойки приёмной, девушка позвонит в службу безопасности и сообщит про странный частный визит московского гэбэшника. Ну и пусть. Мне было важно, чтобы сейчас вместе со мной не шёл кваzи.

Лифт, как и положено в подобном пафосном здании, был огромным и роскошным, с полом из карельской берёзы и отделанными гранитом стенами. Это ж сколько лишнего веса приходится таскать моторам. А всё человеческое тщеславие. Кваzи бы обошлись голой металлической кабинкой...

Кажется, я начинаю размышлять как кваzи. Может, это заразно?

Охранник Лида стояла рядом, с любопытством поглядывая на меня. Где-то на уровне десятого этажа спросила:

— Вы действительно из госбезопасности?

— Так точно, — сказал я.

— У нас что-то не так? — по-деловому поинтересовалась Лида.

— Не знаю пока, — сказал я. — Скажите, а мог кто-то незамеченным пройти в этот офис?

— Всё пишется, — коротко ответила Лида.

— Понятное дело. Но мог кто-то войти в один офис, а зайти в другой?

— Конечно. Мы же не всех провожаем, просто сейчас время ночное. У нас тут не ГУЛАГ, у нас офисы. Можно даже в ресторан на крыше пойти, туда лифт прямой, но лестницы-то никто не закрывает, взял да спустился. Или пойти в офис, где круглосуточная работа и приём. И не дойти. Или пиццу понести в один офис, а потом заглянуть в другой. Вы беспокоитесь за человека или содержимое офиса?

Хорошая девочка. Всё ловит на лету.

— За человека.

— Почему с Витей не пошли?

Ей я врать не стал. Это была серьёзная умная женщина, пережившая Катастрофу взрослой. Наверное, даже если бы я сказал, что не люблю кваzи, она бы поняла.

— Там может быть небезопасно для кваzи, — сказал я.

Лида хмыкнула, внимательно на меня посмотрела и кивнула.

Мы вышли на тридцать втором, миновали ещё один маленький стол приёмной (видимо, по причине ночного времени за столом никого не было) и прошли по коридору. Миновали большой «открытый офис», где в своих стеклянных выгородках днём трудился офисный планктон, несколько отдельных кабинетов, ещё один коридор с частыми дверями — видимо, множество мелких офисов. У двери с номером «32–16» и табличкой «Частный издательский дом “Лучший подарок”» Лида остановилась и посмотрела на меня.

Я прислушался.

Тихо.

Потрогал ручку двери.

Заперто.

— Откройте, — попросил я.

Лида поколебалась, потом сняла с пояса магнитную карточку и приложила к двери. Замок щёлкнул.

Носком ботинка я слегка приоткрыл дверь. Внутри было темно. Слабый свет из коридора делал нас превосходно видимыми из офиса, но не позволял ничего рассмотреть внутри. Вздохнув, я открыл дверь и вошёл.

Офис был небольшой, в одну квадратную комнату. Окно плотно закрывали жалюзи. На диванчике лежал мальчик Петя, накрывшись каким-то пледом, из-под которого торчали трогательно тощие, но уже изрядно волосатые руки и ноги. В кресле, запрокинув голову, сидел Мшанин, на столе перед ним, рядом с закрытым ноутбуком, поблёскивали снятые очки.

— Мертвы? — тихо спросила Лида, снимая с пояса дубинку. Я только хотел спросить, чем ей поможет резиновая палка, если мертвецы сейчас восстанут, но Лида щёлкнула какой-то кнопкой у основания дубинки — и вытащила из неё, как из ножен, тонкий стальной клинок. А неплохое снаряжение у «Газпрома»!

Я осторожно подошёл к диванчику. На полу возле диванчика лежала раскрытая книжка. В глаза бросилась строчка: «...жизнь снова наладилась, работа пошла, как прежде, и никто больше не огорчался из-за того, что утратил бесполезную привычку спать».

— Как же так... — растерянно и довольно громко сказала Лида.

— А! Кто здесь! — внезапно вскинулся из кресла Мшанин. Зашарил по столу руками в поисках очков.

Мальчик Петя заворочался и что-то пробормотал. Кажется, фигурировали слова «рано», «школа» и «нафиг».

— Лида, отбой тревоги, — сказал я с облегчением. — Всё в порядке. Андрей Ростиславович, гуд ивнинг, бон суа, бона сера.

— Что вы тут делаете? — нацепив наконец-то очки, воскликнул Мшанин. — Что происходит? Как вы вошли?

— Извините, недоразумение, — официальным тоном произнесла Лида и, окинув меня укоризненным взглядом, попыталась за локоть потащить к дверям.

— Андрей Ростиславович, нам надо поговорить, — сказал я. — Лида, всё в порядке, можете нас оставить.

— Всё в порядке? — зачем-то придавая голосу басовитости, спросила Лида у Мшанина.

Тот несколько секунд хлопал глазами, глядя то на неё, то на меня. Потом сказал убитым голосом.

— Да, да. Всё в порядке. Это мой... э... товарищ. Мы поговорим немного.

— Ну... как знаете. — Лида ещё раз с обидой посмотрела на меня и вышла. Мшанин включил маленькую настольную лампу. Посмотрел на диванчик.

— Спит Пётр Андреич, — успокоил я его. — Утомил господин Маркес его молодой здоровый организм.

— Зачем вы пришли? — Мшанин заёрзал в кресле, потянулся. — Я только задремал! Выпил две таблетки мелатонина, посмотрел идиотское ток-шоу и попытался уснуть... Господи, времени-то всего полдвенадцатого! Я десять минут как уснул! Знаете, как плохо просыпаться в быстрой фазе сна?

— Почему не брали трубку? — ответил я вопросом.

— Слушайте, Симонов, я что, на идиота похож? Я выключил телефон, вынул батарею. Мне не нужно, чтобы меня отследили.

— Мы беспокоились.

— Офис не на меня, про эту сторону моей жизни никто не знает. Я сегодня первый раз пришёл сюда не как посетитель, а с доверенностью на право работы. Днём здесь сидит совершенно другой человек и принимает заказы...

Мшанин, покряхтывая, встал, ещё раз поглядел на диванчик, убедившись, что с отпрыском всё в порядке. Дошёл до маленького столика в углу, включил капсульную кофе-машину. Поглядел на меня неприязненно, но всё же спросил:

— Будете кофе?

— Буду.

Пока машинка тихо урчала, прокачивая кипяток сквозь капсулу с кофе, Мшанин, позёвывая, сказал:

— Нет, мне даже отчасти приятно, что вы обо мне беспокоитесь. Драный Лис и московский майор волнуются о моей судьбе... Но что бы мне угрожало?

— Сами же выключили телефон.

— Перестраховка, — пожал плечами Мшанин. — Я вам всё уже рассказал. Я Библиотекарь. Я добываю книжки. Большей частью честно. Этот заказ взял у женщины по имени Маша. Как я понимаю, она вам знакома, так? Пусть даже вас заманили в ловушку с моей помощью, зачем меня похищать или убивать? Я всё, что знал, уже рассказал. Никто не убивает бесцельно, месть — привилегия девятнадцатого века... Ищите эту сволочь. Я уже купил билеты, мы утром с сыном улетаем на отдых в Крым.

Я кивнул, принимая из его рук чашку с кофе. Сказал:

— Отчасти вы правы. Но вы живой свидетель, вам Маша заказывала книги. В том числе и по устройству вентиляции в поезде.

Мшанин мрачно посмотрел на меня. Детали происшествия пока широко не распространились, смертельное отравление могло быть вызвано чем угодно. Но полагаю, Библиотекарь был достаточно умён, чтобы задуматься и о такой версии. Он спросил:

— Как там Драный Лис?

— Всё в порядке. Он же кваzи. Поблагодарил за помощь.

— Я думал, он вас с дерьмом смешает за нападение. — Мшанин покачал головой. — Так Драный Лис действительно испытал приступ помешательства?

— Да.

— Кто-то разработал оружие против кваzи, — сказал Мшанин. — К гадалке не ходи. Возможность свести кваzи с ума, чтобы он набросился на людей... Какой кошмар. Что творится в мире, я в ужасе!

— Давайте я вас провожу в Пулково, — сказал я. — Понимаю, тут большое здание, охрана... Но сейчас ночь. Только в аэропорту это не имеет особого значения. Да и охрана там более жёсткая. Подремлете на лавочке...

— Мы можем пойти в бизнес-зал, — ворчливо сказал Мшанин. — Нет, искренне благодарю за предложение помощи, но, право же, не стоит.

Я выжидающе смотрел на него.

— Хорошо, хорошо, — сдался Мшанин. — Всё равно уже не уснуть. Петя!

Юноша заворочался. Я встал, подошёл к двери. Приоткрыл её, выглянул в коридор.

Увидел высокий женский силуэт, мелькнувший в конце коридора. То ли услышав звук открываемой двери, то ли почувствовав мой взгляд, женщина обернулась — и мы с Машей посмотрели друг на друга. Потом она бросилась бежать в сторону лифтов.

Я опустил глаза.

Под дверью офиса стояла прозрачная пластиковая коробка с суси и сасими. Рядом — двухлитровая бутылка колы. Причём диетической, тьфу, мерзость. Но больше всего мне не понравился мобильник, прикрученный к бутылке колы скотчем.

Я захлопнул дверь, метнулся внутрь. Заорал:

— Ложитесь! За диван! Бомба!

Едва проснувшийся мальчик Петя отреагировал на удивление адекватно — соскочил с дивана, отодвинул его от стены и съёжился между диваном и стенкой. А вот Мшанин уставился на меня с изрядным сомнением.

— Это же «Лахта-центр»! Сюда бомбу не пронести, здесь датчики на входах!

Воротца анализаторов на входе и впрямь были, и, как я помнил, вполне себе работающие, а не отключённые по лени охранников. Но...

— Это газовая бомба, — сказал я. — Там яд. Как в поезде. Тут есть самоспасатели? Окно можно открыть?

Мшанин замотал головой.

— Пистолет! — потребовал я.

Мшанин не стал спорить и протянул мне оружие Бедренца.

— Звони охране, — сказал я, снимая пистолет с предохранителя. — Скажи, что тут, предположительно, химическая бомба. У них должны быть изолирующие противогазы.

— Зачем оружие? — спросил Мшанин, хватая трубку. — В газ стрелять будете, что ли?

— Если бомба взорвётся, я выстрелю в окно. Сквозняком всё будет высасывать в коридор.

— Или затягивать в комнату!

— Как повезёт, — признался я. — Звони!

Глава восьмая

ДОЧЬ КАПИТАНА

Бедренец смотрел на меня с искренним удивлением.

— Денис, ты хоть понимаешь, что ты идиот?

— Михаил...

— Ты открываешь дверь, видишь на пороге бомбу и удаляющуюся преступницу. Да, я понимаю, что обезьяньи инстинкты требуют немедленно убегать. Желательно даже прятаться. Но делать это в комнате с единственным выходом, на пороге которой лежит бомба? Почему ты не перепрыгнул через эти тухлые сасими и не кинулся за Машей? Шансов уйти из зоны поражения было больше на порядок. На два порядка!

Мы сидели в служебном помещении охраны — просторном зале с экранами, демонстрирующими пустые коридоры и офисы. Газпромовские полицейские, и живые, и квazи, носились туда-сюда как ошпаренные. Видимо, происшествие и впрямь было нерядовое.

Бомбу унесли через пять минут после того, как Мшанин позвонил в охрану. Пришли двое квazи, даже без противогазов — да и на что им противогазы, на них яды практически не действуют. Сейчас творение японской кухни вместе с интернациональной «колой» было надёжно закрыто в герметичном стальном контейнере (мобильник на всякий случай срезали и унесли на проверку). В такие контейнеры, «бомбоящики», прячут подозрительные объекты на станциях метро и в других общественных местах, они способны выдержать взрыв трёх килограммов тротила и абсолютно герметичны. У охраны такая бронированная капсула, как выяснилась, тоже имелась.

Нас троих доставили вниз, усадили на диван и укутали в дурацкие пластиковые одеяла из теплоотражающей плёнки. Все мои попытки объяснить, что я не в шоке, не замёрз, работаю в спецслужбе и должен преследовать преступника, разбивались о непреклонную заботу охранников. На мне поправляли одеяльце, успокаивали и просили не нервничать.

Только когда через час приехали Бедренец и Настя, меня всё же избавили от навязчивой заботы. Мшаниных отвели в сторону, где их продолжали расспрашивать охранники, что Библиотекарю явно нравилось не больше, чем мне. Зато я был вынужден выслушивать отповедь Михаила.

К сожалению, вполне заслуженную.

— Я не мог оставить Мшанина с ребёнком...

— Если бы ты просто крикнул им «бегите», этого было бы достаточно. На что ты рассчитывал? Что дверь герметична?

— Я хотел выбить окно. Ветром бы выносило...

— Всё бы втягивало из коридора в комнату! — Михаил страдальчески посмотрел на меня. Он где-то успел разжиться новым пиджаком и белой рубашкой и снова выглядел привычно-старомодно. — Ты физику не учил в школе? Окна не бил в детстве? Впрочем, здание бы ты обезопасил, но себе и Мшаниным устроил гарантированную газовую камеру!

— Михаил, но бомба не взорвалась! — я помедлил и сказал. — Может, там вообще бомбы нет. Может, это просто суши и кола...

— Суси, — поправила Настя. — В японском языке нет шипящих.

— Значит, парселтанг японцам недоступен... — вздохнул я. Пояснил: — Парселтанг — это змеиный язык из «Гарри Поттера», он сплошь шипящий.

— Клоун, — ещё раз выругался Михаил. — Была там бомба. Мобильник разобрали. Три грамма взрывчатки. Хватило бы разорвать бутылку. Так что... я полагаю, там не просто водичка с кофеином и сахаром...

— Там даже сахара нет, она диетическая... — ляпнул я. Михаил посмотрел на меня так, что я тут же заткнулся. — Извини. Это нервы. Я всегда начинаю глупо шутить, когда меня пытаются убить.

— Что бы я сказал Александру? — спросил Бедренец. — Ты испугался за чужого мальчишку, верно? Который, кстати, грозил тебя застрелить. А о своём сыне подумал? Я тебе поверил. Я разрешил тебе в одиночку поехать к Библиотекарю. Ожидал разумного поведения! А ты?

Я непроизвольно зевнул.

— Михаил, да, я балбес. Вместо того чтобы гнаться за Белинской, я совершенно непрофессионально попытался укрыться от бомбы. Признаю. Но сейчас уже два часа... полтретьего ночи. Или мы пытаемся всё-таки поймать Марию, или я еду спать. Заодно Найда успокою.

— Я уже ему позвонила и успокоила, — сказала Настя. Посмотрела на Михаила. Они будто о чём-то беззвучно говорили, хоть я и знал, что кваzи не телепаты. — Принесу кофе.

Она пошла к охранникам. Там, где есть полицейские или охранники, — есть и кофе. В хорошем автомате, который сам мелет зёрна, в капсульной машине, в древней джезве, стеклянном френч-прессе или италь янской гейзерной кофеварке. Ну или растворимый в банке, на худой конец. Полицейские и кофе — они лучшие друзья.

— Тут же всё в камерах, — сказал я. — Неужели она ушла?

— Ушла, — подтвердил Михаил. — Но её отследили.

— Взяли?

— Сам возьму. За ней следят, она никуда уже не сбежит.

— Михаил, ты же знаешь, это работа не для кваzи. Мы с тобой уже бегали по городу за опасной дамочкой, но та была мёртвая и опасная для людей. А эта — живая и опасная для кваzи. В группе захвата должны быть люди.

Бедренец молчал.

— И я один из немногих, кому ты всё-таки можешь доверять, — напомнил я. — Могу сказать волшебное слово.

— Ну скажи.

Я задавил порыв назвать одно из многих очень даже волшебных, но совсем не подходящих для ситуации слов.

— Пожалуйста.

— Ты хороший полицейский, Денис, — сказал Михаил негромко. Я вдруг почувствовал, что сейчас он говорит от души — уж не знаю, какая там душа у кваzи, но что-то, наверное, есть? И говорит то, что ему давно накипело. — Как бы ты ни ёрничал, какая бы ненависть тебя ни сжигала. Но ты знаешь, что дóлжно делать — и делаешь. Мы с тобой в этом похожи. Поэтому ты и кинулся к гражданским, вместо того чтобы убегать. Была бы под дверью граната — ты лёг бы на гранату.

Я не стал спорить. Я считал, что он не прав. Или не совсем прав. Но я не стал спорить, потому что сказал волшебное слово и очень надеялся, что оно сработает.

— Но сейчас ты не полицейский. Ты работаешь в человеческой спецслужбе. Неважно, чем человек занимается в спецслужбе — ведёт разведку, ловит иностранных шпионов, проверяет крупных чиновников. В любом случае у спецслужбы другие законы, не полицейские. Вначале выполняй задание, а потом спасай невиновных, будь они хоть дети, хоть старики, хоть беременные женщины.

— Ты возьмёшь меня на задержание? — спросил я в лоб.

— Почему ты считаешь это правильным? После своего фиаско?

— Потому, что я живой, — сказал я. — И — нет, я говорю не про управление квази. Маша могла меня убить в поезде, ударить ножом в спину. Могла взорвать бомбу под дверями офиса. Но она этого не сделала. Она почему-то не хочет меня убивать, неужели ты не видишь?

— А за городом?

— Михаил, мы слишком много о себе мним. Это была засада на Библиотекаря. Может быть, на тебя. Но меня там не ждали. Не знаю, где Мария сидела и командовала атакой, но твой Игорь меня бы убил. Она его остановила. Понимаешь?

— Игорь сказал, что ничего не помнит с определённого момента. Что им овладела ярость, он хотел убивать живых, дрался с тобой...

— А потом отключился.

Михаил кивнул. Нахмурился.

— Вот и я о том, — пояснил я. — Она его остановила.

Вернулась Настя, принесла чашку кофе, протянула мне. Я глотнул. Растворимый. Но крепкий и сладкий.

Я выпил кофе, будто лекарство, глядя на Михаила.

— Хорошо, — сказал Бедренец. — Поехали. Это выглядит чертовски нелепо, но, возможно, ты прав.

* * *

В большом городе всегда было легко затеряться. Даже в современном, где повсюду натыканы видеокамеры, отслеживается движение всех машин и перемещение всех мобильников. Конечно, можно изменить внешность — кваzи способны на это в достаточно больших пределах, а человеку на помощь могут прийти грим, маски, накладки на тело, особая одежда, воздействующая на компьютерные системы: мало кто знает, что определённые принты на рубашке или платье сводят нейросети с ума.

Тут важно, как рыбе, — не попасть на крючок. А если уж попадёшь, то рано или поздно тебя выудят.

Камеры отследили Марию через всё здание «Лахта-центра». Она успела выйти, но её идентифицировали при посадке в такси. Отследили сигнал мобильника. На Крестовском острове она вышла из такси в точке, где не было ни одной камеры, а сигнал мобильника исчез. Но через три минуты в машине, двигающейся по направлению к Петропавловской крепости, заработал новый мобильник, с давным-давно не использовавшейся сим-картой. Машина притормозила на Ординарной улице, а мобильник двинулся в сторону неработающего по ночному времени метро — где камеры снова увидели Марию. Она была в большой, не по размеру куртке с надвинутым на голову капюшоном, но ни обувь, ни джинсы не изменились. У метро Мария села в такси, и снова отключила телефон, но камеры уже зафиксировали машину и отслеживать начали мобильник водителя — до момента, когда Мария вышла на 11-й линии Васильевского острова. А через десять минут на верхних этажах дома 58 снова был зафиксирован сигнал её мобильника.

Всё это рассказал мне Бедренец, пока мы ехали в машине — слава Богу, не с Игорем, а с другим кваzи за рулём.

— Водителя такси допросили, он просто подвёз клиента. Водителя машины, который подвозил её с Крестовского, пока ищут, — закончил Бедренец. — Он, похоже, выбросил свой телефон и рванул куда-то за город.

— Готов поставить сто к одному, что водитель — кваzи, — сказал я. — И он сам не понимает, почему взялся подвезти голосующую женщину, потом отдал ей свою куртку и рванул из города. Если бы это был сообщник, то она бы сменила внешность получше.

— Согласен, но его найдут, — сказал Бедренец. — Всё, Мария добегалась. Квартал оцеплен. К утру она всё расскажет.

Я поморщился. Не люблю такой категоричности, да и Михаилу она обычно не свойственна.

Квартал и впрямь был оцеплен, причём люди стояли на расстоянии прямой видимости друг от друга. И, кажется, это всё были живые.

— Откуда столько людей? У вас же «нет полиции»? — спросил я, глядя на молодые лица. За оцепление нас пропустили, лишь бдительно проверив документы. Несколько случайных ночных прохожих болтались за линией оцепления, снимая происходящее на мобильники. Им не мешали, видимо, в связи с полной безнадёжностью этого.

— Добровольцы. По большей части — курсанты и офицеры.

— Ага, — сказал я удовлетворённо. Этим достаточно было лишь намекнуть, что ловят преступника, убившего целый вагон курсантов, чтобы получить сто процентов добровольцев.

Мы остановились рядом с выходящим на 11-ю линию старым семиэтажным домом вполне приличного вида — эркеры, балкончики, фасад хорошо отреставрирован. Подворотня, впрочем, была тёмной и грязноватой.

Здесь оцепление даже не пробовало скрываться. Я насчитал человек двадцать в прямой видимости. Некоторые открыто держали оружие. Кваzи было всего двое или трое, будто мы и не в Питере.

— Не взяла бы заложников, — выбираясь из машины, сказал я. — Постучит в дверь к соседям, приставит пистолет к виску...

Михаил пожал плечами. Встал, глядя вверх, на одно из окон седьмого этажа. Окно было тёмным, а вот мы в светлой питерской ночи были как на ладони.

— Она должна понять, что выхода нет.

— Я готов пойти и поговорить с ней, — предложил я.

— Нет уж, Денис. Пойдут профессиональные переговорщики. Скажи спасибо, что я вообще взял тебя на задержание.

Честно говоря, на что-то другое я особо и не рассчитывал. Человеку, который трижды упускает преступника, вряд ли доверят переговоры о сдаче.

— Долго их ждать?

— Сейчас подъедут. Представитель попросил дождаться его людей.

— Понятно, — пробормотал я. — Ну... ему виднее, конечно...

У Михаила зазвонил телефон. И это была не древняя мелодия группы «Кирит Унгол», а самый обычный звонок.

Он достал трубку, глянул на экран, явно намереваясь сбросить вызов. Но вдруг замер. Потом осторожно поднёс трубку к уху.

— Да.

Настя посмотрела на меня и вдруг начала энергично жестикулировать, показывая то на дом, то на Михаила. Наверное, слух кваzи позволил ей услышать голос. Но я понял и сам.

— К вам поднимутся люди... что?

Михаил слушал довольно долго. Потом произнёс:

— Как я могу вам доверять?

Видимо, ответ был ожидаемым. Что-то вроде «никак, а разве у вас есть выбор?». Потому что Михаил вздохнул и сказал:

— Хорошо. Сейчас он поднимется.

Он прервал связь. Посмотрел на экран, опустил руку с телефоном. Сказал, не глядя на меня:

— Да, это Мария. Ты уже понял, верно? Она хочет говорить с тобой и только с тобой. У неё флакон отравы, если она её просто выбросит из окна — все живые в квартале полягут. Во всяком случае, она так говорит. У тебя есть пять минут на то, чтобы подняться в двадцать шестую квартиру. Гарантирует тебе безопасность. Мария попросила дать вам полчаса на разговор, а потом просит меня позвонить ей. Обещает, что убегать и прятаться больше не станет.

Он замолчал на мгновение, потом добавил:

— Я ей не верю.

— Я тоже, — сказал я. — Но мне кажется, что мы не верим в разное... Двадцать шестая, значит?

— Через подворотню, первый подъезд налево, тебе откроют.

Я кивнул.

— Пистолет вернуть? — спросил Бедренец.

Пистолет у меня забрали ещё газпромовские охранники. Отдали не мне, а Михаилу. В этом была некая справедливость, в конце концов, оружие совершило круг и вернулось к хозяину.

— Да нет, не надо, — сказал я. — В конце концов, у меня же есть мачете.

Подворотня и впрямь была грязновата и пахуча. Стыд и позор местным дворникам. Я прошёл во двор, повернул налево. У подъезда стояли два молодых парня. Живых. У одного было на поясе мачете, другой держал в руках автомат Калашникова. Ого, как серьёзно.

— Доброе утро, ребята, — сказал я.

— Ещё ночь, — поправил тот, что с автоматом. В ухе у него был наушник, смотрел он на меня не очень дружелюбно, но явно был предупреждён о моём появлении.

— Тогда доброй ночи. А когда утро-то начнётся? Когда рассвет?

Вот теперь на меня посмотрели как на идиота. Но парень всё-таки ответил:

— Ну... через час, наверное...

— Полчаса, — сказал тот, что с мачете, глянув на часы.

Я всегда подозревал, что люди, предпочитающие холодное оружие, более эрудированны, чем любители огнестрела. Я тому живой пример.

Впрочем, скорее всего у парня просто были умные часы с включённым астрономическим циферблатом.

— Ясно, — сказал я. — Ну что, впустите?

Парень с автоматом открыл мне дверь и сказал:

— Последний этаж. Лифта нет.

— Почему? — удивился я.

— Дом перестроен, это была чёрная лестница для прислуги.

Ох уж мне эти старые питерские дома!

Я молча двинулся по узкой лестнице. Стены были выкрашены тёмно-зелёной краской, ступеньки облуплены. Светодиодные лампочки под высокими потолками казались тут совершенно неуместными и, будто сознавая это, светили едва-едва. Сквозь узкие оконца с грязными стёклами свет вообще не пробивался.

Тут даже двери в квартиры были не на каждом лестничном проёме. На втором дверь была, на третьем она была наглухо заколочена едва ли не со времён Великой Отечественной, на четвёртом выглядела новенькой, но судя по мусору — давно не открывалась. Видимо, часть квартир имели выход и в парадный подъезд.

«Вот парадный подъезд, по присутственным дням...» трам-пам-пам...

Я дошёл до верха, на миг остановился отдышаться. Вверх вели ещё полпролёта, видимо, на чердак, но всё было наглухо перекрыто железной решёткой и горой хлама, среди которого угадывались велосипеды со снятыми колёсами, старые лыжи и санки, холодильник «ЗиЛ-Москва» без дверцы и старинный несгораемый шкаф. Узкие окошки выходили на внутренний двор, дверь на площадке была только одна, узкая и высокая.

Полуоткрытая.

Я осторожно постучал по двери. Тишина.

Нет, я не мог удержаться. Ну в кои-то годы оказаться в Питере!

— Кто стучится в дверь ко мне? — громко сказал я. — Он с мачете на ремне!

Увы, слегка искажённые, но бессмертные строки Маршака, повествующие о трудностях почтового сообщения в доинтернетную эпоху, тоже отклика не вызвали.

Я толкнул дверь и вошёл.

Квартира была симпатичная. Не законсервированная древность, как у Аристарха Ипатьевича, и не какой-нибудь ультрасовременный дизайн с голым кирпичом и элементами умного дома (такое, как ни странно, очень любят устраивать в старых домах). Обычная квартира, только планировка странная — чувствовалось, что выгорожено из части огромной квартиры. Большая гостиная, сразу направо от двери — маленькая кухня, со стоящими на подоконнике цветами и пряными травами в горшках — очень по-женски. Ещё одна дверь — наверное, совмещённый санузел. В гостиной стояла старинная изразцовая печь, кажется, даже действующая. По стенам висели фотографии морской тематики, в шкафах тоже хватало морских сувениров: раковины, куски коралла, старинный (или под старину) медный компас... Крыша была лучше всего — потому что это была именно двускатная крыша над гостиной, с большим мансардным окном. Изнутри крыша была обшита деревянными панелями, потемневшими от времени, но я сразу представил, как тут должно быть чудесно, когда идёт дождь, капли барабанят по крыше и по стеклу.

Окно, кстати, было открыто. Под ним стояла стремянка. На третьей ступени стремянки неожиданным натюрмортом стояла бутылка шампанского и два бокала.

Ну надо же.

Я пожал плечами, ухитрился зажать в одной руке бутылку (за горлышко) и бокалы (за тонкие высокие ножки) и полез в окно.

Мария Белинская сидела на крыше в паре метров от окна. Смотрела на восток. Тучи разошлись, будто и не лил дождь весь прошлый день. Было достаточно светло, чтобы крыши Санкт-Петербурга лежали под нами разноцветным ковром, пробитым шпилями церквей, иглой Адмиралтейства, редкими жилыми новостройками.

«Лахта-центр» сиял вдалеке огромным, плохо огранённым драгоценным камнем.

— Признай, Денис, что он портит горизонт, — сказала Мария.

— Как по мне, так это ваши питерские заморочки, — сказал я, осторожно усаживаясь между окном и Белинской. Крыша была покрыта оцинкованным железом, влажным после ночи. — В любом старом городе должны быть высотные элементы. «Огурец» в Лондоне, Эйфелева башня в Париже, Останкинская башня в Москве...

— Москву уже ничем не испортишь, — равнодушно сказала Мария. — Такое же ужасное зрелище, как Нью-Йорк, только труба пониже и дым пожиже.

— Как угодно, — сказал я, примостившись понадёжнее и открывая бутылку. — Не бывал, сравнить не могу. Сейчас будет «бах», не упади.

— Сам не упади.

Бутылку удалось открыть аккуратно, без всякого «баха». Пряча пробку в карман (всё-таки культурная столица, нечего мусорить), я спросил:

— Почему именно крыша? Хотела уйти или прыгнуть?

— Хотела вспомнить детство, — спокойно ответила Мария. — Когда была подростком, мы часто лазили по крышам. Это в Питере популярная забава. Иногда удавалось пройти поверху десяток домов. Кое-где перешагивать, кое-где прыгать... дети не верят в смерть. Хотя насчёт уйти — ты тоже в чём-то прав.

— Неужели крышу не контролируют?

— Почему же не контролируют? Я вижу трёх снайперов. Они смотрят на нас. А если посмотришь вверх и на два часа — там висит квадрокоптер с выключенными огнями. Не уверена, что боевой, скорее наблюдательный.

— У тебя зрение как у кваzи, — сказал я, наклоняя бутылку. Осторожно налил бокал, протянул Марии. Та взяла не глядя. Я наполнил ещё один бокал. Бутылку зажал между колен. Спросил: — Ну так что? Сдаёшься?

— Я же сказала Бедренцу, что не буду убегать, — равнодушно ответила Мария.

— Уже хорошо. Может заодно объяснишь, что именно ты творишь?

— Я говорила. Пытаюсь помочь людям и кваzи. Я хочу только добра.

— Если бы каждый, кто говорил мне, что хочет только добра, давал мне по рублю... — Я задумался. — Пожалуй, у меня было бы рублей десять.

— Смешной ты человек, Симонов, — сказала Маша. Глотнула шампанское. — Ладно. У нас есть пятнадцать минут. Можем поговорить.

— Ты заложила бомбу и убила курсантов?

— Я их не убивала. У меня отец был капитаном, я бы никогда...

— Знаю я, кто твои родители. Ты заложила бомбу? — с напором спросил я.

— Да. Но это...

— Понимаю-понимаю. Это не смерть, это всего лишь переход из одной формы существования в другую... Любой убийца со времён Катастрофы говорит одно и то же, вот только сам не хочет менять «форму существования».

— Долгий и бессмысленный спор. Ты не понимаешь кваzи, а судишь их. На этот разговор у меня уже нет времени. Я не убийца.

— А тот старичок-кваzи и его правнук? Ты к этому не причастна?

Мария молчала. Потом негромко сказала:

— Это случайность. Я очень сожалею. Очень. Это трагедия, и вина на мне.

— Хорошо, хоть в чём-то мы согласны, — сказал я. Глотнул ещё шампанского. Нечасто я его пью, даже в голову ударило. Может, от бессонной ночи? — Простой вопрос — почему ты меня не убила? В поезде, в пивной, за городом, в офисе? Четыре раза у тебя была возможность меня убить, но ты останавливалась. Я не моряк, мы с тобой незнакомы. Почему?

— Сам-то что думаешь? — глядя на восток, спросила Мария. Горизонт светлел, но рассвета пока не было.

— Только одна женщина в мире могла бы колебаться в такой ситуации, — сказал я. — Ну, не считая моей мамы, конечно.

— Ольга, — понимающе сказала Мария, и я вздрогнул.

— Да. Но ты не она.

— Уверен? — насмешливо спросила Мария. — Одиннадцать лет как-никак...

У меня неожиданно заныло в груди. Сердце, что ли? Да ну на фиг...

— Не надо со мной играть, — сказал я. — Человек может измениться, но не настолько. И мы знаем, кто ты. Маша Белинская, закончила Военно-медицинскую академию, самые лучшие отзывы, считалась пропавшей после Катастрофы. Но ты... ты знала Ольгу?

— Она была моей подругой, — сказала Мария. — Лучшей. Единственной настоящей.

Я подумал, что мне почему-то неприятно это слышать. Ольга была уже в прошлом, жизнь нас развела, и в общем-то Мария ничего особенного не сказала... но я вдруг поймал себя на том, что в моём представлении Ольга исчезла в тот день раз и навсегда. Насовсем. У неё больше не должно было быть подруг, друзей, любовников — никого. Это было совершенно мерзкое, отвратительное убеждение, я сам себя за него ненавидел, но знал, что оно есть. Что оно жило во мне десять с лишним лет.

— Мы встретились в Вышнем Волочке через месяц после Катастрофы. Так получилось — я бежала в сторону Москвы, она в сторону Питера. Мы были вместе почти год. Тяжёлый год. Сам знаешь, что тогда творилось. Потом добрались до Питера. А потом... потом ещё два года.

— А потом? — тихо спросил я. Я думал о том, что Ольга была в Питере, когда я был в Москве и искал её. Даже в те годы связаться не составило бы труда. Она не захотела. Почему? Из-за того, что с ней уже не было Сашки? Или из-за Ольги?

— Потом случилась беда. Её не стало, а я... я — вот.

— Ты... уверена?

— Да, — Мария посмотрела на меня. — Более чем. Абсолютно уверена. Я не хочу это вспоминать, но я должна была тебе сказать. Ради неё. Ольга тебя любила. По-настоящему.

Я кивнул. Потом спросил:

— Сашка?

— Когда мы встретились, она его уже потеряла, — сказала Мария. — Надеялась, что он выжил. Просила меня, если вдруг она погибнет, а я выживу, найти его. Я искала. Я не нашла. Думала, что малыш погиб. Но я рада, что ты нашёл. У тебя получается встречать хороших людей... это особый дар... Тот же Бедренец — он ведь очень славный, хотя и закоснелый. — Мария посмотрела вниз. — Девушка-кваzи рядом с ним — твоя подруга, верно?

— Бывшая.

— Всё не можешь принять новый мир. — Мария улыбнулась. — Это плохо. Тебе придётся понять, что мир изменился.

— Ты всё равно чего-то не договариваешь, — сказал я.

— Я сказала всё, что тебе нужно знать. Мой совет и просьба, если угодно. Считай, что это и от меня, и от Ольги. Бери сына и вали куда-нибудь в глухомань. Когда начнётся — у вас будет шанс выжить. Это мой подарок тебе. Будет ещё два. — Она улыбнулась, пристально глядя вниз. — Но ты их откроешь позже.

— Да что начнётся, чёрт тебя возьми? — рявкнул я. — Тоже мне, пифия, туманные пророчества и страдания мирового масштаба, ни одного слова прямо! И у людей, и у кваzи есть оружие друг против друга, все боятся войны, это как ядерное сдерживание, хреново, но никто первым не начнёт! Я тебе не верю, ни в чём не верю! На кого ты работаешь?

— Ты же умный дядька, я про тебя всё разузнала. — Мария засмеялась. — Ты уже должен кое-что понимать. Боишься сложить два и два? Хорошо, скоро тебе станет понятнее, обещаю. Налей шампанского.

Она посмотрела на мобильник, кивнула.

— И побыстрее.

Я налил, пристально глядя на Марию. Чтобы рвануться вниз, к гребню крыши и дальше, к асфальту, ей потребуется чуть-чуть привстать.

Я был абсолютно уверен, что успею её перехватить.

Мария залпом выпила шампанское. Поколебалась, потом бросила бокал. Тот не разбился — покатился по крыше, помедлил на краю — и замер.

— И красивого жеста у меня не вышло, — сказала она, покачав головой. — Сваливай из города, Денис. Прошу тебя.

На горизонте чуть-чуть зарозовело.

— Восход, — сказал я.

И в этот момент у Марии зазвонил телефон.

— Удачно, — сказала она, поднося трубку к уху и глядя на встающее солнце. — Прощай, дознаватель смертных дел.

Отвечать на звонок она почему-то не спешила, только смотрела на восток.

И тут я понял.

— Брось! — крикнул я, привставая.

Телефон зазвонил второй раз.

И взорвался.

Не знаю, три грамма взрывчатки там было или больше, а если даже три — то какая именно. Взрывчатка бывает разная.

Этого заряда хватило, чтобы разнести ей голову.

Во все стороны брызнуло красным, белым, серым — всем тем, что всего мгновение назад составляло личность Марии Белинской. Тело рухнуло на крышу, будто марионетка с обрезанной ниточкой.

Грязно ругаясь, в первую очередь на себя самого, потом на пунктуального Бедренца, а лишь потом на Машу, я стянул куртку, обтёр своё лицо. Потом посмотрел на то, что было Марией Белинской.

Марией Белинской, кваzи.

Густая красная кровь пузырилась и пульсировала в разбитом черепе. Кожа медленно бледнела, приобретая серовато-голубой оттенок.

Кваzи, кваzи, кваzи!

Она выглядела как человек и вела себя как человек. Она ела мясо и пила алкоголь.

Но она была кваzи, способной управлять не только восставшими, но и другими кваzи!

Видимо, ускоренно поднимать восставших или выводить их из-под контроля обычных кваzи она тоже могла.

Я встал. Дошёл до окна, только тут понял, что сжимаю в руке бутылку. Как я её не выронил, вытираясь? Вылил остатки шампанского на руки и вымыл лицо. Наклонился над окном.

Там стояли двое с автоматами и двое в штатском.

Вроде как люди.

Хотя... теперь уже не уверен.

— Спускайтесь с поднятыми руками! — скомандовал автоматчик.

— Сам-то понял, что сказал? — спросил я. Повернулся спиной и начал спускаться.

Кондиционер в кабинете не справлялся, сидящий за столом немолодой грузный мужчина отчаянно потел и смотрел на меня с неодобрением. Может быть, ему хотелось холодного пива. Или придумать себе занятие в другом помещении, с лучшей вентиляцией. А он на работе и должен со мной возиться. Китель мужчина снял и повесил на спинку стула, но рубашка на нём пропотела под мышками и на жирном пузе.

— Симонов, значит, — печально сказал мужчина, листая мои бумаги. — Хорошие отзывы из училища... Симонов... «Ты помнишь, Алёша, дороги Смоленщины...»

— Не родственник, — сказал я скромно. Если мне попадался человек, помнивший поэта Симонова, то обычно следовала одна из трёх цитат: «Ты помнишь, Алёша...», «Майор привёз мальчишку на лафете...» или «Если дорог тебе твой дом...».

Продолжить стихи никто и никогда не пытался. Люди обычно помнят только первую строчку. Но я привык улыбаться и кивать. Я даже в ответ на «Бьётся в тесной печурке огонь...» улыбался и кивал, хотя это Алексей Сурков. Чёрт побери, я как-то даже в ответ на «Пришёл король шотландский, безжалостный к врагам...», названное стихотворением Роберта Бернса, улыбнулся и кивнул, хотя это Стивенсон в переводе Маршака, и не знать этого — стыд и позор.

— Не родственник, — сказал мужчина с некоторым разочарованием. — Симонов, чего ты в дознаватели смертных дел рвёшься? Скажи как на духу.

— Хочу принести пользу родине, — ответил я.

— Вот только не надо вещать, как на митинге, — поморщился мужчина. — Я бы тебя на повышение двинул. Ты умный парень, чего тебе с бытовухой возиться... Восставших ненавидишь? Я их тоже не люблю!

— «Мы никогда не мстили мертвецам», — сказал я скромно.*

— Ну так зачем тогда? Только честно!

— У меня в Катастрофе погибли жена и сын, — сказал я. — Я спасся. Я... умею выживать среди восставших. — Неполиткорректного слова «мёртвых» я старательно не произнёс. — Но своих спасти не смог. Мне надо снять эту тяжесть с души. Чтобы спать спокойно. Я должен поработать на передовой, чтобы потом идти дальше.

— Поэт всё-таки. — Мужчина крякнул, достал бутылку с минералкой, налил себе стакан. Вода явно была тёплой, но выпил он с удовольствием. — Будешь?

Я покачал головой.

— У меня родители погибли в Катастрофе, — сказал мужчина. — На даче были, когда всё началось... Скажи, Симонов, ты не собираешься мстить восставшим? Или кваzи?

---

* *Симонов К.*, Английское военное кладбище в Севастополе.

— Нет, — сказал я.

— Докажи. Объясни мне, почему ты, с твоей биографией, сможешь беспристрастно работать с восставшими.

— Восставшие ничего не соображают, — сказал я. — Ими руководят инстинкты. Мстить им — зачем? Достаточно надёжно изолировать.

— Чтобы не превратились в кваzи?

— Тоже не имеет смысла. Кваzи не агрессивны. Ну, не более чем люди.

— Но многие считают, что они наши конкуренты. Что рано или поздно сотрут нас с лица Земли. Они вроде как не размножаются, но говорят, что кваzи и не умирают.

— Кваzи слишком другие, — сказал я. — Дело не в цвете кожи, конечно. И даже не в том, что они прочные. У них мозги работают по-другому, они все на чём-то зациклены, однонаправленны. Не способны развиваться и испытывать эмоции. Это не конкуренты, это совсем другой вид. Вот будь кваzи точно такими, как мы, только быстрее, сильнее и умнее — с ними пришлось бы воевать. Не на жизнь, а на смерть. А с такими, как они есть, мы можем сосуществовать.

— Логично, — признал мужчина. Задумался.

— Товарищ подполковник, — сказал я. — Извините, что не в своё лезу... у вас кондиционер явно сломался.

— Три дня как заявку отправил, — кивнул мужчина.

— Давайте я попрошу Витю Павлова к вам зайти? Лейтенант из второго отдела. Он до того, как в училище пойти, работал мастером по ремонту кондиционеров. Нам в комнате наладил за полчаса.

Мужчина крякнул.

— Какой ты шустрый, Симонов... Ладно, зови своего Витю. Я подумаю о твоём назначении.

* * *

К семи часам совсем рассвело, на улицах было полно народа. В переулок Джамбула мы въехали все вместе — я, Бедренец и Настя. Ну и водитель, конечно, в Санкт-Петербурге я ни разу не видел Михаила за рулём.

Нас выгнали с места гибели Белинской. Выгнали, можно сказать, с позором. Меня — за то, что не смог спасти Марию. Михаила — за то, что позвонил и привёл в действие взрыватель. Настю — за то, что пыталась прорваться на место происшествия и ругалась с охраной.

Напрасно я потрясал своими бумагами, напрасно Бедренец ссылался на свой высокий статус и грозился позвонить Представителю. Кончилось тем, что предводитель кваzи сам ему позвонил и устроил такой разнос по телефону, что Михаил стал серее обычного.

Оцепление распустили, с нас собрали объяснительные, а на месте происшествия остались работать оперативники Представителя, те самые, которых как бы и нет. В общем — неравнодушные кваzи и люди, самостоятельно возложившие на себя груз обязанностей по поддержанию порядка в городе.

Удобно это у них устроено. Идеологи анархизма, от Прудона до Бакунина с Кропоткиным, были бы счастливы. Наверное, служебную ведомость несуществующих спецслужб у них составляют тоже на общественных началах. И деньги за общественную работу получают в неофициальном порядке. Но, я уверен, точно так же неофициально платят налоги, ибо кваzи в массе своей предельно законопослушны.

Ехали мы в молчании, уставившись в окна машины, будто провинциалы, впервые попавшие в Питер. Водитель тоже молчал, только высадив нас, сказал виноватым тоном:

— Михаил Иванович, мне позвонили, сказали, что отзывают. Вам, наверное, другого водителя выделят, или Игорь вернётся.

— Хорошо, — ответил Бедренец, выбираясь из машины. — Спасибо.

Всем нам было прекрасно понятно, что другого водителя у него не будет. Драный Лис окончательно впал в немилость у начальства.

— Зайдём? — спросил я, глядя на кваzи.

— Мои вещи всё равно у тебя, — ответила Настя.

— Если ты ещё не засыпаешь... — деликатно сказал Бедренец.

Я пожал плечами. Какой уж тут сон. Перед глазами до сих пор была Мария Белинская. До и после.

Разумеется, я не стал писать в объяснительной, что она была кваzи. Только про взрыв, после которого, пребывая в состоянии шока, спустился в квартиру, наорал на сотрудников и пошёл умываться в ванную комнату.

Откуда, впрочем, нашёл время послать краткое сообщение Маркину — с одной-единственной, но неотложной просьбой.

— Пошли, — сказал я. — Найд уже должен был проснуться.

Найд действительно проснулся. Едва я позвонил в дверь, как услышал громкий возглас:

— Кто?

У меня даже не нашлось сил сказать что-нибудь про коня в пальто или ленинградского почтальона.

— Папа. С Михаилом и Настей. Всё в порядке...

Договаривал я уже при открытой двери. Найд распахнул дверь и прижался ко мне. Я даже не сразу понял, что в опущенной руке он крепко сжимает кухонный нож.

— Почему ты не звонил? — спросил Найд через мгновение, отстранившись. Я вздрогнул — мне показалось, что на щеке у него засохшая кровь.

Потом я понял, что это томатный соус от вчерашней пиццы.

— Будить не хотел.

— Ты что, думал я спал?

Я задумчиво посмотрел на Найда. Он был в пижаме и босиком.

— Если честно, то надеялся, что спал.

— Ну, спал, — виновато признался Найд. — После того, как Настя позвонила и сказала, что всё в порядке и вы скоро приедете, уснул. А когда проснулся, то увидел, что вас нет и звонков не было.

— Умойся, — сказал я. — И ножик положи, пожалуйста. Можешь нарезать хлеб, потом положить.

Найд кивнул, с подозрением глядя на меня. Спросил:

— А где твоя куртка?

— Продал, чтобы купить тебе «Азбуку», сынок... — сказал я. — Да просто изгваздал за ночь, выбросил. Давно хотел купить себе новую.

Найд умчался в ванную, мы вошли в комнату. Я посмотрел на остатки засохшей пиццы на столе.

— Ну что, моя командировка, похоже, заканчивается, — бодро сказал я. — Михаила от дела отстранили, мне тем более ничего не светит. Впрочем, преступница тоже уничтожена. Может, вернёмся в Москву последним «Сапсаном», Настя?

— Я бы по музеям походила, раз уж оказалась в Питере, — с любопытством глядя на меня, сказала Настя.

— Хорошее дело, — сказал я. Вздохнул, демонстративно прислушался к плеску воды в ванной. — Но мальчику надо учиться, а тут он совсем от рук отобьётся. Мы, наверное, соберём вещи и...

— Денис, — сказал Михаил.

Я запнулся, посмотрел на него.

— Денис, что там произошло? О чём вы говорили с Марией?

Я помедлил и сказал ту половину правды, которая была больнее, но безопаснее.

— Мария не убила меня потому, что узнала. После Катастрофы она встретилась с Ольгой. С моей женой... бывшей женой. Они вместе скитались несколько лет. Ну, помните, пока всё успокаивалось, пока восстанавливались связи между городами... Они... вроде как подружились. Ольга говорила ей про меня и про Найда.

— И что с твоей женой? — спросил Михаил.

— Мария сказала, что она мертва. Окончательно. Я не думаю, что она врала. Я даже уверен, что она точно это знала. Слишком точно. Говорить про это Найду я пока не хочу, молчите при нём, ладно?

Из ванной донеслись не слишком музыкальные напевы. Найд всегда что-то мурлычет, когда чистит зубы.

— Мои соболезнования, Денис, — сказала Настя. И взяла меня за руку.

Умом я понимал, что это не настоящие эмоции, это правила поведения, которые кваzи помнят и соблюдают. И сочувствие Насти — оно рассудочно и спокойно, как всё у кваzи. Но меня, наверное, давно не держала за руку женщина, которую я любил — пусть и в прошлом. Я не стал отдёргивать руку и только сжал покрепче губы, чтобы не затряслись. Пальцы у Насти были горячие, слишком горячие для человека, но даже это меня сейчас не волновало.

— Мои соболезнования, — тоже кивнул Михаил. — Боюсь, это прозвучит эгоистично и лицемерно, но я счастлив, что не я был причиной смерти твоей жены.

Я посмотрел на старого нелепого полицейского, который даже после бессонной ночи не развязал галстук и не снял пиджак. Кивнул.

Мне тоже было легче знать, что не он убил Ольгу.

— А теперь скажи остальное, — попросил Михаил.

— Ты о чём?

— Я же тебя неплохо знаю. Ты давно понимал, что Ольга мертва. И твоя реакция, твоё состояние сейчас — они говорят о куда большем шоке. Что ты скрываешь?

— Михаил, отвали от него! — вдруг повысила голос Настя. — Ты чурбан бессердечный. Ничего он не скрывает!

Я глубоко вздохнул. Хлопнула дверь ванной — Найд вышел, уже одевшийся и вроде бы вполне удовлетворительно умывшийся. С тревогой посмотрел на Настю.

— Всё хорошо, Сашка, — сказала Настя. — Дед Миша сейчас уходит.

Но старый кваzюк не собирался так легко сдаваться. Бедренец покачал головой, посмотрел на Найда, на Настю. Снова уставился на меня:

— Денис, — сказал он. — Я раздавлен, растоптан и унижен. Я уволен, в конце концов. И я чувствую, дело не в том, что я плохой сотрудник. Может быть, наоборот, в том, что я... — Он замялся. — Правильный. Я готов уйти. Но я хочу довести до конца это дело. Ты что-то понял, говоря с Марией. Скажи мне. Пожалуйста.

— Для того, чтобы всё тебе рассказать, я должен тебе доверять, — тихо сказал я.

— Расскажи хоть что-то. Прошу тебя. Я многое от тебя скрывал, многое недоговаривал. Но теперь ты знаешь всё, что знаю я. Помоги мне, Денис.

— Сашка, сделай кофе, — попросил я. Сын кивнул и пошёл к плите. По пути взял пульт и включил телевизор. Заработал новостной канал.

— ...подтвердил информацию о том, что зафиксировано несколько случаев нападения кваzи на людей, — говорил диктор. У него был тот особый голос, которым дикторы рассказывают о природных катаклизмах, террористических актах и повышении пенсионного возраста. — Это явление не носит массового характера, и вспышка агрессии длится не более минуты. Но министерство рекомендует всем людям и кваzи учитывать возможность спонтанной агрессии, меньше времени находиться наедине и не допускать конфликтных или провоцирующих ситуаций. По мнению экспертов, такими факторами могут быть ссоры, громкие звуки, секс и телесный контакт иного рода...

— Пап, а как это — иного рода? — заинтересовался Найд.

— Понеслось говно по трубам... — глядя в телевизор, сказал я. Забрал у Найда пульт и выключил звук. Диктор продолжал что-то говорить. Мельком показали Библиотекаря, который что-то рассказывал, сидя за столом перед журналистами.

— События сегодняшней ночи утаить было невозможно, — произнёс Михаил. — Денис, я не знаю, как доказать тебе, что мы на одной стороне. Но это правда.

Настя и Михаил ждали. Я некоторое время смотрел на Михаила, потом кивнул. Сказал:

— Люди, восставшие, кваzи... Это не весь ряд. Мария тоже была кваzи, но особенной. Она выглядела как человек, она вела себя как человек. Но когда её череп разлетелся на кусочки... как выглядит плоть кваzи я знаю прекрасно. Вот поэтому она и могла командовать другими кваzи. Точно так же, как вы командуете восставшими, которые ниже вас по развитию, так и она командовала вами.

Найд, возившийся с кофейником, посмотрел на меня, но ничего не сказал.

— Наверное, за теми восставшими, что не подчиняются или восстают слишком быстро, тоже стоит она. Или такие как она. И спятившие кваzи, кидающиеся на людей, — их рук дело.

— Но зачем? — воскликнула Настя.

— Может быть и незачем. Тренировка. Попытка осознать свои силы, научиться ими управлять.

— Если ты не ошибся, — сказал Михаил, — то это очень плохо.

Я кивнул.

— Да. И я не ошибся. Мы пытались понять, что за сила, из существующих на нынешний день, замешана в происходящем. Человеческие и кваzи-власти, человеческие и кваzи-спецслужбы, теневые правительства... вроде этого «Круга». А всё проще. Новый игрок. Суперкваzи. Ещё один эволюционный шаг.

— Папа, но что в этом плохого? — спросил Найд.

— Ответишь? — спросил я Михаила.

— Управление восставшими — это как управление машинами, — сказал Бедренец. — У них нет своего разума, это не шокирует людей. Если же кваzи способны управлять другими кваzи... это пугает. Что следующее — кваzи сумеют управлять людьми?

— А ещё мы слишком отличаемся от людей, — сказала Настя, глядя на меня. — У нас есть сильные стороны, но есть и слабые. Мы148 мономаны, мы увлечены чем-то одним. Мы не развиваемся. Не можем иметь детей. Наша внешность нас выдаёт. Кваzи могут быть частью общего человечества, но не могут стать отдельной цивилизацией. А такие, как Мария... Даже если она осталась бесплодной, то всё равно выглядит не другим видом человека, в чём-то ущербным...

— Она стала сверхчеловеком, — резюмировал Бедренец. — С точки зрения большинства — если кваzи станут такими, то они станут сверхлюдьми.

— В общем — война, — кивнул я. — И не дай Бог, если к таким кваzи вернётся ещё и способность к деторождению!

Настя нахмурилась.

— Но про это пока не знают, — напомнил Бедренец. — Только мы... и другие супер-кваzи, если они вообще есть.

— И те, кто вскрывал тело Марии, — добавил я. — Думаю, Представитель уже в курсе... Михаил! У тебя есть его прямой номер?

— Представитель велел ждать вызова и самому не звонить.

— А вот мне — не велел. — Я протянул руку. Михаил поколебался мгновение, потом разблокировал и отдал мне телефон.

— Какой номер?

— Последний входящий.

Найд принёс мне чашку кофе. Я сделал вид, будто не заметил, что он налил полчашки и себе. Набрал номер, отхлебнул крепкого горького напитка.

— Михаил, что во фразе «не звонить» было тебе не ясно? — произнёс голос в телефоне.

Удивительно, но несмотря на резкость фразы, тон был очень дружелюбным, располагающим. Сразу хотелось извиниться.

— Здравствуйте, Представитель, — вежливо сказал я. — Это не Драный Лис. Это Денис Симонов. Тот, кто отдал вам вирус суперветрянки, может быть, помните? Мы не знакомы лично, но мне кажется, что тот поступок должен вызывать у вас симпатию.

— Доброе утро, Денис, — всё тем же дружеским тоном сказал Представитель. — Конечно же, я знаю вас и ценю то, что вы сделали для народа кваzи. К сожалению, у нас сейчас очень напряжённая ситуация, время для разговора не лучшее.

— Как раз сейчас нам очень необходимо встретиться и поговорить, — сказал я. — Вчера было рано, а вот завтра будет поздно.

— Хорошо, — сказал Представитель. Он, похоже, не тратил лишнего времени на споры и уточнения. — Вы в предоставленной вам квартире? Я отправляю за вами машину.

— Я буду не один, — сказал я.

— Понимаю. До встречи, Денис.

Я вернул телефон. Зачем-то посмотрел на наручные часы, будто на экране телефона их не было. И сказал:

— У вас есть время умыться и быстро что-нибудь съесть. Мы едем в Зимний.

— «У вас»? — повторил Михаил.

Я вздохнул.

— А я предпочту потратить это время на звонок одному питерскому знакомому из несуществующего международного круга влиятельных людей. И в порядке доброй воли рассказать о произошедшем. Скорее всего, они и так уже всё знают, но немного поддержки при случае мне не помешает.

Глава девятая

МИР И ВОЙНА

Не знаю, почему Представитель решил устроить свою резиденцию именно в Зимнем дворце, да ещё и в Малахитовой гостиной, где когда-то заседало Временное правительство России. И как он выпросил у сотрудников Эрмитажа и функционирующих ещё в ту пору городских властей этот зал — тоже ума не приложу.

Музейные работники — они же совершенно особые люди. Даже когда они становятся кваzи, то почти все возвращаются к прежней работе. У них как при жизни мономания, так и после смерти. Им платят крошечные зарплаты, они половину выходных и отпусков проводят в своих музеях, но стоит только покуситься на какой-нибудь зал или экспонат — всё, начинаются петиции, протесты, голодовки и жалобы.

Но Представителю они помещение в Эрмитаже выделили, что по уровню невероятности близко к восстанию покойных.

Впрочем, Представитель особо не шиковал. Весь его управленческий аппарат разместился в Малахитовой гостиной и Белой столовой. Аналогия была столь прозрачна, что первое время его называли «Временным Представителем».

Но нет ничего постояннее временного. Теперь он был просто Представитель, говорящий от имени всех квазu России и ряда сопредельных государств. В США был свой квазu-президент, в Германии квазu-канцлер, в Китае квазu вообще права голоса не имели и все как один состояли в коммунистической партии. У нас Представитель от государственных функций всячески дистанционировался, при каждом удобном случае подчёркивал, что он российский гражданин, несколько раз в году бывал в Москве на приёме у президента — в общем, вёл себя так, что даже чрезвычайно бдительная к двоевластию и сепаратизму российская власть не имела повода придраться. В бюрократических бумагах он значился «министром по делам квазu-живущих». Однако если говорить начистоту, Представитель был именно президентом мёртвых, благоразумно не требующим президентских почестей и прав. Совершенно рядовой и неприметный человек, при жизни бывший мелким чиновником в провинциальном городе, стал де-факто вторым по влиятельности в государстве.

Симпатичная живая секретарша провела нас анфиладой комнат в один из самых знаменитых залов дворца. Больше всего это походило на приватную экскурсию — мы прошли мимо нескольких групп туристов, среди которых выделялись две китайские экскурсии, беспрерывно фотографирующие полотна и залы, миновали несколько охранников, нырнули в служебный вход — охраны там не было, но секретарша открыла старинную дверь электронным ключом, и вошли в Малахитовую гостиную.

На самом деле она вовсе не зелёная, как можно подумать из названия. Малахитом в ней отделаны только колонны и отдельные декоративные элементы — вазы, камины, пилястры. Основными цветами тут были белый и золотой, стены из белого мрамора и пышная позолота. Я раньше здесь не был и с любопытством огляделся, ища ту самую малахитовую стенку, в которой растворилась героиня сказа Бажова, оставив на полу драгоценности.

Увы, похоже Бажов в Зимнем дворце тоже не был. Малахитовой стенки не наблюдалось. Вот и верь после этого писателям...

Ладно. Будем считать, что стенку снесли от греха подальше. К чему царям такие стенки, сквозь которые могут шастать сверхъестественные сущности?

Наша странная компания в этих интерьерах выглядела неуместно. Михаил в старомодном костюме, мнущий в руках шляпу, Настя — одетая слишком по-деловому, я с мачете — которое даже не потребовали сдать, и Найд с рюкзачком, куда он запихнул куртку «на случай, если дождь пойдёт».

У одного из высоких окон, выходящих на Неву, торжественный интерьер гостиной был нарушен. На роскошный паркет был постелен ковёр (впрочем, если приглядеться — это был настоящий восточный ковёр ручной работы, может быть, даже антикварный). На ковре стоял письменный стол (не компьютерный, слава Богу, но и никак уж не творение мастера Габса), на столе ноутбук и аккуратно сложенная стопка бумаг. Кресло было кожаным, большим, удобным, но тоже не подходящим к дворцовым интерьерам.

А вот кваzи, сидящий в кресле перед столом, Зимнему дворцу вполне соответствовал. Кожа его была скорее серовато-бирюзовой, чем серо-голубой. Может они с течением времени мимикрируют под окружающие интерьеры? Всё-таки Представитель бо́льшую часть времени проводил на работе, в Малахитовом зале.

Представитель был в деловом костюме, но галстук был надет очень свободно, пиджак небрежно свисал со спинки старинного стула. Бледно-голубая рубашка-оксфорд, на руке дорогие, но не помпезные часы «Улисс Нардин». В общем — правительственно-бюрократический дресс-код. Я вдруг заметил, что выглядывающие из-под брючин носки у него неожиданно яркие, выламывающиеся из общего цветового ряда. Маленькая отдушина делового человека, надеть трусы и носки безумной раскраски...

Это было трогательно. Ничего не могу с собой поделать, это действительно была такая умилительная, почти человеческая деталь!

И никаких пауз Представитель делать не стал. Не воспользовался возможностью ещё несколько секунд изучать открытые на ноутбуке документы, черкануть подпись на бумаге, в общем — продемонстрировать нам, как он занят и как неуместен наш визит.

Он поднялся — я отметил, что Представитель чуть выше меня ростом, довольно узкоплеч и не слишком спортивен, если это слово вообще применимо к кваzи. У него даже живот слегка нависал над ремнём, что для кваzи редкость. Знакомое по телевизору узкое скуластое лицо оказалось неожиданно дружелюбным и симпатичным.

— Михаил... — Он протянул руку Бедренцу, и тот пожал её с такой торопливостью, будто не рассчитывал на рукопожатие. Больше Представитель ему ничего не сказал, но посмотрел с таким грустным укором, как я смотрю на Найда, когда тот отчебучит что-нибудь совсем уж немыслимое.

Потом Представитель повернулся к Насте.

— Анастасия... мне очень приятно с вами познакомиться, вы героическая женщина с большим сердцем.

Анастасии он чуть церемонно поцеловал руку, и, кажется, ей это понравилось.

Следующим внимания Представителя удостоился Найд.

— Саша... — Представитель протянул ему руку, пожал как взрослому. Никаких похлопываний по плечу, потрёпываний по голове и прочих жестов взрослого, толком не умеющего общаться с подростками. — Я обычно не приветствую, когда дети участвуют во взрослых разговорах. Но ты имеешь право здесь быть. Ты — сын двух миров, двух народов. Твоя судьба крепко связана со всем происходящим. Будь как дома, потому что это и твой дом.

Найд, похоже, смутился.

— Денис... — Вот теперь настала и моя очередь. Представитель несколько секунд смотрел мне в глаза. У него был очень человеческий взгляд. — Вы именно такой, каким я вас представлял. Не держите зла, пожалуйста. Мы не выбираем нашу судьбу.

Он помолчал мгновение, потом протянул руку и чуть тише добавил:

— Мои соболезнования.

Итак, он знал, что мне сказала Мария. Нас слушали на крыше? Или в квартире?

Скорее всего, везде. И он счёл нужным поставить меня в известность.

— Нам надо поговорить, — сказал я.

Представитель жестом указал на старинный диван и кресла в сторонке, возле камина.

— Как-то неудобно, — сказал я.

— Это не музейные экспонаты, — махнул рукой Представитель. — Это имитация. Было бы кощунством сидеть на музейной мебели. Садитесь, друзья. У меня очень плотный график, но мы будем беседовать столько, сколько нужно.

Мы расселись на диване, Представитель сел в кресло напротив. Появилась ещё одна женщина-кваzи в строгом деловом костюме.

— Лена, воду, чай и кофе, — попросил Представитель. — Кофе покрепче, Денис не спал всю ночь.

Лена кивнула и удалилась. Представитель вопросительно посмотрел на меня.

— Вы знаете о супер-квази, — сказал я.

— Сделать этот вывод было нетрудно, — кивнул Представитель. — Если мы можем управлять восставшими, а кто-то начинает управлять нами, то мысль о следующем витке развития напрашивается.

— Чем они отличаются от вас? — спросила Настя.

— Вскрытие в процессе, — сказал Представитель. Найд ожидаемо поморщился, услышав это. — Пока мы считаем, что изменения незначительные. Бóльшие способности к адаптации внешности, бóльшие способности к невербальному контролю, бóльшая гибкость сознания. Скорее количественный, чем качественный скачок. Но мы даже механизмы мимикрии плохо знаем, а уж то, как работает наш мозг — тайна за семью печатями. Приходится исходить из предположения, что некоторые кваzи эволюционировали, но сколько их — большой вопрос.

— А причина? — спросила Настя.

Представитель развёл руками.

— По какой причине мёртвые стали восставать? Мы не знаем. Может быть, это была вспышка на Солнце, запустившая спящие гены? Может быть, чей-то неудачный научный опыт? Или, напротив, удачный? Или инопланетный разум ставит на человечестве свои эксперименты? Мы не знаем, мы бредём во тьме. Вдруг неизвестный нам фактор повторился снова и вызвал появление супер-кваzи? Или произошла спонтанная мутация? Мы ведь даже не знаем, действовала ли Мария в одиночку. Если да, то происшествия прекратятся, хотя бы на время.

— Исходить надо из того, что она такая не одна, — сказала Настя. — Что есть и другие. Или появятся.

— Совершенно верно, — сказал Представитель. — Я хотел бы предложить вам участвовать в изучении тела Марии. Вы кваzи, поэтому возражений не будет. Но вы работаете на центральную власть, а значит, мы поделимся информацией с живыми.

— Разумно, — сказала Настя. — Спасибо.

Я был уверен, что она хотела потребовать доступа к телу Белинской, и то, как легко она его получила, её обезоружило.

Вернулась Лена и ещё одна секретарша. Они несли подносы с чаем, кофе, водой. Перед Найдом поставили целую вазочку конфет. Найд скорчил презрительную физиономию, мол, «вы что, меня за ребёнка считаете», но едва секретарши отошли — запустил в вазочку руку.

— Не стесняйся, — сказал Представитель добродушно. — Как по мне, так питерский шоколад вкуснее московского. Впрочем, ты это и сам знаешь...

— Представитель, я сознаю свою вину... — начал Бедренец.

— Ты не виноват, — прервал его Представитель. — Михаил, ты многое сделал для народа кваzи, и это перевешивает любые твои ошибки. Но ты же сам понимаешь, что стал объектом зависти и травли. Тему аномальных восставших вёл ты. И агрессивных кваzи — тоже ты. При этом твой же сотрудник набросился на человека! Я всё равно прикрывал тебя сколько мог, разрешил вызвать Симонова, а что в итоге? Трагедия в поезде.

Вспышка безумия в пивном ресторане. Нападение в садовом товариществе, попытка теракта на территории «Газпрома» — а ты же понимаешь, каковы их возможности? И в итоге — ты не сообразил, что в руках у Марии такой же телефон, как и использованный в качестве детонатора! Звонишь и убиваешь главного и единственного свидетеля происходящего!

— Представитель, никто не мог предположить... — вмешался я.

— Погодите, Симонов! — Представитель чуть повысил голос, но я вдруг почувствовал себя глубоко неправым. — Позвольте мне закончить. Спасибо! Михаил, я понимаю, что ты делал всё, что в твоих силах. И никто на твоём месте не справился бы лучше. В конце концов, твоё решение вызвать Симонова чем-то настолько встревожило Марию, что его попытались убить. Но сейчас на меня давят со всех сторон. Обвиняют в том, что я прощаю все ошибки своему любимчику. Что ты потерял квалификацию, что ты предвзят, что ты некомпетентен, даже в том, что ты коррумпирован или работаешь на экстремистов! Молчи, я понимаю, что это не так. Но мне надо погасить эти обвинения. На некоторое время ты отстранён. И я буду тебя публично критиковать и всячески выказывать своё недовольство. Понимаешь?

Бедренец кивнул. Опустил голову.

— Не переоценивай мой авторитет и мои возможности, — уже спокойнее сказал Представитель. — Я лавирую между нашими экстремистами, которые мечтают о войне с человечеством — да, о настоящей войне, между нашими пацифистами, которые сами себе отказывают в праве на независимое существование, между денежными мешками из «Круга» — им вообще на всё наплевать, были бы деньги! Власть всегда и везде в мире была компромиссом между различными силами. В России этот компромисс традиционно неустойчив, а уж когда появились мы... Над моей мечтой увести кваzи в космос, создать колонию на Марсе насмехаются все, кому не лень. А это ведь единственно разумный путь. Нам не страшна радиация, мы можем жить при марсианском давлении и температуре, пользуясь лишь лёгкими дыхательными масками. Если бóльшая часть кваzи переселится на другую планету — напряжение в обществе спадёт...

Он замолчал. Досадливо махнул рукой. Я и сам с иронией относился к мечте Представителя о космической экспансии, но сейчас готов был ему поверить — это единственный шанс сохранить мир между людьми и кваzи.

— Так что прости, Миша, но ты некоторое время будешь в опале, — сказал Представитель. — Когда ситуация утихнет... если утихнет... я найду способ тебя реабилитировать.

— Я понимаю, Представитель, — сказал Бедренец. — Простите, что не оправдал доверия.

— Всё в порядке, — сказал Представитель. — Я тебе верю, это главное.

Он перевёл взгляд на меня.

— Мария говорила о том, что мир стоит на пороге войны, — сказал я.

— Верно, — кивнул Представитель. — Её жизнь была тому причиной, и её смерть, надеюсь, послужит лекарством.

— Информация об агрессивных кваzи просочилась в СМИ, — напомнил я.

— Знаю, — кивнул Представитель. — Я сам поручил организовать утечку и предоставить журналистам самую красочную информацию. Через несколько часов я выступлю с официальным заявлением.

Я непонимающе смотрел на него. Бедренец тоже выглядел растерянным. Настя нахмурилась... так по-человечески, так знакомо...

— Шила в мешке не утаить, — сказал Представитель. — Или, как говорят немцы, Was wissen zwei, wisst Schwein.

— То, что знают двое, знает свинья, — зачем-то перевёл я.

— Информация уже распространялась, — сказал Представитель. — Думаешь, почему тебя так легко отпустили в Питер, Симонов? А простые кваzи в Питере не слыхали о происходящем, как считаете?

— Мне... друг говорил, — вступил в разговор Найд. — Что кваzи... дурят.

Представитель кивнул:

— А ведь подобные случаи происходили не только у нас. Стоило ли дожидаться, когда наш президент или немецкий кваzи-канцлер объявят об опасности? Если бы у живых возникло ощущение, что мы скрываем проблему — тут действительно недалеко было бы до войны. После облавы на Белинскую удержать распространение слухов было невозможно. Поэтому мы и работаем на опережение. Да, некоторые мёртвые восстают атипично быстро. Да, некоторые кваzи спонтанно становятся агрессивными. Ситуация взята под контроль, но надо соблюдать повышенную осторожность. Надо реализовывать целый комплекс мер. Живым в Питере следует переселиться в места компактного проживания, в Москве так же следует поступить кваzи. В малых городах кваzи лучше работать вахтовым методом, осуществляя контроль за восставшими, но минимально контактируя с живыми. И конечно же, радикальная программа переселения должна быть ускорена. Маск в Штатах наконец-то получит полноценное финансирование. Нам тоже выделят необходимые ресурсы. Да, это дорого, это испытание для всего человечества. Но мы справимся. Первые группы колонистов могут быть отправлены уже к концу года. За десять-пятнадцать лет большинство кваzи сумеют переселиться на Марс. Мы будем строить орбитальные города. Мы колонизируем Луну. На Земле останется минимальное количество кваzи — контролировать восставших, поддерживать работу космодромов, осуществлять дипломатические функции и обеспечивать торговлю. Космос может многое дать Земле.

— И космос будет для мёртвых, — сказал я.

— Космос сам по себе мёртв! Мёртв, опасен и бесконечен, — сказал Представитель. — Покорить его силами живых невозможно. Земля наш общий дом, наша ласковая колыбель. Но вырастая из колыбели, меняя своё тело на более прочное, очищая разум от инфантильных стремлений к стяжательству, излишнему комфорту, тщеславию, суевериям и лишним эмоциям — мы сможем шагнуть к звёздам. Все мы! Все, рано или поздно.

— Все ли? — уточнил я.

— Рано или поздно — все, — твёрдо сказал Представитель. — Никому не придётся жертвовать собой, чтобы другие возвысились. Учёные найдут решение. Род человеческий так устроен — когда он о чём-то мечтает, он этого добивается. Мы мечтали о бессмертии, придумывали религии, дающие нам утешение и надежду, создавали лекарства, позволяющие прожить на год-другой дольше, но нужно было радикальное решение — и оно появилось.

Представитель подался вперёд в своём кресле, вытянул руки — будто пытаясь нас обнять.

— Да, есть моральная проблема, есть несправедливость. Как всегда в истории человечества. Но и эту проблему решим! Главное — начать. Верно?

— Верно, — поколебавшись, сказал я. — Но вы уверены, что власти живых пойдут вам навстречу? Нужны колоссальные ресурсы. Построить тысячи ракет, переправить на Марс миллионы кваzи! Придётся всю инфраструктуру Земли поставить на военные рельсы. Ввести мобилизационную экономику. Тут военный коммунизм или Великая Отечественная раем покажутся!

— Будет нелегко, — признал Представитель. — Но так это и есть война — война против самоубийственной войны живых и кваzи. Придётся потерпеть, но ради будущего. Ради счастливого нового мира. Утром я говорил с нашим президентом, он понимает ситуацию. Европейский канцлер полностью со мной согласна. Кваzи-президент склоняется к правильному пониманию ситуации, ну все мы знаем, что у американцев свои амбиции и на всё своё мнение, но иного выхода просто нет... Если все кваzи выступят сообща, если власти живых нас поддержат, то мы горы своротим!

— А как насчёт экстремистов? — спросил я. — Наверняка среди кваzи найдутся те, кто предпочтёт поделить земную территорию, а не осваивать марсианскую? А среди людей те, кому не улыбается двадцать лет вкалывать без отдыха ради кваzи?

— Им всем придётся передумать, — сказал Представитель и в голосе его прорезался холод. — Или умереть насовсем. И тут, я полагаю, мы будем солидарны и действовать совместно. Кстати, надеюсь, что вы и Михаил в первую очередь. Вы понимаете всю опасность противостояния и всю ценность взаимовыгодного сотрудничества. Понадобится специальная структура по противодействию экстремизму и терроризму. Я бы хотел, чтобы с нашей стороны её возглавил Бедренец, а с человеческой — вы, Симонов.

— Я человек подневольный, — сказал я. — Меня начальство и в Питер-то лишь по вашей просьбе отпустило.

— Полагаю, что если я попрошу вашего президента, то контора Маркина вас отпустит, — улыбнулся Представитель. — Даже если вы в итоге станете Маркину начальником.

Ого. Вот это карьерный рост! Я посмотрел на Найда — тот сделал большие глаза. Видимо, просёк фишку. Папа из простого полицейского стал сотрудником спецслужбы, а теперь может стать большим начальником.

— Ну допустим, власти официальные согласятся, — сказал я. — Чего уж тут. А как насчёт неофициальных?

— Вы про «Круг»?

— Я про ту власть, частью которой «Круг» является. Не знаю, как там они называются, если они вообще себя как-то называют. Масоны, Союз Девяти, тайное мировое правительство. Мы же с вами не дети, мы понимаем, что истинная власть не любит телеэкраны.

Представитель понимающе кивнул.

— Истинная власть любит только власть. Ей наплевать на войну и мир, и то и другое не имеет никакого значения. Но править разрушенной планетой им не хочется. И бессмертие им тоже нужно. Я уже говорил с людьми из «Круга», нам удалось прийти к взаимопониманию. Большие потрясения, большие стройки, большие интриги, как следствие, большие деньги — это то, к чему у них сохраняется стойкий интерес. Стабильные надгосударственные структуры не станут нам мешать. У них будет свой интерес в происходящем.

Помолчав, Представитель взял бокал с водой, выпил в два глотка. Сказал:

— Такая картина происходящего, друзья мои. Повторное возвышение послужит не войне, а миру. Жаль, что из-за нелепых действий Марии пострадали невинные люди, но в итоге всё будет хорошо. Вы согласны?

— Да, — сказал Бедренец.

— Согласны, — сказала Настя.

Найд посмотрел на меня.

— Вы очень убедительны, Представитель, — сказал я. — И что же теперь нам делать?

— Михаила я прошу отдохнуть, — Представитель улыбнулся. — Напишите подробный отчёт о событиях этих дней, обязательно со своими выводами — я очень ценю ваш анализ, вы знаете. Если можно, то к сегодняшнему вечеру, хорошо?

Михаил кивнул.

— Анастасия, полагаю, захочет ознакомиться с нашими исследованиями — я дам ей полный допуск, и потом вернуться с докладом в Москву. Впрочем, если вы решите остаться поработать у нас... — Представитель многозначительно замолчал. — Что же касается вас, Денис... Вы старались, вы приложили максимум усилий к тому, чтобы разобраться в этом деле. Не ваша вина, что Мария покончила с собой. Вы не могли предполагать, что она супер-кваzи. Я отмечу вашу отличную работу... и, если вы не против, представлю вас к награде. Мы не часто награждаем живых орденом Лазаря, но вы его заслужили.

— Большая честь, — тихо сказал Михаил.

— Конечно же, сделайте полный отчёт о произошедшем, — продолжал Представитель. — Расскажите честно и беспристрастно всё, чему стали свидетелем. Пусть ваш живой человеческий голос подтвердит мои слова. И господам из «Круга», конечно же, всё сообщите. Мы ни с кем не конфликтуем, мы открыты для сотрудничества. В итоге случившаяся трагедия принесёт всем мир.

Он встал и будто по команде появились две секретарши — стали убирать подносы и чашки. Я придержал свою и допил остывший кофе. Найд по-деловому сгрёб из вазочки конфеты и спрятал горсть в карман.

— Заказать вам билеты в Москву? — спросил меня Представитель.

— Спасибо, я уж сам как-нибудь, — сказал я. — У меня же командировка, отчётность, то да сё. Думаю, что мы вечером на «Сапсане» махнём домой. А пока пройдёмся ещё по музеям.

Представитель с улыбкой обвёл Малахитовый зал взглядом.

— Да нет, Эрмитаж — это слишком пафосно, — сказал я. — И Саша тут много раз был. Мы по каким-нибудь другим пройдёмся. Может, в Кунсткамеру?

Найд скривился. Я его понимал, я тоже не люблю смотреть на заспиртованных уродцев.

— Тогда в музей космонавтики, — сказал я. — Раз уж мы сегодня говорили о звёздах. Или в музей связи. Найдём чем заняться, в общем.

Представитель понимающе кивнул:

— Не сомневаюсь. Питер — он сам по себе как музей. Здесь каждая улица, каждый дом интересны...

Я пожал его горячую крепкую ладонь.

Амина Идрисовна Даулетдинова, подполковник полиции и начальник нашего участка, имела уважительное прозвище Царица и неприятную манеру докапываться до самой сути вопроса.

— Я вполне понимаю, что произошло, — сказала она. — Ты выстрелом выбил замок, что вообще-то случается только в кинопродукции Голливуда, а не в реальной жизни. Ворвался в квартиру, которую только что проверял вместе с участковым. И обнаружил, что хозяин квартиры подвергает пыткам связанного восставшего, которого во время проверки прятал в гардеробе. После этого ты, вместе с подоспевшим участковым, произвёл задержание, а связанного восставшего сдал под протокол прибывшей перевозке.

— Не совсем верно, — заметил я.

— Да? И что не так? — Даулетдинова приподняла бровь.

— Я не стрелял в замок. Это глупо и ничего бы не дало. Я выстрелил три раза вокруг замка, чтобы при ударе дверь сломалась. А замок целенький остался. Так и торчал в дверной раме.

Даулетдинова пристально посмотрела на меня. Спросила:

— За исключением этого — всё точно?

— Совершенно точно! — молодцевато сказал я.

— Хватит изображать из себя служаку, — поморщилась Амина Идрисовна.

— Если к моим действиям есть какие-то претензии...

— Претензий нет. Более того, мне придётся учесть твои героические действия по защите восставшего при рассмотрении жалобы... по случаю инцидента с подростком.

— Подросток никогда не смог бы возвыситься, — сказал я. — При подобных ранах головы, восставшие обречены на многолетнее мучительное существование, пока не умирают с голода. Ну и ещё он напал на меня, да.

Царица поморщилась.

— Я приведу твои сегодняшние действия как доказательство, что у тебя отсутствует предвзятость к мёртвым, — неожиданно доброжелательно сказала она. — Но ты должен ответить на один вопрос.

Я молчал.

— Как ты узнал, что подозреваемый действительно убил любовника своей жены, позволил тому восстать и теперь, незаконно удерживая у себя, подвергает пыткам?

— Услышал звук из шкафа, — сказал я. — Я же написал в рапорте.

— Валентин Антонович уверяет, что никаких звуков не было.

— Я потом услышал. Когда мы уже выходили, был смутный звук. Участковый первым шёл, не услышал, а я позади. Пока спускались, я всё думал, что мне звук напоминает. Внизу уже сообразил — и назад!

Амина Идрисовна покачала головой.

— На фотографии у восставшего такой резиновый кляп во рту, что он и мычать не мог. Капитан, я одобряю твои действия. Убить в порыве ревности — свойственно человеку. Но измываться над восставшим, который ничего не соображает, — это поступок маньяка. Таких людей надо изолировать от общества... Объясни, как ты понял, что вас обманывают?

Дальше валять дурака не имело смысла. Царица вцепилась в меня, как бультерьер в крысу.

— В ходе беседы подозреваемый употребил в отношении потерпевшего фразу «уплыл куда-нибудь на край света».

— Ну и?

— Потерпевший в юности действительно ходил пару лет на торговых судах.

— Он мог это знать. Он же выяснил, с кем изменяет его супруга.

— Достаточно давний факт биографии. Ныне подозреваемый был уважаемым бизнесменом, никак не связанным с морем. В ориентировке, однако, указывались многочисленные татуировки морской тематики на теле пропавшего. В достаточно интимных местах. Чтобы запомнить морское прошлое жертвы и ляпнуть про «уплыл», подозреваемый должен был реально видеть жертву. Причём раздетым догола.

Амина Идрисовна едва заметно зарделась. Всё-таки она была восточная женщина.

— Довольно... хлипкие основания для того, чтобы врываться в квартиру.

— Я на этой его фразе насторожился и обратил внимание на интонацию. Она была не просто удовлетворённая. Мстительная. И такая... предвкушающая... ожидание у него было в голосе.

Даулетдинова кивнула:

— Понимаю. Но я бы, наверное, решила, что он убил соперника, расчленил и уничтожил тело. Заподозрить, что он после убийства держит восставшего дома и пытает... это надо как-то по-особому относиться к мёртвым... наверное...

Она задумчиво посмотрела на меня.

— Я стараюсь ответственно выполнять свою работу, — сказал я.

— Иди, Симонов, — после паузы сказала Даулетдинова. — Постарайся меня не разочаровать.

Питерская погода решила меня удивить. Небо голубое, прозрачное, чистое. Ярко, почти по-летнему, светило солнце. Людей, живых и мёртвых, на улицах было столько, будто они вышли праздновать его появление.

Найд, улыбаясь, запрокинул голову, глядя вверх. Сказал:

— Вот я это так люблю...

Бедренец несколько секунд смотрел на него, потом поднял руку, глянул на свои старые механические часы.

— Денис, я должен заняться отчётом. Я постараюсь сделать всё максимально быстро, чтобы успеть проводить вас.

— Да уж надеюсь, — сказал я. — Давай, анализируй.

Михаил кивнул. Потом повернулся к Найду — и вдруг прижал его к груди, на секунду замер, отпустил. И быстрым шагом пошёл направо по набережной.

— Куда он? — растерянно спросил Найд.

— В Летний сад, — сказал я. — Ищет свою дверь в лето.

— Чего с ним?

Я и сам был озадачен. Глядя на торопливо идущего Бедренца, я вдруг почувствовал, что не понимаю его. Всегда понимал, с самой первой, весьма неудачной встречи. А вот сейчас — нет.

— Дед тебя когда-нибудь раньше обнимал? — спросил я.

Найд наморщил лоб.

— Ну да... Он говорил, что телесный контакт очень важен для развития... Пап, ты его дедом назвал?

— Надо же как-то называть это старое недоразумение, — пробормотал я. — Настя, тебе не кажется странным его поведение?

Настя, наклонив голову набок — болезненно знакомым, прежним движением, смотрела на уходящего Бедренца.

— Немного. Он старается очеловечиться.

— Удачно получается, — хмуро сказал я. — Поедешь изучать останки?

Женщина, которую я любил живой, кивнула. А потом нахмурилась.

— Ты меня гонишь?

— Нет.

— Если вы не против... — Она заколебалась. — Мне всё равно предстоит провести в Питере некоторое время. Я бы прогулялась с вами. Если вы не против.

Она посмотрела мне в глаза.

— Как все расчувствовались-то... — сказал я вполголоса, пытаясь скрыть удивление.

— Пап...

— Да пошли, — сказал я. — Что мне, жалко? Город не мой личный, погода хорошая. Возьмём мороженое, нам нормальное, Насте из соевого молока. Поговорим о работе.

— Была бы я живой, стукнула бы тебя по башке, Денис Симонов, — сказала Настя. Прищурилась. — Ты чем-то озабочен, нет?

— Какие могут быть заботы, когда выглянуло солнце и нам совсем нечего бояться? — воскликнул я. — Пошли в Зоологический музей! Он же тут рядом, через мост. Мы не пойдём в Кунсткамеру, где толпятся китайские туристы, провинциальные тётушки и шумные подростки. Мы пойдём в тихий, мирный, даже самую капельку скучноватый Зоологический музей.

— Денис, если бы я не была рядом с тобой с самого утра, я бы решила, что ты выпил, — сказала Настя.

Я ухмыльнулся.

— О! Это интересное замечание. Но дело-то, если хорошенько подумать, совсем не во мне, Настя... Пошли, что мы тут торчим, туристам селфиться мешаем!

Слева мы наблюдаем Адмиралтейство, за спиной у нас остался Эрмитаж, впереди Дворцовый мост...

— Денис, с тобой точно всё в порядке? — спросила Настя.

— Не совсем, — признался я. — Очень не люблю тупить. А я в Питере только и делал, что тупил. Ещё в поезде начал, если честно. Обычная судьба москвича в городе на Неве, что поделать!

Мы пошли через мост. Найд поглядывал на меня с любопытством, но ничего не говорил. А вот Настя выглядела озабоченной — насколько это вообще возможно для кваzи.

— Тебя что-то завело во время разговора с Представителем, — задумчиво сказала она. — Словно ты понял, где и в чём ошибся.

— Есть такое, — признался я. — Но не во время разговора, а ещё раньше... О! Глядите, какой чудесный кораблик с туристами! Давайте дружно помашем им!

— Денис. — Настя взяла меня за руку. — Объясни, что произошло. Ты понял что-то связанное с этим делом?

— Бинго, — кивнул я.

— Могу я помочь?

Я заколебался. Искушение сказать «да» было велико.

— Настя, беда в том, что ты ничем не можешь помочь.

— Понятно.

— Нет. Не потому, что ты... кваzи. Считай, что я собрал пазл, но в нём не хватает одной детали. Я её то ли потерял, то ли не нашёл. А хвастаться пазлом без квадратика в центре не получится.

— А вдруг я помогу его найти?

Я отвернулся.

Настя сейчас вела себя почти как раньше. Почти как живая. И от этого мне становилось ещё хуже.

— Давай просто гулять, — сказал я. — Получать удовольствие от самого красивого города России. Будем вести себя как семья на отдыхе.

Найд недоверчиво глянул на меня, потом воскликнул:

— Мороженое! Если уж семья на отдыхе, то мороженое обязательно.

Тележка с мороженым нашлась метрах в десяти от выходившей на набережную скромной двери с вывесками «Зоологический институт» и «Зоологический музей», рядом с ещё одной дверью — в кассы музея. Я купил Найду разноцветный фруктовый лёд, который он упорно предпочитал нормальному мороженому, Насте, как и грозился, мороженое из заменителей молока, «пригодное для веганов и кваzи», себе — обычный пломбир. Ещё вчера мысль грызть мороженое на влажном ветру мне и в голову бы не пришла, но солнце сделало город куда дружелюбнее.

— Вкусно, — глядя на Неву, сказала Настя. — Я уже и не помню, когда ела мороженое в последний раз.

— Доедим, а потом в музей, — сказал я. — Толпы вроде как нет, все идут в Кунсткамеру. Всем хочется смотреть на диковинки и уродства, а нас тянут древние кости и мумии.

— Он часто такой бывает? — спросила Настя у Найда, кивая на меня.

— Не-а, — ответил Найд, явно наслаждаясь ситуацией. — То есть пару раз такое было, когда он что-то сообразил, но ещё не до конца.

— А что будет, когда сообразит? — продолжала любопытствовать Настя.

— Тогда лучше куда-нибудь спрятаться, — очень серьёзно ответил Найд.

Настя кивнула. Бросила в урну обёртку от мороженого и сказала:

— Ладно, если что — прячемся. А пока смотрим на зверей.

Зоологический музей в Питере, хоть и самый старый в России (ну а как же иначе, он отделился от Петровской Кунсткамеры), но Московскому, на мой взгляд, уступает. Про всякие Лондоны—Берлины—Нью-Йорки говорить не стану, но подозреваю, что там тоже побогаче.

Но кое-что в питерском музее бесспорно мирового уровня. Мы прошли полупустыми залами (одна школьная экскурсия, одна китайская), направляясь к залу мамонтов и остановившись лишь посмотреть на чучело пингвина-альбиноса. Табличка утверждала, что оно единственное в мире.

— Мало того, что пингвин, так ещё и альбинос, — философски сказал Найд. — Вот же угораздило.

Я подумал, что пингвина угораздило не родиться пингвином или альбиносом, а попасться на глаза зоологу. И что с людьми ровно так же. Беда не в том, кем родишься, а с кем поведёшься. Но грузить Найда этой философией не стал. Мимолётно огляделся. Нет, не похоже, что за нами кто-нибудь следовал. Конечно, я не великий специалист, но и кваzи в массе своей не шпионы.

— Пошли к мамонтам, — сказал я.

— Почему именно туда? — спросила Настя.

— Во-первых, потому что это самый крутой зал в этом музее, а что касается мамонтов — так и во всём мире. Во-вторых, потому что мамонты вымерли, а мы ещё нет. А в-третьих... В-третьих, надеюсь, меня там дожидается один умный собеседник, с которым я в своё время недостаточно серьёзно поговорил.

— Если его там не будет? — не стала уточнять детали Настя.

— Тогда я буду искать другого умного собеседника. Нам, дуракам, всегда приходится искать умных, чтобы спасти мир.

Зал мамонтов и прочей плейстоценовой фауны был огромным, но так обилен экспонатами, что казался загромождённым и маленьким. В центре, в стеклянном кубе, высилось чучело Берёзовского мамонта, гордость и символ музея. Если уж говорить честно, было это не совсем чучело, а реконструкция, но посетители в такие детали не вдавались и радостно позировали на фоне жившего почти пятьдесят тысяч лет назад великана.

— Я тут два раза был с экскурсией, из школы, — похвастался Найд.

— Прекрасно, тогда ты можешь самостоятельно осмотреть экспозицию, а не скучать, слушая взрослые разговоры.

Найд посмотрел на меня с возмущением, но всё же отправился разглядывать скелеты носорогов и медведей.

— И где твой умный собеседник? — спросила Настя.

Я пожал плечами. Маркин — человек с очень большими возможностями, но не всесильный. Может быть того, кого я попросил найти и отправить в Питер, вообще нет в Москве...

И тут из-за скелета Таймырского мамонта вышла нелепая тощая фигура старенького кваzи — в очках на вытаращенных глазах, редкими пучками волос на лысом черепе, в расстёгнутом потёртом пиджачке, топорщащимся на спине, будто сложенные крылья. Кваzи был так тощ, что могучие кости мамонта его полностью загораживали.

— Алпалыч! — закричал я радостно. — Какая удивительная и неожиданная встреча! Но почему, почему вы не у мумии Берёзовского мамонта, как мы договаривались?

Александр Павлович Полозков, палеонтолог и специалист по ископаемым гриллусам, то есть сверчкам, возмущённо вскинул голову, сверкнув в мою сторону фальшивыми линзами очков. Как и у всех квазu, зрение его стало совершенно нормальным, но очки он продолжал носить.

— Денис Симонов, избавьте меня от этих ваших гэбистских шуточек! — нервно выкрикнул он, приближаясь. — Меня спозаранку вытаскивают из кровати, сажают в самолёт и говорят, что я лечу в Питер на встречу возле мумии Березовского! Это возмутительно!

— Берёзовского мамонта, — поправил я. — Символ музея, между прочим. Если кто-то упустил слово «мамонт» и букву «ё», то это вовсе не моя шутка и я тоже возмущён. Я вообще считаю, что буква «ё» крайне важна в русском языке.

Палеонтолог недоверчиво посмотрел на меня, но кивнул. Приблизился своей прыгающей походкой, с любопытством посмотрел на Настю.

— Сударыня... простите за резкий тон... я не очень люблю все эти ужасные силовые структуры...

— Я тоже из них, — сказала Настя. — Извините. Меня зовут Анастасия, я из Москвы и я работаю... в органах.

Полозков всплеснул руками. Спросил:

— А мальчик?

— Ну что вы. Это мой сын. Он у меня ещё маленький.

Полозков кивнул. Вздохнул. Спросил:

— А Драный Лис? Я ожидал увидеть и его...

— Михаил Иванович занят. Отчёт пишет.

— Хорошо, — таким тоном, будто он не верил ни единому моему слову и считал, будто Бедренец прячется в чучеле шерстистого носорога, сказал Полозков. — Что вам от меня надо? Зачем вы вытащили меня из Москвы?

— Вы очень помогли нам в розыске Виктории, Александр Павлович...

— Я не помог! Я ничем вам не помог, надеюсь! И моя совесть чиста — ведь это вы, вы её убили!

Когда Полозков повышал голос, то против всех ожиданий он не срывался на фальцет, а начинал басить. Впечатление это производило удивительное. Впрочем, сверчкам тоже свойственно издавать звуки, никак не сочетающиеся с их скромной внешностью.

— Да, Викторию убил я, — признал я очевидное. — После нескольких совершённых ею убийств. После того, как она захватила в заложники моего сына и едва не убила меня. И учтите, дорогой Александр Павлович, она тоже была агентом спецслужбы. Только не человеческой, а кваzи. А я был рядовым полицейским.

Полозков сбавил тон.

— Я понимаю. Извините. Но Виктория всегда была такой... щепетильной в вопросах морали. Гуманной. Ценящей жизнь во всех проявлениях. Для меня невообразимо то, что с ней сталось... — Он вздохнул. — Что вы от меня хотите, Денис?

— Александр Павлович, вы умный и эрудированный человек. Я убеждён, вы знаете какие-то вещи, которые даже не считаете нужным упоминать...

— Постойте-постойте! — Полозков поправил очки. — Вы меня назвали человеком?

Я кивнул.

— Ценю, — сказал Полозков. — Продолжайте.

— Мне кажется, что я разобрался в кризисе, который сейчас бушует. Но мне не хватает ряда деталей. Возможно, какие-то крохи вашей эрудиции...

— Вот только не надо льстить! — снова вспылил Полозков. — Я не политик, не следователь, я скромный палеонтолог. Я занимаюсь крайне узкой областью научных знаний.

— Вы умеете мыслить! — твёрдо сказал я. — И видите мир в развитии. На протяжении миллионов лет. А это то, чего мне не хватает.

— Спрашивайте, — вздохнул Полозков.

— Я вначале объясню ситуацию. Некоторое время назад стали появляться аномальные восставшие. Они не подчинялись кваzи...

— Знаю.

— Некоторые кваzи...

— Проявляют агрессию. Знаю.

— Я выехал в Питер по просьбе Бедренца. Соседний вагон подвергся химической атаке, погибли молодые ребята, офицеры-подводники.

— Знаю, — кивнул Полозков. — Простите, а то, что они подводники — важно?

— Полагаю, что да. За терактом стояла молодая женщина, Мария Белинская. Я принимал её за живую, но как выяснилось — она была кваzи.

— Была, — сказал Полозков. — Полагаю, её больше нет с нами?

— Нет.

— И вы, вероятно, присутствовали при этом.

— Да, но...

— Анастасия! — Полозков наставительно поднял руку. — Я хочу отметить, что находиться рядом с этим мужчиной небезопасно для женщины-кваzи. Ничего плохого не хочу сказать, но мне кажется, Денис, что у вас есть серьёзные проблемы с женщинами!

— Это не у меня с ними проблемы, а у них со мной, — пробормотал я. — Поверьте, я не убивал Белинскую. Я стал свидетелем её самоубийства... в некотором смысле.

— Всё равно это неспроста, — не унимался Полозков. — Ваше неприязнь к кваzи, особенно к женщинам-кваzи, она ощущается...

— Он нормально относится к женщинам-кваzи, — сказала Настя. — Я бы его иначе не любила.

Даже я вздрогнул. А Полозков смутился. Спросил:

— Как вы могли принимать кваzи за живую женщину, Денис?

— Она была не совсем обычной. Она выглядела как человек и вела себя как человек.

Полозков снял очки. Спрятал в карман. Поморгал. Потом спросил:

— Кваzи второго порядка?

— Ну, можно и так сказать. Суперкваzи.

— С разносторонними интересами? С полноценными эмоциями?

Я кивнул.

— Невероятно, — произнёс Полозков. — И она погибла?

— Да. Но я полагаю, что есть и другие, подобные ей.

— Она причастна к странностям с восставшими и кваzи?

— Почти наверняка. Она могла управлять кваzи, как вы управляете восставшими. А восставших могла поднимать ускоренно и блокировать от влияния обычных кваzи.

— Господи, но зачем кому-то приказывать кваzи укусить человека? — воскликнул Полозков. — Это же провокация чистейшей воды! Разжигание розни!

Он замолчал. Потом кивнул и удовлетворённо произнёс:

— Ага. Понял. Именно для этого и поднимали. Но что вы хотите узнать от меня?

— Про генный локус «Райский сад» вы знаете? — спросил я в лоб.

— Слышал что-то, — Полозков явно почувствовал себя неуютно. — Одна из теорий...

— Профессор...

— Да, самая убедительная теория. — Он снова достал очки и нацепил на нос. — Пожалуй, единственная достойная обсуждения. Даже подтверждённая, хотя это и не моё дело. Что вы хотите спросить?

— Почему вымерли динозавры?

— Э... — Полозков уставился на меня.

— Ну вы же не могли не рассматривать такую гипотезу. Хотя бы научного интереса ради.

— Увы, это всё недоказуемо и непроверяемо...

— Александр Павлович... — сказал я укоризненно. — Вы мне сами рассказывали о пяти или шести массовых вымираниях видов. Помните? Девонское, пермское, мел-палеогеновое... Не ждёт ли нас кайнозойское?

— Хорошая у вас память, — вздохнул Полозков. — А у нынешних студентов...

— Все и всегда думают, что причиной гибели целых видов живых существ может быть вирус, астероид, оледенение, иная массовая смерть... А что если причиной гибели стало бессмертие? Восставшие сверчки выжирают начисто свою кормовую базу — и медленно умирают. Восставшие динозавры тупо сжирают друг друга...

— Насекомые не восстают, — сказал Полозков. — Не наговаривайте. У них нет локуса бессмертия.

— «Слышали что-то», да? — с укором спросил я. — Полозков, почему я вас не арестую, как вы думаете?

— Почему? — с вызовом спросил Полозков.

— Потому что мне симпатично ваше упрямство. Я понимаю, что вы защищаете.

Профессор достал клетчатый носовой платок и протёр им абсолютно сухой лоб. Мёртвые, знаете ли, не потеют.

— Денис, но вы же понимаете, что если станет известно, что случай с людьми не первый... — жалобно произнёс он. — Если до всех дойдёт, что некоторые виды уже становились бессмертными и в результате вымирали сами и уничтожали всё вокруг...

— Все, кто вымирал, были лишены разума, — сказал я. — Так ведь? А мы разумны. И живые, и кваzи. Мы можем что-то сделать. Мы можем приспособиться к этому дурацкому бессмертию. Откуда оно вообще взялось?

— А откуда взялись мы? — спросил Полозков. — Мать-природа ничего не отбрасывает. Никакие варианты. Бессмертие вполне возможно, вопрос лишь в том, нужно ли оно для развития и сохранения вида? Существуют медузы, которые теоретически бессмертны. Алеутский морской окунь, несколько видов черепах, моллюсков... в Северной Америке растёт сосна, которой пять тысяч лет... Мы, люди, связаны пределом Хейфлика — наши клетки могут делиться лишь пятьдесят раз. Но есть и спящий локус бессмертия. «Райский сад»... из которого мы изгнаны. Иногда природа включает этот механизм и смотрит, что получится. Пока ничего путного не вышло.

— Вы так говорите о природе, словно она разумна, — сказала Настя.

— Нет, это я так, фигурально... — смутился Полозков.

— Но почему сразу у всех людей? У всего вида? — спросил я.

Полозков развёл руками:

— Я вам могу рассказать что-то о динозаврах. Даже о мамонтах кое-что. О сверчках многое могу рассказать. Про бессмертие... ну, вы вроде сами всё знаете, что и я... А вот как это работает, почему реакция так глобальна — это не ко мне, простите. Зачем вы меня вызвали, Денис? Что именно хотите спросить?

— Теория о том, что вымирания видов были связаны с появлением бессмертных существ — она широко распространена?

— Не думаю, — признался Полозков. — От коллег не слышал. Сам такими мыслями практически ни с кем не делился.

— Вот и расскажите, с кем поделились.

Полозков как-то сразу обмяк.

— Но это был просто разговор...

— С кем?

Полозков с несчастным видом посмотрел на Настю.

— Пойду, посмотрю, что там Сашка делает, — сказала Настя и отошла в сторону.

Я стоял и смотрел на палеонтолога.

— С Викторией мы говорили об этом, — признался Полозков. — Довольно долго обсуждали. Незадолго до того, как вы... как она...

— Хорошо, но мало, — сказал я. — Это всего не объясняет. С кем ещё?

— Но я... я не могу, я обещал...

— Понимаю. На самом деле вы уже почти ответили, Александр Павлович. Но я бы хотел услышать.

— А если бы я не приехал? — вдруг спросил Полозков. — Если бы меня не отправили в Питер, или если бы что-то случилось по дороге?

— Алпалыч, дорогой, ну так это тоже было бы ответом, — улыбнулся я. — Говорите, и я оставлю вас в покое. Можете сразу отправиться домой.

— Ну уж нет, — неожиданно сказал Полозков. — Раз уж выбрался — у меня тут хватает и друзей, и научных интересов... Хорошо, ваше дело. Вам с этим разбираться, хотя я ума не приложу, что вы станете делать!

Я выслушал Полозкова.

Пожал ему руку.

И отошёл, оставив нахохлившегося, засунувшего руки в карманы брюк старичка посреди мамонтового зала. В него как раз входила шумная, гогочущая и ахающая экскурсия школьников.

Настя и Найд стояли возле скелета пещерного медведя. Найд что-то вполголоса рассказывал, явно войдя в роль экскурсовода.

— Ну что, поделился с тобой умный собеседник ценными сведениями? — спросила Настя.

Я кивнул. И честно признался:

— Да. Теперь я понял всё, но совершенно не представляю, что мне с этим делать.

— Повторюсь — могу я помочь? — спросила Настя.

Я внимательно посмотрел на неё и кивнул.

— Возможно. Предлагаю закончить экскурсию по замечательному музею и съесть ещё мороженого.

Настя пожала плечами, Найд кивнул куда более одобрительно.

Мы вышли из царства вымершей фауны, и я направился к лотку. Продавщица — нестарая и розовощёкая, встретила меня добродушным вопросом:

— Деток в музей водил?

— Не слишком ли взрослая дочка? — ответил я.

Продавщица покосилась на Настю и признала:

— Слишком. Да нынче же оно всё не понятно, кому сколько лет, кто первую жизнь живёт, кто вторую... Пломбир, лёд и веганское?

— Ага, — сказал я, задумчиво глядя на ассортимент.

Вернувшись, я раздал мороженое. Настя, развернув стаканчик, откусила немного и спросила:

— Ну так как? Принимаешь помощь?

— Да. Теперь да, — кивнул я, глядя на неё как зачарованный. Невольно рассмеялся, хотя весёлого в происходящем было совсем мало.

— Что не так? — нахмурилась Настя.

Я достал телефон.

— Ты сама поймёшь. Я пока позвоню Михаилу.

Настя, с любопытством глядя на меня, откусила ещё мороженого.

— Настя... — вдруг позвал её Найд. Глаза у него округлились от удивления. — Настя... ты ешь пломбир!

Глава десятая

ПОМНИ И ЖИВИ

К обеду у Зимнего народа прибавилось. Наверное, и в самом музее было больше посетителей, но и вокруг стало многолюдно. В саду Эрмитажа галдели ребятишки, группа французских туристов шумно разговаривала на арабском, поедая в кафе шаверму, несколько мамаш выкатили коляски с младенцами, вышли на свет старички и старушки. Почти все живые, кваzи не слишком-то любят бесцельное времяпровождение. Прогулка для них — это перемещение из точки А в точку Б с какой-то целью, а не просто блуждание по городу.

Но всё-таки несколько кваzи тут было. Двое беседовали, один рисовал что-то на маленьком мольберте. Надо же, кваzи-художник...

Мы сидели в саду Эрмитажа на скамеечке возле фонтана. Ждали Бедренца. Настя то и дело поглядывала в смартфон, используя тот в качестве зеркала.

— Ничего не чувствуешь? — спросил я.

Она покачала головой. Сказала:

— Но я съела мороженое. Настоящее. Из молока.

— Может быть, там заменитель молока, — попытался утешить её Найд. — Говорят, молоко часто подделывают. Пальмовый жир...

Настя покачала головой.

— Нет, дружок. Это было молоко. И меня не стошнило. Денис, что это значит?

— Ты же сама догадываешься, — сказал я. — Иначе не смотрелась бы в зеркало.

— Становлюсь... супер-кваzи?

Я кивнул.

— Ничего не чувствую, — призналась Настя.

— Ты стала говорить по-другому, — сказал Найд.

— Как?

— Живее... — Найд опустил глаза. — Извини.

— Что за... — Настя осеклась.

— Хотела выругаться? — понимающе спросил я. — Вот-вот.

И тут, наконец, появился Бедренец. Он быстрым шагом шёл от набережной, и ещё издали я ощутил, что в нём что-то не так, непривычно. Вроде бы то же самое лицо, движения...

Михаил был без шляпы и пиджака. На нём была ветровка, куда более уместная при такой погоде. И джинсы вместо брюк.

Удивительно, как меняет облик человека одежда, если ты привык видеть его в одном и том же. Я однажды не узнал своего командира, под чьим начальством служил почти год, впервые увидев его в гражданке.

Я встал, помахал Михаилу рукой, он в ответ не сделал никакого жеста, но направился к нам. Подошёл — и первым делом схватил меня за плечи.

— Что ты со мной сделал?

Сбросив его руки я молча посмотрел Михаилу в глаза. Он посмотрел на Настю, прищурился. Спросил:

— Тогда кто и как?

— Я полагаю, что Маша Белинская, — сказал я. — Когда мы были на крыше, она вас видела. И что-то такое мне сказала... про два подарка, которые я получу.

Как я теперь понимаю, она имела в виду вас. Вы теперь второе поколение кваzи. Суперы. Продвинутые. Способные управлять обычными. Заставлять восставших подчиняться только вам. И, очевидно, изменять свой внешний облик в гораздо большей степени.

— Не чувствую ничего такого, — сказал Бедренец недоверчиво, невольно повторяя слова Насти.

— Видимо, это проявляется не сразу. Но хоть что-то необычное ты чувствуешь?

— Эмоциональность, — сказал Михаил после короткой паузы. — Я зол, скажу честно. Я растерян и немного напуган, думаю обо всём сразу... Как после инъекции хлористого кальция, только оно не проходит. Я чувствую себя живым и мне страшно.

— Извини, — искренне сказал я. — Это была не моя идея. Почему ты переоделся?

Бедренец засунул руки в карманы ветровки. Постоял так, покачиваясь с ноги на ногу. Потом сказал:

— Ты бы знал, как меня достало носить пиджак! Я и китель-то носить не любил. А костюм надевал только на свадьбу, на день милиции и на похороны. Включая свои. Шляпу вообще ненавидел при жизни. Мне Представитель дал, когда я его встретил. Сказал: «Тебе пойдёт, Драный Лис». И я почему-то сразу с этим согласился. И с прозвищем, и со шляпой... Чего ты хочешь?

— Ещё раз поговорить с Представителем. В силу открывшихся обстоятельств.

Михаил беспомощно развёл руками. Сел рядом с Найдом — тот, против обычного, не стал отстраняться, а смотрел на Бедренца с живейшим интересом.

— Ты же слышал — он не хочет со мной общаться. Я вовсе не уверен...

— Дай телефон.

На этот раз, взяв трубку, Представитель поинтересовался:

— Симонов?

— Как догадались? — восхитился я.

— Михаил не стал бы звонить. Что вы хотите?

— Продолжить разговор.

— Через час у меня прямой эфир, Симонов. Я постараюсь найти для вас время вечером.

— Представитель, я знаю, что произошло и кто виноват. Нам надо вместе решить, что делать. Прямо сейчас.

Представитель тяжело вздохнул. Рассмеялся.

— Вы удивительно упорный человек, Денис. Хорошо. Вы где находитесь?

— Рядом с Эрмитажем. В саду, возле фонтана.

— Я к вам спущусь, — просто сказал Представитель. — Засиделся за работой, два дня из помещения не выхожу. Не уходите никуда.

Вернув телефон Бедренцу, я несколько секунд размышлял. К тому, что Представитель сам выйдет к нам из Зимнего, я не был готов. Надо было кое-что решить.

— Саша, — сказал я. — У меня к тебе огромная просьба. Пойди погуляй. Я дам деньги, может быть сходишь в кино...

— Разговор серьёзный будет? — спросил Найд. — Или опасный?

Я покачал головой. Потом покивал.

— Всё сразу. Но мне будет спокойнее, если ты будешь в безопасности.

— Папа, — очень серьёзно ответил Найд. — Мне кажется, в безопасности я буду где-нибудь рядом.

Настя рассмеялась.

— Я всё-таки попрошу тебя уйти, — сказал я.

Найд покачал головой и спокойно сказал:

— Я уйду, а потом вернусь. Ты меня не увидишь, но я буду рядом.

Плохо. Но, похоже, он не шутил.

— Я очень расстроюсь, — вздохнул я. — Сашка, я нечасто тебя прошу о чём-то серьёзном. Сейчас прошу. Как отец сына. Как мужчина мужчину. Сходи в Кунсткамеру. Или в Эрмитаж. Или постой у речки. Один час, хорошо? Мне нужен час для серьёзного разговора.

Найд посмотрел с обидой, но встал и, забросив рюкзачок на одно плечо, пошёл прочь.

— Обиделся, — сказал Михаил. — Не хочешь рассказать, зачем тебе так срочно понадобился Представитель?

— Не люблю два раза рассказывать одно и то же. — Я покачал головой. — Но если кратко — нам надо решить, что делать. Потому что Белинская была права, если всё вскроется полностью — начнётся резня между людьми и квazи. Я бы хотел это предотвратить, сам понимаешь.

Михаил вздохнул, но спорить не стал. Мы сидели молча, глядя через струи фонтана на уходящего Найда. Тот шёл не оборачиваясь. Да, обиделся.

— Денис, я должен тебе сказать. — Михаил на миг замолчал. — Это касается Александра. И тебя, конечно. В прошлом году, действуя из самых лучших побуждений, я создал проблему...

— Ты ничего не должен говорить, — ответил я. — Все проблемы между мной и моим сыном мы решим сами.

— Извини, — сказал Михаил. — Я хотел как лучше. Для всех.

— Я понимаю, — легко согласился я.

Михаил явно хотел продолжить разговор. К счастью, к нам подъехал Представитель.

Именно подъехал.

На моноколесе.

Он по-прежнему был в костюме, только воротник рубашки расстегнул. Моноколесо под ним искрилось светодиодами, едва слышно жужжал гироскоп. Ловко соскочив с колеса, Представитель прислонил его к скамейке и глянул на нас с молодой и озорной улыбкой.

Михаил смотрел на своего начальника так, словно тот появился на ходулях, с красным клоунским носом и надувной кувалдой в руках.

— Подумал — почему бы и нет? — произнёс Представитель. — Каждый раз, как смотрю на молодёжь, которая на этих штуках рассекает по улице, становится завидно. Одолжил у секретарши. Оказывается, это совсем не сложно.

Он сел между мной и Настей, кивнул Михаилу — совсем не удивившись, что тот не занят составлением отчёта. И спросил:

— Ну так что вы хотите мне рассказать?

— Знаете, чего я больше всего не люблю? — вопросом ответил я.

— Квazи? — предположил Представитель.

— Нет. Глупо не любить законы природы. Больше всего на свете я не люблю совпадений.

— Хм. — Представитель улыбнулся. — Странно. Ведь только удивительное совпадение помогло вам встретить потерянного сына, верно?

— И тем не менее, — сказал я. — Дело в том, что совпадения в чистом виде в жизни встречаются очень редко. Как правило, за каждым совпадением стоит целая цепочка совершенно не случайных событий. В обычной жизни это можно игнорировать, но для человека, так или иначе занимающегося детективной работой, верить в совпадения глупо и непрофессионально. Хотя совпадения крайне полезны — если понимать, что они чем-то обусловлены, то можно разобраться в происходящем.

— Например? — искренне заинтересовался Представитель.

— Я полон примеров, как дворовая собака блох, — похвастался я. — Ну вот, например, прямо в лаборатории Михаила Ивановича на миг сходит с ума сотрудник-кваzи. Ну какова вероятность, что этот редкий случай, какие по пальцам можно пересчитать, произойдёт почти что на глазах человека, назначенного расследовать эти происшествия? Но если не совпадение, то что? Смотрим последствия. Бедренец попадает под раздачу, его, несмотря на все заслуги, отодвигают от дел. И вот уже совпадения нет. Классическая полицейская ситуация, детективу, расследующему дело наркоторговцев, подсовывают героин, у следователя, разбирающегося с агрессивными кваzи, проявляет агрессию сотрудник. В обоих случаях опасный человек, способный чему-то помешать, скомпрометирован. А уж если и без того надо, чтобы некоторые кваzи бросались на людей, — так два зайца убиты одним выстрелом.

— Логично. — Представитель, глядя мне в глаза, побарабанил пальцами по колену, кивнул: — Вероятно, вы правы. Михаила подставили.

— Дальше, — продолжал я. — Михаил просит меня приехать и помочь в расследовании. Начальство меня отпускает и сообщает в Питер номер вагона, в котором я буду ехать. По дороге в соседнем вагоне срабатывает химическая бомба, и все, кто там находился, умирают и восстают. Какова первая мысль? На меня покушались. Боялись моего приезда, и только чудо меня спасло. Но есть одна проблема — исполнительница теракта искала документацию по системам вентиляции задолго до моей командировки. Значит, я не был целью.

— Тогда выходит, что это всё-таки совпадение! — воскликнул Представитель.

— Не обязательно. Давайте восстановим правильную последовательность событий. Готовится теракт. Его объект определён — курсанты-подводники. По какой-то причине моё начальство не может или не хочет предотвратить трагедию. А вот направить меня в соседнем вагоне, с тем чтобы я увидел всё своими глазами, прочувствовал, воспринял как опасность для себя, — может.

Представитель нахмурился:

— Денис, вы хотите сказать, что ваше руководство допустило гибель людей и рисковало вами...

— Ничего не хочу сказать. Всего лишь пытаюсь убрать случайность, потому что случайностей не бывает. Идём дальше. Исполнитель теракта — женщина-кваzи, причём кваzи второго порядка. Она выглядит как человек, ведёт себя как человек, при этом легко управится с восставшими. Пока всё логично, если мы примем, что кому-то нужно спешно получить слаженную команду мотивированных кваzи, готовых к пребыванию в замкнутом пространстве, тяжёлым внешним условиям, опасностям. То есть, как это ни странно звучит, команду колонистов для Марса. Все разговоры об экспансии в космос пока лишь разговоры, но выходит, кто-то знает, что сейчас во всём мире начнутся проблемы с обычными кваzи, и единственным выходом будет ускорить космическую программу. Видите, у нас выстраиваются в один ряд и происшествия с агрессивными кваzи, и убийство курсантов? Одна деталь не лезет ни в какие ворота. Почему террорист — женщина, знавшая мою жену? Немыслимое совпадение!

— То есть вы считаете, Денис, что Марию Белинскую для теракта выбрали нарочно?

— Да.

— Но зачем?

— Чтобы она меня не убила. Я должен был стать свидетелем произошедшего, участником, но не жертвой. Нужен был кваzи, эмоционально со мной связанный и сочувствующий.

Представитель кивнул:

— Но разве то, что Мария Белинская, как вы сказали, «эмоционально с вами связанная», оказалась редчайшим примером супер-кваzи, — не является столь же странным совпадением?

Настя за спиной Представителя кивнула, соглашаясь с ним.

— Нет, — сказал я. — Не является, если мы предположим, что её возвысили из обычной женщины-кваzи нарочно. Именно по той причине, что ей предстояло столкнуться со мной. Возвысили и привлекли к делу.

Бедренец откашлялся за моей спиной и сказал:

— Денис, ну это уже просто теория заговора какая-то. Даже паранойя. Кому и зачем было так важно втянуть тебя в происходящее? И что вообще, по-твоему, происходит? Да, и в конце концов, если даже Белинская была дружна с твоей женой — почему она должна была тебе симпатизировать?

— Не симпатизировать, а ощущать свою вину, — сказал я. — Ты не понял, Миша? Она возвысилась на Ольге. Стала кваzи, когда сожрала свою подругу.

— О, Господи... — прошептала Настя, прижимая ладонь к лицу.

— А происходит вот что... — Я посмотрел на Найда через струи фонтана. — «Райский сад», вероятно, активируется у людей не в первый раз. Все легенды об оживших мертвецах, вампирах, оборотнях — именно отсюда. Но, как правило, восставшие и даже возвысившиеся проживали не слишком долгую жизнь. Они были сильнее обычных людей, но люди рано или поздно брали числом. Оживших мертвецов пронзали осиновыми кольями, сжигали, разрезали на куски и зарывали на перекрёстках дорог — у вас есть свои пределы регенерации, без головы никто не выживет. Кваzи умны и могли скрываться, но вы слишком непохожи на живых. Пока кто-то из восставших и возвысившихся не просуществовал достаточно долго, чтобы стать кваzи «второго порядка», неотличимым от обычных людей. Ваши способности повелевать восставшими — они же не понятны науке. Бесспорно, это какое-то физическое воздействие, но которое пока не могут определить. Телепатия, условно говоря. Видимо, продвинутые кваzи могут влиять непосредственно на людей. Активировать в них «Райский сад». Вот этот кваzи «второго порядка» и запустил процесс у всех людей на Земле. В один миг и у всех сразу. И произошла Катастрофа.

— Зачем разумному кваzи это делать? — не сдавался Михаил. — Должно быть понятно, что мир рухнет!

— А затем, что один кваzи или даже горсточка в мире людей — это изгои. Объекты изучения в лучшем случае. Но вот если рухнет вся цивилизация, если повсюду появятся восставшие, начнётся паника и смертоубийства, а потом вдруг придут кваzи и всех спасут... Особенно если ты так здорово проявил себя. Организовал растерянных, не понимающих, кто и что они теперь, кваzи. Направил их защищать людей и помогать им. Вышел на переговоры с властями и предложил сотрудничество. Тогда ты уже не изгой. Не опасная аномалия. Ты глава нового разумного вида. Его Представитель.

Михаил молчал. Настя застыла, глядя на меня.

Представитель улыбался.

— Если я правильно понимаю, то вы обвиняете меня, Денис? Считаете, что это я мысленным усилием активировал локус «Райский сад» по всей Земле? С целью править новой расой, новым человеческим видом?

— Совершенно верно, — кивнул я. — Вы всё правильно поняли.

— Ненаучно и недоказуемо, — сказал Представитель. — Начнём с того, что я — обычный квazи, а не эти ваши супер-квazи. Я не ем мяса, я выгляжу как квazи...

— Выглядеть вы можете как угодно, — ответил я. — Насчёт мяса не знаю. А вот шоколад едите, сами сказали Найду.

— Шоколад — это какао-бобы, Денис! Растение!

— Какао-бобы не сортируют от насекомых, Представитель. Это просто нереально. В любом шоколаде до пяти процентов белка и хитина насекомых. Квazи ведь даже колу и лимонад красного цвета не пьют, там краситель кошениль, который делают из насекомых.

Представитель рассмеялся и покачал головой:

— Я не ем шоколад. Не сбивайте меня с толку. Я похвалил мальчику конфеты, потому что любил их раньше... Да что за ерунда, Симонов! Я не обязан перед вами оправдываться. Вы несёте бред!

— Дорогой Представитель, к чему несвойственные квazи эмоции? — спросил я. — Ваша убедительность всем известна. Докажите мою неправоту рациональными логичными доводами.

К моим ногам подкатился маленький резиновый мячик, синий в красную полоску. Следом за ним подошёл малыш лет трёх, серьёзно оглядел нас, несколько секунд изучающе смотрел на моноколесо, потом неуклюже взял свой мячик и, не произнося ни слова, удалился. Представитель с доброй улыбкой посмотрел ему вслед. Все мы молчали, пока ребёнок не отошёл.

— Хорошо, — ответил Представитель. — Если принять вашу историю, то зачем мне возвышать других кваzи, зачем натравливать их на людей? Самому себе пакостить?

— Проблема в том, что кваzи и люди научились жить вместе, — сказал я. — Ваше уникальное положение безусловного лидера кваzи становится ненужным. Кстати, если следовать официальной версии, то откуда у обычного, доселе ничем не примечательного человека, после возвышения взялся такой замечательный дар убеждения? Все кваzи подчинились вам будто загипнотизированные. Никто не задался вопросом: «А почему командует именно он?» Всё очень просто. Они подчинились вам, потому что были обычными. А вы — суперкваzи. И всё было прекрасно ровно до того момента, как выстроенное вами параллельное государство не стало излишним. Люди и кваzи вместе живут не только в Питере. Есть конфликты, но они преодолеваются. Разница уже не больше, чем между людьми разного цвета кожи или вероисповедания. Ещё чуть-чуть — и ваше уникальное дарование станет никому не нужным. Что делает в такой ситуации нормальный правитель? Развязывает маленькую войну. Или, если он умнее, балансирует на грани войны, чтобы сплотить свой народ. Вы создали кваzи-радикалов, точнее — раскачали имеющихся, поддержали их и получили ожидаемую реакцию от людей. Теперь вы тот кваzи, который удерживает радикальные круги от войны. Все события прошлого года в Москве, вся беготня Виктории — следствие того, что она действовала по вашему приказу, но подсознательно с ним боролась, пыталась противостоять вашей воле. Вы получили оружие, но самоубийственная война в ваши планы действительно не входила. Увы, напряжённость спала. Люди и кваzи продолжают интегрироваться, воевать никто не хочет. И вы решили разогреть ситуацию до той степени, чтобы разделение между людьми и кваzи стало казаться единственным выходом! Вы подняли Марию до состояния супер-кваzи. Убедили, уж не знаю, словами или внушением, выполнять ваши приказы. Возможно, что и не её одну, да и не только в России. По всей Земле начались выплески агрессии со стороны кваzи. Восставшие стали нестабильны, и роль кваzи для их сдерживания упала. Кваzи больше не нужны людям, более того — опасны. В такой ситуации у людей не остаётся выхода, кроме как поддержать ваш безумный план колонизации Марса. Да и для кваzи, перепуганных тем, что они в любой момент могут наброситься на людей, этот план становится единственным выходом. Всё! Вы снова на коне. Вы — спаситель и людей, и кваzи. Вы поведёте свой народ в космос, оставив людей плодиться, размножаться и поставлять вам новых подданных. Это дело долгое, но куда вам спешить? У вас же впереди вечность. Я даже не знаю, сколько вам лет на самом деле, Представитель. Может быть, вы ходите по Земле столетия? Тысячелетия? Может быть вас называли Каином? Или Вечным жидом? Может быть, вы были настоящим Дракулой или Тангейзером? Что вообще значит время для бессмертного? Может быть, вы хотите стать повелителем Вселенной?

— Потрясающая фантазия, — холодно сказал Представитель. — Впечатлён. Но это всё — ваша фантазия. Подогнанная под реальные факты. В отношениях людей и кваzи кризис, но я нашёл способ его преодолеть. Да, мы улетим в космос. Мы заселим Марс. Мы достигнем звёзд. И я буду править звёздами, хорошая идея, спасибо. А вы, Денис Симонов, проживёте свою человеческую жизнь, потом вас зароют в землю — и забудут.

Он грустно покачал головой. Посмотрел на Бедренца.

— Прости, старый друг. Твой московский товарищ, очевидно, устал и заработался. Проследи, чтобы его отправили в Москву. Мне очень жаль, что тебе пришлось выслушать весь этот бред.

— Мне тоже очень жаль, Представитель, — сказал Бедренец. — Но вы знаете, я никогда не носил шляпу. До тех пор, пока вы не надели её мне на голову. И мне почему-то стало казаться, что это прекрасная идея.

Кажется, Представитель впервые обратил внимание на то, как одет Драный Лис. Он нахмурился:

— То есть ты веришь в этот вздор?

— Мне кажется, что это правдоподобная версия, Представитель, — с заминкой ответил Бедренец. — Я вспоминаю все годы нашего общения. И вынужден признать, что вы обладаете неестественным даром убеждения. Начиная с того, как вы собрали и организовали первых кваzи. Вы словно заранее знали всё, что мы сможем делать. Учили нас контролировать восставших. Предупреждали об опасности невегетарианской пищи. Разъясняли границы возможного для наших организмов. Это странно, Представитель. И версия Дениса разъясняет все без исключения странности.

Представитель всплеснул руками.

— Замечательно. Не мне тебе говорить, Михаил, что любой настоящий бред строго логичен, если принять за факт изначальную неверную посылку. Денис представляет меня каким-то Агасфером, каким-то, прости господи, Кощеем Бессмертным и из этого выводит целую теорию! И ты готов в это всё поверить!

— Опровергни его, Представитель, — сказал Бедренец, и в его голосе послышалась надежда. — Я очень хочу, чтобы ты опроверг его слова.

— Хорошо, — Представитель вздохнул. — По словам Дениса, я сознательно возвысил Белинскую, зная, что она не причинит ему вреда. Потом приказал ей провести серию терактов — натравить кваzи на людей, заблокировать ряд восставших от управления. А потом приказал отравить целую группу курсантов в поезде, в котором ехал Симонов, прекрасно зная, что она его не тронет. Зачем? Посылать на задание террориста со связанными руками? А если бы Денис понял, что та виновата, — Белинская не смогла бы ему противостоять? Ну это же совершенно нелогично, это полная чушь! Игра в поддавки!

Бедренец молчал. Потом спросил:

— Денис, ты можешь ответить?

Я вздохнул:

— Могу. Я слишком сильно разозлил Представителя, когда задержал Викторию и отнял у неё вирус.

— Ты же его отдал мне, — сказал Бедренец. — Ты в итоге помог.

— Вот это, наверное, было унизительнее всего, — сказал я. — Вместо чистой победы — подачка. Вместо противостояния — игра в поддавки. Оказаться зависимым от чьей-то доброй воли, получить желаемое из жалости. Отвыкли вы от этого, Представитель.

— И поэтому послал на акцию женщину, неспособную тебя убить, причём до того, как тебя направили в Питер! — Представитель посмотрел на Бедренца. — Теперь ты видишь, что это бред?

— Когда смерть была для нас наказанием? — спросил Бедренец.

— Именно, — я рассмеялся. — Вы бы не стали специально посылать в Москву убийц, да и смерть для вас — лишь краткая остановка в пути. На самом деле ничего из сделанного вами не преследовало лишь одну цель. Вы послали Марию, потому что она знала меня в лицо, следила за моей жизнью, мучилась своей виной. Вы предложили Бедренцу вызвать меня в подмогу. Вы же намекнули московским спецслужбам, что в поезде с курсантами готовится какая-то провокация. Маркин отправил меня в путь в соседнем вагоне — просто на всякий случай, приглядывать. Того, что случилось, он не предвидел, конечно. Но на всякий случай сообщил, что я еду в вагоне с курсантами. Перестраховался, решил, что если и впрямь готовится что-то серьёзное, это остановит провокаторов. Вы приказали Марии поднять восставших ускоренно и всех разом. Началась бы бойня. Вы ожидали, что я ринусь в бой, и меня либо сожрут...

— Вас сожрёшь, Денис... — процедил Представитель. — Вы сами кого хотите сожрёте.

— Либо я перережу едва поднявшихся восставших и попаду в тюрьму как убийца. Возможно — пойду на корм восставшим. Мне почему-то кажется, что вам нравился этот вариант. Скандал вышел бы ужасный. Теракт, бойня в поезде, массовое убийство, маньяк из госбезопасности. Тут все бы принялись вопить, что люди и кваzи не способны существовать вместе. Но всё пошло немножко не так. Мне захотелось пива, я пошёл в вагон-ресторан. Мария меня увидела, занервничала. Она выполнила приказ, но один из восставших поднялся первым, я его убил, а дальше... дальше действовал не так, как вы планировали. Не перерезал всем глотки, а заблокировал вагон. Думаю, вы переоценили мою ненависть к восставшим. Вам пришлось импровизировать. Вы продолжили нагнетать ситуацию. А Мария тем временем отбилась от рук. Стратегически она ваш план поддерживала, а вот в деталях всё больше и больше сомневалась. Кстати, почему вы используете женщинквazи? На них проще влиять? Или это чисто эстетический выбор?

Представитель вздохнул и встал.

— Всё, Симонов. Я вас выслушал. Спорить с вами бесполезно, вы не откажетесь от своего бреда, вы уже втянули в него окружающих. Но я вынужден с вами распрощаться и продолжить работу. А вы можете отправляться к своему начальству и компостировать им мозги.

Я развёл руками.

— Не могу этого допустить, Представитель. Никак не могу.

— Да? — удивился Представитель. — И что же вы собираетесь сделать?

Зима в Москве тёплая. Кто говорит, что климат изменился, кто грешит на мегаполис, греющий небо миллионами человеческих тел и всем, что им нужно для жизни.

А вот снег в Москве грязный, и в этом точно заслуга мегаполиса: десятков ТЭЦ, сотен котельных, тысяч ресторанов с грилями и мангалами, миллионов машин.

Мы стояли на берегу Москвы-реки и смотрели на грязный белёсо-серый лёд. Он ещё лежал, хотя даже самые отмороженные рыбаки перестали дырявить его лунками и самые безбашенные гуляки прекратили пересекать реку по льду.

— Восставший, — сказала Карина, девчонка рослая, крепкая и грубоватая. В участке она работала водителем, мы ехали из Крылатского, когда за мостом машину остановил отчаянно машущий шарфом старичок. Было в старичке что-то доисторическое. Вспоминался какой-то кинофильм, где пионер, размахивая красным галстуком, тормозил поезд, перед которым лопнули рельсы...

— А может, и живой, — предположил я.

Старичок мялся рядом. Поглядывал то на нас, то на реку.

Посередине реки была полынья. В полынье кто-то неуклюже и неспешно барахтался. Подымалась временами рука, цеплялась за лёд, соскальзывала...

— Следов нет, — сказала Карина. Достала пачку сигарет, нервно закурила. — Дед, ты не видел, кто это? Шёл кто по льду?

— Нет, как увидел — уже топ! — горячо воскликнул дед. — Что ж вы не спасаете-то?

— Это восставший, дед, — сказала Карина, всасывая полсигареты одной затяжкой. — Течением принесло. Ничего, притопнет, по дну дойдёт. Или к берегу вынесет.

— Вы ж должны восставших спасать! — возмутился дед.

— Лёд плохой, — сказал я. — О живых думать надо.

Дед что-то возмущённо забухтел.

Я прижал ладони ко рту и закричал:

— Эге-гей! Ты живой? Ответь, если живой!

Руки всё так же механически царапали лёд.

— Восставший, — уверенно подытожила Карина. — Спасибо, дедушка. За бдительность.

— А если живой? — неуверенно сказал дед. — Сил уже нет крикнуть, бывает такое...

Я снял мачете и протянул Карине.

— Что ты собираешься делать? — воскликнула она.

— Глупость, — сказал я. — Я большой специалист по глупостям. Не менее двух-трёх в день.

Лёд был таким грязным, что ложиться на него было противно. Я прошёл метров десять, прежде чем всё-таки лёг — под ногами стало скрипеть. Дальше я полз, временами поднимая голову и пытаясь оценить расстояние.

Лёд скрипел и шёл волнами.

Лёд был мокрым.

Лёд был грязным.

Какой же он был грязный, твою же мать, какие мы, люди, свиньи, грязные свиньи, да нет, свиньи куда чистоплотнее нас...

Там были окурки, банки, бутылки. Был использованный презерватив — нашли время и место, зимой на льду трахаться! Была лужа грязного машинного масла, это-то откуда? Была порванная книжка стихов неизвестной мне поэтессы.

Потом воды на льду стало совсем много, и я посмотрел в серое лицо подростка, барахтающегося в полынье.

Тьфу ты, пропасть... Восставший.

Я начал пятиться по льду.

Глаза подростка неотрывно смотрели на меня. Губы беззвучно шевелились.

Я остановился.

В глазах не было голода. В глазах был ужас.

Я продвинулся вперёд ещё на метр. Вытянул руку. Поймал парня за ладонь. И начал отползать от полыньи, таща подростка из воды.

Лёд под ним ломался трижды. Я тащил его к берегу, а полынья ползла за нами, раскрываясь жадным голодным ртом.

— Твою же мать, твою же дуру мать, шевелись! — ругался я.

Парень слабо дёргался. Рука была холодна как лёд.

Может, всё-таки восставший?

Потом в мою ногу вцепилась чья-то рука. Я почувствовал табачный запах. Карина отчаянно ругалась матом и тащила меня. Потом отпустила, я протащил парня по льду, она взяла его за другую руку и мы поползли к берегу. Там суетился неугомонный дед, бегали какие-то мужики с досками и бухтой троса. Но мы уже доползли до твёрдого льда.

Мы содрали всю грязь со льда, от полыньи тянулась чистая белая полоса. Вся дрянь, что накопилась за зиму, была теперь наша.

— Какого... какого ты его тащил! — кричала Карина, вставая. — Восставший же, восставший, блинский блин, ты что, Дениска?

— Спасибо... — вдруг пропищал восставший. И тонко, с подвыванием, заплакал. Если бы он не сказал своё волшебное слово, я бы точно решил, что это мертвяк.

— Живой! — восхитилась Карина. — Денис, да он живой! Эй, сухое тащите!

Мы выволокли подростка на берег. Ему было лет пятнадцать, он был прыщав и посерел от холода. И впрямь, с первого взгляда типичный восставший. Парня подхватили, поволокли к дороге, где уже остановилось несколько машин, содрали одежду, стали растирать водкой, кутать в скинутые куртки...

— Могли бы и нам принести, — глядя вверх, к дороге, сказала Карина. И заразительно засмеялась. — Нет, мне же за руль ещё. Денис, ну ты реально псих! Как понял, что он живой?

— Мёртвые не боятся, — сказал я. — А у него ужас был в глазах.

— Разглядел же, — восхитилась Карина.

— Так я, знаешь, какой офигительный специалист по страхам и ужасам? Я ведь всего боюсь. — Я стащил форменную куртку и встряхнул, сбрасывая часть грязи. — Пойдёмте к машине, коллега. Может быть, нам в отделении нальют?

В отделении нам не налили, разумеется. Но вечером я налил Карине сам, и следующие три месяца мы были очень близки — пока наш короткий роман не выдохся сам собой, тихо и мирно. Я даже гулял на её свадьбе.

* * *

Я посмотрел на фонтан, на мамаш и бабушек, на беседующих квazи и на того, молодого, что сидел с мольбертом. Жаль, что они тут. Потом посмотрел на малыша, играющего в мячик, — и тот почувствовал взгляд, поднял на меня глаза. Я улыбнулся, и он, успокоенный, снова побежал по дорожке, неловко пиная мячик.

Быстро.

Я должен быть очень быстрым. Как квazи. Как супер-квazи. Если бы Представитель маскировался под человека — всё было бы очень легко. Один короткий порез — и густая, нечеловеческая кровь выдала бы его. Но ему не нужно маскироваться, это время прошло одиннадцать лет назад, когда он каким-то мистическим образом пробудил спящие гены бессмертия у всех людей на Земле.

Конечно, если я не сошёл с ума. Если действительно прав я, а не Представитель.

Значит, он должен испугаться. По-настоящему испугаться за себя, за свою жизнь, за свои грандиозные планы.

— Я самый лучший в мире специалист по страхам и ужасам, — сказал я. — И раньше был хорош, а в последнее время вообще наловчился. А ещё я специалист по глупостям!

Бедренца я ударил ладонью в грудь, отшвыривая от себя, — просто чтобы он не наделал глупостей, не попытался меня удержать. Ударил, уже вскакивая, сверху вниз — и сбил со скамейки, одновременно правой рукой хватая Представителя за плечо.

Тот даже не удивился и даже не попытался вырваться. С улыбкой продолжал стоять, глядя на меня, лишь мышцы под моими пальцами напряглись, закаменели.

А чего ему бояться? Кваzи в два раза сильнее и куда быстрее обычного человека, они регенерируют после заряда картечи в грудь...

Левой рукой я работаю мачете почти так же хорошо, как и правой.

Наверное, я переученный левша.

Лезвие сверкнуло тёмной молнией, когда я вырвал мачете из ножен. Чуть-чуть недоверия появилось в глазах Представителя — и сменилось болью.

Я отрубил ему кисть правой руки, зацепил бок, пропоров дорогой итальянский пиджак, — и оставил длинную, хоть и неглубокую рану на ноге.

— Это за мою жену, сука, — сказал я, подтягивая Представителя к себе, — и ударил головой в лицо, расквасив нос. — Это за всех, кого сожрали и растерзали!

Настя закричала.

Представитель наконец-то начал сопротивляться.

Не обращая ни малейшего внимания на обрубленную руку (кровь стянулась вокруг раны тугой багровой каплей, на глазах застывая и формируя культю), Представитель пнул меня коленом в пах и ударил здоровой рукой. Я отлетел в сторону, но ухитрился удержаться на ногах.

Вокруг уже был сущий ад.

Мамаши вопили, хватая детей и укатывая коляски. Кваzи остолбенев смотрели на происходящее. Какой-то паренёк поднял телефон и снимал происходящее.

В общем, всё нормально. Погром заказывали?

— Я тебя порежу на салями, — пообещал я, приближаясь. — Думаешь, ты первый кваzюк, которого я почикал? Беги, зайчик. Беги.

Только бы он не побежал. Только бы не принялся спасаться — добрый, чудесный Представитель, на которого напал сумасшедший Денис Симонов.

Потому что у меня нет, нет, нет никаких железных доказательств.

И если Представитель это осознает — он убежит или выдержит ещё одну-другую атаку, прежде чем меня оттащат или убьют. Ничем не проявив себя.

Он должен испугаться, но не побежать. Он ведь не привык подчиняться или уступать.

Я крутанул мачете в руке, перекинул из левой руки в правую, оскалился — надеюсь, это была злобная ухмылка. И быстрым шагом пошёл к Представителю, видя краем глаза, как тянется ко мне сзади поднявшийся Михаил. Но как-то медленно тянется, словно колеблется, словно даёт мне время...

— Убить его! — закричал Представитель, протягивая в мою сторону искалеченную руку.

Я ничего не ощутил. Но вроде бы Михаил говорил, что он тоже ничего не почувствовал, когда напал на меня.

Просто трое квazи, сидевших у фонтана, синхронно вскочили (юноша опрокинул мольберт) и кинулись ко мне. А со стороны Зимнего неслись три симпатичные девушки — секретарши Представителя.

Да с чего я, дурак, решил, что он придёт один?

И с чего я решил, что его девушки-секретарши — люди? Они тоже квazи второго порядка!

Впрочем, неважно.

Представитель продемонстрировал свою сущность.

— Убить всех... — Он не успел отдать приказ. Уж не знаю, что Представитель хотел сказать: «всех присутствующих людей» или вообще «всех людей», — кулак Насти, до этих пор сидевшей будто в оцепенении, врезался ему в челюсть, и сила квazи вступила в короткое противоборство с прочностью квazи. Уж не знаю, какие ньютоны и килограммы на квадратный сантиметр нужно было бы подставить в уравнение, но ньютоны победили. Зубы Представителя брызнули изо рта, голос сменился нечленораздельным воплем, он отшвырнул Настю в сторону.

В следующий миг Михаил отбросил меня в сторону. Только поднимаясь, я понял, что он убрал меня с линии выстрела — одна из бежавших секретарш, далеко вырвавшаяся вперёд, на ходу палила из пистолета. Секунду Михаил стоял, оглядываясь, потом подхватил с земли литую чугунную урну — и швырнул её в подбегающую девушку. Секретаршу снесло в сторону вместе с пистолетом.

А дело-то налаживается!

— Представитель, вы арестованы! — вдруг закричал Бедренец. — Не сопротивляйтесь, не усугубляйте свою вину!

Интересно, он и впрямь может арестовать Представителя? Как у них всё запутано, у кваzи.

Бедренец и Представитель сцепились — тот и не подумал, разумеется, «не сопротивляться». Кажется, Представитель был ошарашен тем, что Михаил ему не подчиняется, но ничуть не запаниковал.

С мачете наперевес я встретил первого из атакующих кваzи. Это явно был бизнесмен, человек серьёзный и обеспеченный, даже после жизни не утративший интерес к дорогим рубашкам с запонками и шёлковым галстукам.

Я рубанул его по голове, мысленно извинившись перед своим мачете. Черепа и у людей-то крепкие...

Этот кваzи не был бойцом и от удара не уклонился. С расколотым черепом он рухнул мне под ноги. Восстанавливаться будет несколько дней.

Что-то противно чмокнуло, и у меня вдруг резко заболела правая рука. Я едва не выронил мачете и вновь перехватил его в левую руку. Опустил глаза — рукав ветровки был порван, торчащие клочья ткани набухали кровью. Зацепили.

В меня палили обе оставшиеся секретарши, остановившись за пределами досягаемости Бедренца, — и одна из них ухитрилась-таки попасть. Но, видимо, пистолеты не были слишком уж привычным им оружием, они безбожно мазали.

— Настя! — крикнул я.

Не знаю, чего я от неё сейчас хотел. Чтобы она накостыляла девицам? Она вообще-то может. Она хорошо умеет и драться, и стрелять. У неё же должен быть пистолет, наверное.

Но Настя просто повернулась к девушкам — и те прекратили стрелять. Стояли, застыв, целясь в меня, но не нажимая спусковые крючки.

Я отвлёкся от них и встретил второго кваzи. Этот был боец получше: уклонился от первого удара, скользящим ударом задел мне раненое плечо, — я взвыл от боли не хуже восставшего и взмахом мачете распорол кваzи живот. Тот остановился, посмотрел на окровавленное пузо — и неожиданно рухнул. В обморок, что ли, упал? А они это умеют?

Но и парнишка-художник, бежавший ко мне, зашатался и осел на землю.

Я обернулся. Девушки-секретарши тоже рухнули. Настя медленно развернулась, слабо улыбнулась. Она их вырубила. Усыпила.

— Спартак чемпион! — злобно выкрикнул я, кидаясь на помощь Бедренцу. Тот продолжал «бодаться» с Представителем — они вроде как держали друг друга за плечи, временами слегка толкаясь и неотрывно глядя друг на друга, но настоящая их борьба происходила где-то в ином месте, невидимая глазу, но от этого не менее яростная.

— Папа!

Я обернулся — от Невы бежал к нам Найд. Вот чертёнок, час ведь ещё не прошёл...

И тут я увидел то, от чего у меня всё застыло внутри.

Отовсюду к нам шли кваzи.

На ходу некоторые подбирали палки и булыжники. У других в руках были арматурины и ножи.

В пределах видимости их были даже не десятки, а пара сотен. Питер — столица мёртвых.

Представитель захохотал, не отрывая взгляда от Бедренца. Я увидел, что голова Михаила медленно клонится, он клюёт носом, словно вот-вот уснёт. А Настя уже сидела на земле, даже не делая попыток встать.

Я побежал к Представителю, сжимая мачете для последнего удара.

В этот раз я расслышал выстрел. И почувствовал куда лучше. Пуля ударила меня в правое бедро, я крутанулся на левой ноге и рухнул. Мачете отлетело куда-то в сторону, противно звякнув на камнях.

— Пап! — Найд упал на колени рядом, попытался меня поднять. Его рюкзачок тяжело стукнул о камни.

— Всё норм, — пробормотал я. — Сейчас папа встанет... А ты беги. Беги быстро!

Найд смотрел куда-то мимо меня. Потом протянул руку, что-то нащупал и встал. В руке у него было моё мачете.

Я повернул голову. Интересно же, на что он там смотрит.

Сбитая броском урны секретарша шла к нам, сжимая в руке пистолет. Лицо её было спокойно-равнодушным, как положено всем приличным кваzи, и ангельски красивым. Только свороченная набок челюсть немного её портила.

— Не подходи, — сказал Найд.

Представитель снова рассмеялся. И сказал:

— Убей мальчишку у него на глазах. Потом женщину и старика. Потом его.

— Не подходи, — повторил Найд. Выкрикнул: — Не подходи!

Секретарша ускорила шаги. Ну что за сволочь, почему он зомбирует исключительно таких красивых девиц?

Представитель снова рассмеялся. Я вдруг понял, что мир уже давно плывёт и двоится. Это что же такое получается, я помру от потери крови, меня даже убить не успеют? Вот вся эта спешащая, деловитая толпа подчинённых воле Представителя кваzи даже не успеет меня растоптать живым?

А потом, одновременно, случились сразу две вещи.

Бедренец медленно, с усилием поднял руки, сдавил с боков голову Представителя. Представитель закричал, из глаз его хлынула густая кровь.

Найд бросил мачете. Запустил ладонь в рюкзачок и вытащил оттуда пистолет Бедренца. Навёл на секретаршу, держа двумя руками. И дважды, словно бы даже не целясь, выстрелил.

«Вечно пропускаю всё веселье», — успел я подумать, падая в темноту.

Вначале было слово.

Только потом был свет.

Слово было короткое, бранное, грубое, которое при детях не произносят и в книжках не печатают. Свет был ярким, режущим.

Слово сказал я, а свет был сам по себе.

Я открыл глаза.

Потолок. Белый. И лицо надо мной. Увы, не ангел, совсем не ангел.

Владислав Маркин.

Я ничего не чувствовал.

У меня ничего не болело.

И эмоций никаких не было совершенно.

У живых людей такого не бывает.

— Слава, ты козёл, — сказал я. — У меня в завещании указана кремация. Я не хотел восставать. И возвышаться ускоренно — тоже!

Маркин кивнул:

— Узнаю балбеса. Симонов, с чего ты взял, что умер?

— Не чувствую ничего.

— В тебя вкатили столько обезболивающего, что твою мочу можно наркоманам продавать. Живой ты, дурак.

— А... — сказал я. — Чёрт. Неудобно получилось.

— Ты почему не сообщил, кого подозреваешь и что собираешься делать? Ты, псих чёртов, ты напал на Представителя кваzи!

— Я напал на того, кто виновен в смерти миллиардов людей.

— Это если он и впрямь был самым главным, — кисло сказал Маркин. — Взяли бы живым, знали бы точно.

— А что с ним?

— Бедренец раздавил ему череп. А потом... в общем, шансов регенерировать у Представителя не было.

— Ясно, — сказал я. — Ну извини. Так получилось. Можешь меня расстрелять.

— Как мне этого хочется, — вздохнул Маркин, вставая. Я уже настолько пришёл в себя, что различил больничную палату, увидел вставленные мне в руки трубки, моргающие индикаторы больничной машинерии.

— Маркин...

— Ну?

— Почему ты отправил меня в Питер именно в том вагоне?

— Я? Я даже не знал, каким поездом ты едешь.

— Чёрт... — Я замотал головой. — Нет, совпадений не бывает...

— Тебе билеты заказали из администрации Представителя.

— А. — Я помолчал. — Понял. Никакой телеграммы, выходит, вообще не было... Да какие нынче телеграммы, кто ими вообще пользуется... Бедренцу сказали, что была, чтобы он сказал мне, чтобы я решил... Понятно.

— Ты о чём?

— Ничего-ничего, — сказал я. — Извини, я подумал о тебе хуже, чем следовало. Хотя у меня остаётся очень серьёзный вопрос. Ты допрашивал Полозкова, и он рассказал тебе свою теорию о вымирании видов.

— Ну и?

— Почему я не знал?

— Потому что тебе не положено это знать. Теория — она теория и есть.

— Но именно на эту теорию опирался Представитель, продвигая отлёт квazi с Земли.

Маркин присел рядом. Вздохнул:

— Это и впрямь хороший выход, Денис. Теперь осуществлять его будем не в пожарном порядке и без полной эвакуации всех квazi. Но так будет лучше. Для всех.

— Вы давали возможность Представителю сделать свой ход, — сказал я. — Вы догадывались.

— Не надо лезть в вопросы, которые выше твоего уровня допуска, — сказал Маркин, помолчав. — Ничего точно мы не знали. Я рад, что ты жив. И что твой сын, которого ты имел глупость с собой взять, не пострадал.

Я не стал спорить. Попросил:

— Позови остальных.

— Уверен, что ты кому-то, кроме меня, нужен? — ворчливо спросил Маркин. — Ладно... лежи.

Кажется, первым хотел войти Бедренец. Но в результате короткой возни в дверях они вошли втроём — Михаил, Настя и Сашка. Сашка молча обнял меня и застыл, согнувшись у кровати. Михаил и Настя неловко стояли рядом.

— Замечательно выглядите, — сказал я. — Вы как? Я боялся, что тебя засадят в тюрьму, Миша.

— Кто же посадит нового Представителя? — сказала Настя.

— А, — понимающе протянул я. — Как у вас всё просто в престолонаследовании. Завалил альфу — и стал главой стаи.

— Вот видишь, он в хорошей форме, — спокойно сказал Михаил. — Если Денис начинает отпускать тупые шуточки — за него можно быть спокойным. Денис, нас пустили буквально на несколько минут. Говорят, что тебе нужен отдых. Ты не против, если Сашка поживёт у меня, пока ты в больнице?

— Ты как, сын? — спросил я.

Сашка поднял заплаканное лицо.

— Ты точно не умрёшь?

— Теперь уже и не знаю, — вздохнул я. — Но про пистолет, который ты взял без спроса, мы ещё поговорим... Так что, поживёшь у Михаила?

Сын явно колебался.

— Настя, если ты пока остаёшься в Питере, вы могли бы оба у меня остановиться, — сказал Бедренец.

— Поживём у Михаила Ивановича, Саш? — спросила Настя.

Сашка обрадованно кивнул. Михаил осторожно коснулся его плеча. Сын вслед за ним пошёл из палаты — в дверях остановился и едва заметно подмигнул мне. Я скорчил страшную рожу.

— Я выпросила пару минут, — сказала Настя.

— Ага, — я неловко повернулся. Нога начала болеть. — Извини, что ничего не сказал заранее. Чистая импровизация. Я не ожидал такого... размаха. А ты меня удивила, когда дала по зубам Представителю.

— Я не сразу поняла, как влиять на других квазi, — сказала Настя. — Вначале перестаралась... слишком сильно на них надавила. И сама ослабела, и Бедренца чуть не усыпила. Но когда он убил Представителя — все сразу остановились. Такая истерика была... Девушка, в которую Найд стрелял, ползала в крови, голосила, просила прощения...

— Сашка. Моего сына зовут Александр. Найдом его звал Михаил, пока не нашёл меня.

Настя кивнула. Неловко поправила на мне простыню.

— Всё так странно. Я действительно чувствую себя живой. Как прежде. Я понимаю, это ничего не значит...

— Мы поговорим ещё об этом, — сказал я. — У нас будет время. А сейчас я, наверное, усну. Они и впрямь меня накачали лекарствами.

— Я пойду, — быстро сказала Настя. — Отдыхай. Ты сейчас похож на восставшего в процессе подъёма. Боюсь, что ты завоешь и попробуешь меня укусить.

— Да, ты стала опасно похожа на человека, — согласился я, улыбнувшись. — Даже шутишь.

Она повернулась, глянула на меня — и я заглянул в её глаза, с опаской и осторожностью, боясь увидеть там что-то, чего не должно быть у человека. Но там была только тревога и смятение. Я большой специалист по этим делам.

— Скажи Сашке, что ты меня удивила и насмешила. И даже немного растрогала. Именно так и передай.

— Хорошо, — Настя удивилась, но кивнула. Взгляд её скользнул по тумбочке рядом с кроватью. — Денис, тут какие-то бумаги в файлике и ручка. Наверное, Маркин забыл. Отнести ему?

Я молчал секунд десять, прежде чем ответил.

— Да, только дай на секунду.

Руки слушались плохо, и Настя придержала бумагу передо мной. Анкетный лист был чист и не заполнен. На этой странице было всего два пункта, 93-й и 94-й, в которых долго и витиевато формулировались мои посмертные предпочтения.

Я поставил галочку в графу «Нет» на 92-м вопросе. И ещё одну, в ту же графу, в пункт 94, за привилегию, которую многие выгрызали бы с кровью, в прямом и переносном смысле.

— Отнеси Маркину, — попросил я. — Скажи, что на большее он может не рассчитывать.

Если я и впрямь кому-то нужен — меня подождут. Ждать тоже надо уметь.

Я знаю.

Я в этом — большой специалист.

ОГЛАВЛЕНИЕ

Литературно-художественное издание

16+

Лукьяненко Сергей Васильевич
КАЙНОZОЙ

Фантастический роман

Компьютерная верстка: С. Клещёв
Технический редактор Т. Полонская

Подписано в печать 29.10.18. Формат 84×108 1/32. Усл. печ. л. 16,80.
Печать офсетная. Бумага офсетная. Гарнитура Newton.
Тираж 45000 экз. Заказ № 10977.

Общероссийский классификатор продукции
ОК-034-2014 (КПЕС 2008); 58.11.1 — книги, брошюры печатные

Произведено в Российской Федерации
Изготовлено в 2018 г.
Изготовитель: ООО «Издательство АСТ»

129085, Российская Федерация, г. Москва, Звездный бульвар, д. 21,
стр. 1, комн. 705, пом. I, этаж 7

Наш электронный адрес: **www.ast.ru**. Интернет-магазин: **www.book24.ru**
E-mail: **neoclassic@ast.ru.** ВКонтакте: **vk.com/ast_neoclassic**
Өндіруші: ЖШҚ «АСТ баспасы»

129085, г. Мәскеу, Звёздный бульвары, д. 21, 1 құрылым, 705 бөлме, пом. 1, 7-қабат
Біздің электрондық мекенжаймыз: www.ast.ru
Интернет-магазин: www.book24.ru. Интернет-дүкен: www.book24.kz
Импортер в Республику Казахстан и Представитель по приему претензий
в Республике Казахстан — ТОО РДЦ Алматы, г. Алматы.
Қазақстан Республикасына импорттаушы және Қазақстан Республикасында
наразылықтарды қабылдау бойынша өкіл —«РДЦ-Алматы» ЖШС, Алматы қ.,
Домбровский көш., 3«а», Б литері офис 1. Тел.: 8(727) 2 51 59 90,91,
факс: 8 (727) 251 59 92 ішкі 107; E-mail: RDC-Almaty@eksmo.kz , www.book24.kz
Тауар белгісі: «АСТ» Өндірілген жылы: 2019
Өнімнің жарамдылық; мерзімі шектелмеген.

Отпечатано с готовых файлов заказчика
в АО «Первая Образцовая типография»,
филиал «УЛЬЯНОВСКИЙ ДОМ ПЕЧАТИ»
432980, г. Ульяновск, ул. Гончарова, 14